LES
OISEAUX

LES
OISEAUX

p

Parragon Books Ltd
Queen Street House
4 Queen Street
Bath BA1 1HE
Royaume-Uni

Copyright © photographies OSF/Photolibrary.com et Ardea
(voir p. 319 pour plus de détails)
Copyright © texte Parragon Books Ltd

Créé par Atlantic Publishing

Copyright © 2006 pour l'édition française
Parragon Books Ltd

Réalisation : ML ÉDITIONS, Paris
Traduction : François Poncioni (p. 1-181)
et Marine Bellanger (p. 182-320)

ISBN-10 : 1-40547-741-5
ISBN-13 : 978-1-40547-741-3

Imprimé en Chine
Printed in China

Sommaire

Introduction

Les oiseaux ont toujours fasciné les hommes, dans le monde entier et à toutes les époques. La faculté qu'ont la plupart des oiseaux de voler – et de s'évader ainsi des limites imposées par le monde terrestre – a servi de symbole à de nombreuses croyances religieuses. Les anciens Égyptiens considéraient l'ibis sacré comme l'une des formes du dieu Thot, conseiller d'Osiris et scribe des dieux de l'Égypte. Dans le christianisme, l'oiseau le plus célèbre est la colombe, qui symbolise le Saint-Esprit. Pour les Amérindiens, l'aigle représente l'esprit divin et la protection contre le démon, et il est même devenu l'emblème des États-Unis.

Il reste encore beaucoup à apprendre sur les oiseaux, leur cycle de vie, leur interaction avec leurs habitats et, pour ceux qui migrent au gré des saisons, leur méthode pour se diriger. Cependant, quelques mystères sont aujourd'hui éclaircis. Nous connaissons bien, par exemple, leur anatomie, leur façon de voler et leur évolution depuis leurs origines communes avec les reptiles. Nous avons aussi élaboré un classement des différentes espèces, regroupées en définissant les ressemblances entre des oiseaux à première vue très dissemblables.

Cet ouvrage est composé de deux grandes parties. Dans la première sont traitées les plus grandes espèces d'oiseaux, classées selon la famille à laquelle elles appartiennent, et comprenant aussi celles étroitement apparentées. Ainsi, le grand duc d'Amérique *(Bubo virginianus)* est placé juste après le grand duc d'Europe, car tous deux sont des membres proches de la famille des Strigidae. On trouve dans la seconde partie de l'ouvrage les oiseaux de petite taille, parmi lesquels les onze oiseaux les plus petits, les passereaux et les percheurs.

Les magnifiques photographies reproduites dans cet ouvrage illustrent dans le détail la riche variété de la vie des oiseaux, du pardalote strié des forêts d'eucalyptus de l'Australie à l'albatros hurleur, immense oiseau des océans du Sud se nourrissant de nuit, que l'on voit ici avec un oisillon dans son nid de neige. Entre ces deux extrêmes sont évoqués bon nombre d'oiseaux communs que l'on aperçoit couramment dans nos villes, pour peu qu'on prenne le temps de s'y intéresser; leurs cris et leurs silhouettes en vol nous sont familiers. Mais on peut aussi voir, photographiés de près avec une précision stupéfiante, les visiteurs occasionnels de nos régions, avec des représentations d'oiseaux du monde entier. Ce livre ouvre une fenêtre sur le monde et la vie de plus de quatre cents espèces.

Le texte, abondamment documenté, procure une multitude de renseignements concernant la taille de chaque oiseau, son habitat, ses habitudes, son mode de reproduction et sa nidification. Les dangers qui menacent certaines espèces sont également décrits, car les activités humaines affectent de diverses façons le monde aviaire. L'émeu du Sud, le plus grand oiseau non volant d'Amérique du Sud, est directement menacé par l'homme, qui le chasse pour sa chair et pour protéger les cultures, dont il est un indésirable consommateur. Moins menacé par l'homme, mais néanmoins en sévère diminution, le caracara huppé souffre de l'altération de ses habitudes alimentaires, au fur et à mesure de nos intrusions dans son habitat. Mais cet ouvrage rapporte aussi et fait l'apologie des actions humaines bénéfiques, notamment lorsque des espèces menacées sont aidées par des interventions dans leur reproduction. La réintroduction du milan royal a permis un notable accroissement de sa population, et le classement comme espèce protégée du crave à bec rouge a eu des effets positifs sur sa reproduction.

Dans un monde où de nombreuses espèces sont en danger, l'information demeure la base d'un processus de prise de conscience qui devrait déboucher sur une meilleure préservation de la riche et abondante variété d'oiseaux qui vivent sur notre planète.

AUTRUCHE

NOM SCIENTIFIQUE	*Struthio camelus.*
FAMILLE	Struthionidae.
LONGUEUR	250 cm.
HABITAT	Déserts, prairies arides.
RÉPARTITION	Afrique, du Sénégal à la Somalie, sud de la Tanzanie, population dispersée en Afrique du Sud.
DESCRIPTION	Très long cou et très longues pattes. Plumes du corps noires; plumes blanches sous les ailes et la queue. Cou et tête chauves; deux doigts à l'extrémité de chaque patte.

L'autruche appartient à la plus grande des espèces d'oiseaux. Elle mesure près de 2,50 m de hauteur, et elle est le plus rapide bipède du monde. Comme ses proches espèces apparentées, elle ne peut pas voler, mais possède des pattes longues et puissantes qui lui permettent de courir à plus de 60 km/h, vitesse qu'elle peut maintenir pendant une demi-heure environ. Comme elle vit en habitat ouvert, la possibilité de se déplacer aussi rapidement la protège de prédateurs comme les grands félins (elle peut aussi infliger des blessures mortelles avec ses pattes) et lui permet de trouver facilement les lieux où se nourrir. L'autruche est nomade et bien adaptée à la vie dans le désert : elle est dotée d'une très bonne vue et peut se passer d'eau pendant de longues périodes, absorbant l'humidité des plantes qui composent la majeure partie de son régime alimentaire. Elle se nourrit également de petits vertébrés. En période de reproduction, le mâle attire la femelle par des battements d'ailes répétés. Bien que cette espèce vive en couple, le mâle peut dominer plusieurs femelles, qui déposent leurs œufs dans une excavation commune. La femelle « principale » déplace habituellement plusieurs œufs de ce nid, et on a remarqué l'incroyable habileté dont font preuve les femelles pour reconnaître leurs propres œufs. Les deux parents incubent les œufs, puis nourrissent les jeunes.

NANDOU D'AMÉRIQUE

NOM SCIENTIFIQUE	*Rhea americana.*
FAMILLE	Rheidae.
LONGUEUR	135 cm.
HABITAT	Prairies, lieux semi-boisés.
RÉPARTITION	Amérique du Sud : de l'est et du centre du Brésil à une partie de l'Argentine.
DESCRIPTION	Grand cou et longues pattes. Couleur gris brun ; trois doigts à l'extrémité de chaque patte.

C'est le plus grand oiseau d'Amérique du Sud. Les nandous appartiennent à la sous-classe des ratites, oiseaux ne volant pas et comprenant des espèces comme l'autruche, le casoar ou l'émeu. Ils sont aussi étroitement apparentés aux tinamous. Incapables de voler mais très rapides à la course, ils utilisent leur grande taille et leurs puissantes pattes pour échapper aux prédateurs. Ils peuvent aussi porter des coups redoutables. Très agressifs en période de reproduction, les mâles luttent alors pour dominer leurs rivaux ou défendre leur progéniture. Il arrive même au nandou d'attaquer l'homme. Les mâles s'accouplent avec plusieurs femelles et pratiquent une excavation dans le sol, où sont pondus de vingt à trente œufs par femelle. Le mâle est le seul à les incuber. Le nandou est omnivore ; il se nourrit de plantes, d'insectes et même de petits vertébrés. Ces populations sauvages sont menacées par l'homme, qui les chasse pour leur chair ou encore pour protéger les cultures ; cela dit, cette espèce est de plus en plus souvent élevée pour la consommation de sa chair.

ÉMEU ▼

NOM SCIENTIFIQUE	*Dromaius novaehollandiae.*
FAMILLE	Dromaiidae.
LONGUEUR	200 cm.
HABITAT	Terres arides, déserts, lieux boisés.
RÉPARTITION	La majeure partie de l'Australie.
DESCRIPTION	Très grand et imposant. Plumage gris-brun ; plumes blanches sur la tête et le cou ; peau bleue dénudée sur le cou.

Après l'autruche, qui lui est apparentée, l'émeu est le deuxième plus grand oiseau vivant. Comme les autres ratites, il a des ailes atrophiées, dépourvues de longues plumes. Le pas de ce nomade vagabond mesure plus de 2 m et sa vitesse de course est d'environ 48 km/h, ce qui lui permet de parcourir de très longues distances. On le rencontre en couples ou en petits groupes à travers l'Australie, dans des habitats divers, mais il évite généralement les régions désertiques les plus inhospitalières, où la nourriture est rare, ainsi que les forêts denses ou les régions peuplées. Omnivore, l'émeu se nourrit essentiellement d'herbes et autres plantes, mais il complète son alimentation avec des insectes, des petits vertébrés et des charognes. Sa période de reproduction se situe pendant la saison sèche, entre les mois de mars et d'octobre. La femelle pond alors de cinq à vingt œufs dans une cavité peu profonde, souvent bordée de feuilles, d'herbe et d'écorce. Le mâle couve seul les œufs pendant quelque huit semaines, au cours desquelles il cesse totalement de s'alimenter, ce qui lui vaut une perte de poids considérable. Après l'éclosion, il prend soin des petits pendant plus de dix-huit mois.

◀ CASOAR À CASQUE

NOM SCIENTIFIQUE	*Casuarius casuarius.*
FAMILLE	Casuaridae.
LONGUEUR	180 cm.
HABITAT	Forêt pluviales.
RÉPARTITION	Zones du nord-est de l'Australie et grande partie de la Guinée.
DESCRIPTION	Grand et trapu. En grande partie noir; tête bleue et chauve; cou chauve avec deux caroncules rouges; cimier calleux sur la tête; pieds puissants et écailleux.

Le casoar à casque a une apparence plutôt inhabituelle parmi les nombreux oiseaux inaptes au vol, à cause de la coloration vive de sa peau et de sa grande crête osseuse. Le bleu et le rouge intenses de son cou et de sa tête varient suivant son humeur, devenant plus brillants lorsqu'il est agité ou excité.

On le rencontre au nord-est de l'Australie et dans une grande partie de la Nouvelle-Guinée; il habite généralement dans les régions à végétation dense ou dans les forêts pluviales. Il est difficile d'apercevoir un spécimen, car cette espèce est rare, mais on en voit malgré tout de temps en temps, errant dans les champs ou sur les grèves; il est déconseillé de l'approcher, car il est agressif et peut blesser avec ses pattes puissantes et ses griffes très acérées. Le casoar à casque est très important pour son environnement, car il contribue à la dissémination de nombreuses graines dans ses fientes. Il se nourrit de végétaux, de fruits et occasionnellement de petits vertébrés.

Généralement solitaires, les casoars s'assemblent pour la reproduction, le mâle se chargeant de l'incubation d'environ quatre grands œufs gris et du nourrissage des oisillons. Les jeunes demeurent avec leurs parents pendant plus de un an. Les poussins ont un plumage rayé de brun, qui devient noir au bout de trois ans environ.

TINAMOU VERMICULÉ

NOM SCIENTIFIQUE	*Crypturellus undulatus*
FAMILLE	Tinamidae.
LONGUEUR	30 cm.
HABITAT	Forêt et broussailles.
RÉPARTITION	Amérique du Sud, commun en Amazonie.
DESCRIPTION	Corps massif. Plumage brun rougeâtre rayé de fauve ou de noir; dessous plus clair.

Le tinamou vermiculé est commun dans son habitat, mais, comme les autres tinamous, il est si discret qu'on le rencontre rarement. Il demeure surtout dans les denses forêts pluviales, où son plumage le camoufle efficacement. Il vit généralement au sol, où il se montre particulièrement prudent, afin d'éviter les prédateurs. On peut cependant l'identifier à son cri aigu. Les tinamous vivent solitaires ou en couples, bien qu'ils se rassemblent parfois en petits groupes familiaux, car les jeunes ont tendance à demeurer auprès des parents après l'éclosion. C'est le mâle qui construit un nid peu profond dans le sol et incube seul les œufs, après s'être accouplé à plusieurs femelles, qui déposent toutes leurs œufs dans le même nid. Le tinamou vermiculé est omnivore; il se nourrit surtout de végétaux et d'invertébrés.

KIWI AUSTRAL ▲

NOM SCIENTIFIQUE	*Apteryx australis.*
FAMILLE	Apterygidae.
LONGUEUR	65 cm.
HABITAT	Régions boisées.
RÉPARTITION	Îles de Nouvelle-Zélande.
DESCRIPTION	Trapu ; plumage gris foncé à rayures marron et noires ; pattes courtes et puissantes. Long bec avec des poils à la base.

Le kiwi austral et ses sous-espèces sont les plus petits des ratites, une sous-classe d'oiseaux inaptes au vol comprenant l'autruche et l'émeu. En effet, il ne possède pas de bréchet, qui pourrait supporter d'éventuels muscles au niveau des ailes. On ne trouve les kiwis que dans les îles de Nouvelle-Zélande, où ils habitent dans les régions boisées. Ils sont presque exclusivement nocturnes, se tenant durant la journée dans la végétation du sol forestier ou dans les terriers, et sortant la nuit à la recherche de nourriture. À l'aide de son long bec pourvu de narines et de poils très sensibles, il recherche au sol des invertébrés. Il se nourrit surtout de vers de terre et d'insectes, mais, étant omnivore, il complète son alimentation avec des végétaux comme des feuilles, des graines et des baies. Souvent rencontré près de l'eau, il prend aussi de petits crustacés et des amphibiens. Les kiwis vivent généralement en couples. La femelle dépose un ou deux œufs dans un terrier ou dans une cavité de bois. Proportionnellement, ses œufs sont les plus grands de tous ceux des oiseaux et leur incubation, assurée par le mâle seul, est la plus longue (environ quatre-vingts jours).

TINAMOU ÉLÉGANT

NOM SCIENTIFIQUE	*Eudromia elegans.*
FAMILLE	Tinamidae.
LONGUEUR	40 cm.
HABITAT	Prairies, forêts et broussailles.
RÉPARTITION	Régions du sud de l'Amérique du Sud.
DESCRIPTION	Trapu ; plumage gris-brun ; tête petite et cou mince. Huppe étroite et recourbée sur le dessus et l'arrière de la tête.

Apparentés aux ratites, les tinamous sont pourtant capables de voler ; cela dit, ils demeurent le plus souvent au sol. Plusieurs espèces vivent en forêt, mais le tinamou élégant fréquente les prairies, où son plumage finement rayé le met à l'abri des prédateurs. Cet oiseau peut courir ou voler sur de courtes distances, mais préfère demeurer immobile, caché dans la végétation. Occasionnellement solitaire, le tinamou élégant, le plus sociable de ses congénères, s'assemble en couples pour la reproduction et en groupes de cinquante individus ou plus, en dehors de la période de reproduction. La nidification se fait au sol : une dizaine d'œufs sont pondus dans une excavation peu profonde, souvent sous ou près d'un buisson. L'incubation est assurée par le mâle seul qui continue à s'occuper des petits pendant plusieurs semaines. Les poussins sont actifs presque immédiatement après leur naissance, se développent rapidement et se montrent plus aptes au vol que les adultes. Le tinamou élégant est omnivore et se nourrit de végétaux, de graines, de baies et de petits invertébrés.

MANCHOTS

Les manchots appartiennent à l'ordre des Sphénisciformes et à la famille des Spheniscidae qui compte dix-sept espèces formant le plus grand groupe d'oiseaux inaptes au vol. C'est le seul groupe d'oiseaux incapables de voler et capables de nager. Ils sont très bien adaptés à une vie pélagique, grâce à leur morphologie aérodynamique, leurs longues ailes plates leur permettant de « voler » sous l'eau. Le développement de ces ailes rigides, semblables à des nageoires, ne leur permet pas de voler, mais les rend habiles à exploiter le vaste réservoir de poissons et de crustacés que constituent les mers australes.

Les manchots vivent presque exclusivement dans l'hémisphère Sud, et on pense qu'ils ne résident que dans l'Antarctique glacé ; pourtant, ils apparaissent dans plusieurs îles du sud et autour des côtes. On les rencontre dans des eaux plus chaudes autour de l'Australasie, l'Afrique du Sud et, pour le **manchot des Galápagos** (*Spheniscus mendiculus)*, vers le nord, jusqu'aux îles Galápagos qui chevauchent l'Équateur. Bien que de rares fossiles aient été découverts, on estime généralement que les manchots sont issus d'oiseaux qui pouvaient à la fois nager et voler. Aujourd'hui, leurs plus proches parents seraient les albatros et les pétrels, de la famille des Procellaridae, et les plongeurs, de la famille des Gaviidae.

Les manchots bénéficient de plusieurs autres capacités d'adaptation, qui les distinguent de beaucoup d'autres oiseaux. Leurs os sont plus denses, ce qui leur permet de demeurer immergés aisément ; leurs plumes sont courtes et épaisses, avec une sous-couche duveteuse qui leur assure chaleur et imperméabilité. Certains manchots, comme ceux qui résident dans les régions froides de l'Antarctique, le **manchot empereur** (*Aptenodytes forsteri)* et le **manchot Adélie** (*Pygoscelis adeliae)* possèdent aussi une couche de graisse isolante.

Leurs pieds palmés leur servant de gouvernail leur donnent une posture dressée un peu rigide, et leurs courtes pattes leur confèrent

Manchot empereur

une démarche plutôt traînante. Ces manchots vivent dans des habitats neigeux ou glacés et glissent parfois sur le ventre ; les jeunes peuvent piéter pour se déplacer.

De nombreux manchots se reproduisent chaque année, à l'exception du **manchot royal** *(Aptenodytes patagonica),* qui ne donne naissance qu'à deux petits en trois ans, en raison d'un long cycle de reproduction. Le manchot royal et le manchot empereur sont les plus grands individus de leur espèce, atteignant respectivement des hauteurs d'environ 90 cm et 1,15 m. Comme beaucoup de manchots, ils ont le dos noir et le ventre blanc, avec une touche de jaune orangé sur la poitrine. On peut les distinguer par leurs taches aux oreilles, celles du manchot royal étant orange plutôt que jaunes. Leurs territoires sont également différents : on ne rencontre le manchot empereur qu'autour de l'Antarctique, alors que le manchot royal vit généralement plus au nord, dans les îles subantarctiques. Le manchot empereur est la seule espèce que l'on ne rencontre jamais sur la terre ferme, car il passe sa vie entière sur le pack glacé. À l'instar de tous les manchots, il vit en grandes colonies, mais, alors que mâles et femelles des autres espèces partagent l'incubation, les manchots empereurs mâles restent seuls dans le rude hiver et couvent leur œuf unique en l'abritant sous leur pli ventral, debout sur leurs pieds. Les femelles reviennent deux mois plus tard pour les aider à élever les petits ; ils partent alors chercher en mer de quoi nourrir la famille.

Les manchots Adélie construisent des nids de galets, les manchots des Galápagos nichant dans des terriers couverts. Comme chez toutes les espèces, les petits sortent de l'œuf avec une couche de duvet et sont gardés par leurs parents jusqu'à ce qu'ils aient mué et soient capables d'entrer dans l'eau. Le manchot Adélie adulte atteint environ 70 cm, celui des Galápagos restant plus petit (environ 40 cm de hauteur).

Manchot Adélie

19

GRÈBE CASTAGNEUX ▼

NOM SCIENTIFIQUE	*Tachybaptus ruficollis.*
FAMILLE	Podicipedidae.
LONGUEUR	25 cm.
HABITAT	Vastes étangs, lacs et rivières, eaux côtières en hiver.
RÉPARTITION	Grande partie de l'Europe, Afrique du Nord et Moyen-Orient.
DESCRIPTION	Le plus petit des grèbes. Dessus marron foncé ; dessous roussâtre ; tête et cou châtains. Cou assez court. Plumage plus clair en hiver.

Bien qu'il s'agisse du plus petit des grèbes, son comportement est très semblable à celui des autres membres de sa famille. C'est un oiseau plongeur qui ne se pose que rarement sur la terre ferme, sauf en période de reproduction, car il a du mal à s'y déplacer. Comme il se nourrit de petites proies, il fréquente plutôt des eaux peu profondes. Il capture de petits poissons, des amphibiens et des invertébrés aquatiques. Oiseau craintif, il a tendance à se cacher dans les roseaux, et, durant la période de reproduction, c'est-à-dire au printemps, il construit un nid flottant avec des plantes, arrimé à des végétaux immergés. De deux à cinq œufs y sont pondus, incubés par les deux parents. Comme chez beaucoup de grèbes, les oisillons sont rayés ; peu de temps après leur naissance, les parents les transportent sur leur dos.

PLONGEON IMBRIN ▲

NOM SCIENTIFIQUE	*Gavia immer.*
FAMILLE	Gaviidae.
LONGUEUR	90 cm.
HABITAT	Lacs et rivages.
RÉPARTITION	Amérique du Nord, Groenland, Irlande, Grande-Bretagne, Europe du Nord.
DESCRIPTION	Assez grand oiseau aquatique. Tête, cou et dos noirs ; dessous blanc ; rayure blanche sur le cou et la gorge. En été, le dessus est tacheté de blanc.

Le plongeon imbrin, presque exclusivement aquatique, passe le plus clair de son temps dans l'eau, car il est mal adapté à la vie sur la terre ferme, ses os étant lourds et ses pattes placées très à l'arrière du corps. Il est également bien profilé et dispose d'une vue perçante qui lui permet d'apercevoir aisément les petits poissons dont il se nourrit. Le plongeon imbrin chasse de préférence dans les eaux claires et peu profondes, mais il est capable d'atteindre des profondeurs dépassant 60 m et peut rester immergé pendant plus d'une minute. Il se nourrit, outre de poissons, d'amphibiens, de mollusques, de crustacés et autres invertébrés. En période de reproduction, un nid de végétation est construit près du rivage, le plus souvent sur une île, et la femelle y dépose en général deux œufs. Ceux-ci sont couvés par les deux parents, et la famille demeure unie pendant l'été. L'hiver, elle migre vers les eaux côtières, mais aussi sur les grands lacs de l'intérieur qui ne sont pas pris par les glaces.

GRÈBE HUPPÉ

NOM SCIENTIFIQUE	*Podiceps cristatus.*
FAMILLE	Podicipedidae.
LONGUEUR	50 cm.
HABITAT	Roseaux des lacs et des rivières. Migre souvent vers les côtes au cours de l'hiver.
RÉPARTITION	Des îles Britanniques à la Chine, en passant par toute l'Europe. Afrique et Australasie.
DESCRIPTION	Le plus grand des grèbes. Dessus gris-brun ; dessous blanc ; double huppe noire ; collerette de plumes noisette.

Le grèbe huppé, l'un des plus grands spécimens de sa famille, principalement aquatique, est aussi élégant sur l'eau que dessous. Toutefois, ses pieds placés très à l'arrière de son corps allongé le rendent très maladroit lorsqu'il est à terre. Doté d'ailes courtes, il a tendance à plonger, plus qu'à s'envoler, lorsqu'il est effrayé. Bien profilé, avec des pieds partiellement palmés, il nage très bien et plonge pour saisir de petits poissons. Les grèbes sont connus pour leur parade nuptiale, et celle du grèbe huppé est particulièrement élaborée. Mâles et femelles s'assemblent par paires en hiver et paradent en se faisant face dans l'eau avec des herbes dans le bec, frottant leurs têtes l'une contre l'autre. Le nid est une plate-forme de végétation, généralement à l'écart du rivage. Quatre ou cinq œufs y sont pondus, couvés pendant environ quatre semaines par les deux parents. Après l'éclosion, les adultes transportent les poussins sur leur dos.

ALBATROS HURLEUR

NOM SCIENTIFIQUE	*Diomedea exulans.*
FAMILLE	Diomedeidae.
LONGUEUR	135 cm.
HABITAT	Océans. Nidifie en régions côtières.
RÉPARTITION	Mers australes, îles et rivages de l'Antarctique, Amérique du Sud, Afrique du Sud, Australie.
DESCRIPTION	Grand oiseau de mer aux longues ailes étroites. Blanc avec marques noires sur les ailes ; pieds et bec roses ; extrémité du bec jaune.

Oiseau immense, l'albatros hurleur fait partie des plus grandes espèces aviaires vivantes. Avec son envergure, qui peut atteindre près de 3,50 m, c'est même le plus grand oiseau connu. C'est un oiseau du large, qui passe le plus clair de son temps en vol et ne se pose sur la terre ferme que pour se nourrir ou se reproduire. Apte à maintenir ses ailes déployées, il utilise les vents violents pour planer, parfois pendant des heures, sans produire d'effort, ne battant des ailes qu'occasionnellement. Il peut ainsi couvrir des centaines de kilomètres des jours durant, en suivant parfois les bateaux de pêche pour se nourrir des déchets rejetés par-dessus bord. Toutefois, il se nourrit surtout de poisson qu'il saisit à la surface de l'eau, généralement la nuit. Les adultes vivent durablement en couple, avec une reproduction tous les deux ans environ, car les jeunes ne quittent pas le nid avant dix mois ou même davantage. Les deux parents construisent un nid en forme de monticule cylindrique avec de la boue et des végétaux, dans lequel ils déposent leur œuf unique. L'incubation, assurée par les deux parents, dure environ deux mois.

OCÉANITE DE WILSON

NOM SCIENTIFIQUE	*Oceanites oceanicus.*
FAMILLE	Hydrobatidae.
LONGUEUR	18 cm.
HABITAT	Océans et zones côtières.
RÉPARTITION	Eaux australes. S'aventure parfois plus au nord dans l'Atlantique.
DESCRIPTION	Petit oiseau brun foncé ; croupion blanc ; longues pattes qu'il laisse pendre en vol.

L'océanite de Wilson, dit aussi « pétrel-tempête », est l'une des espèces d'oiseaux dont la population est la plus nombreuse. Il niche en colonies par millions, dans une vaste étendue d'océan de l'hémisphère Austral. La femelle ne pond pourtant qu'un seul œuf à la fois, que les deux parents couvent dans un creux ou une crevasse. La reproduction a lieu sur les côtes de l'Atlantique et des îles du Sud, ainsi qu'au nord jusqu'aux Malouines (îles Falkland). L'été, il migre dans les océans de l'hémisphère Nord, en particulier dans l'Atlantique Nord. Cette espèce, active pendant le jour et généralement pélagique, est de mœurs nocturnes pendant la période de reproduction, sans doute pour se mettre à l'abri des prédateurs. L'océanite de Wilson a un vol caractéristique : il laisse pendre ses pattes en arrière, et lorsqu'il se nourrit de plancton ou de petits poissons, il effleure ainsi la surface de l'eau.

FULMAR GÉANT

NOM SCIENTIFIQUE	*Macronectes giganteus.*
FAMILLE	Procellariidae.
LONGUEUR	90 cm.
HABITAT	Océans et leur littoral.
RÉPARTITION	Océans du sud, de l'Antarctique aux rivages et aux îles du continent austral.
DESCRIPTION	Grand et lourd ; plumage tacheté gris-brun ; tête et cou plus clairs ; bec jaune.

En raison de sa grande taille et de son habitude de suivre les bateaux, le fulmar géant peut parfois être pris pour un albatros, mais il a les ailes plus courtes et l'arrière du corps arrondi. On le voit souvent se nourrissant sur le rivage, à la recherche de charognes comme les carcasses de manchots ou de phoques. Il attaque aussi des oiseaux plus petits, surtout les poussins, et chasse en mer des poissons et des encornets. Comme les albatros, cette espèce passe le plus clair de son temps au-dessus de la mer, couvrant de grandes distances à la recherche de nourriture. La reproduction a lieu sur les îles australes et sur la terre ferme, en colonies comprenant parfois plus de deux cents couples. Les nids sont construits à même le sol, dans une excavation entourée de pierres ou de végétaux. Un seul œuf y est déposé, incubé pendant deux mois, les petits ayant toutes leurs plumes quatre mois après l'éclosion.

FULMAR BORÉAL ▲

NOM SCIENTIFIQUE	*Fulmarus glacialis.*
FAMILLE	Procellariidae.
LONGUEUR	45 cm.
HABITAT	Océans et falaises côtières.
RÉPARTITION	Eaux boréales, nidification dans l'Atlantique et le Pacifique Nord. Côtes du Pacifique.
DESCRIPTION	Ressemble à la mouette ; dessus gris ; tête et dessous blancs ; traînées foncées au bout des ailes. Généralement plus foncé au nord (Arctique).

Le fulmar ressemble davantage aux mouettes que les autres pétrels. Il s'en différencie par son vol raide et glissé, plus proche de celui de l'albatros. Il passe le plus clair de son temps au-dessus de la mer, couvrant de longues distances pour chercher de quoi manger. Il chasse les poissons, les encornets et autres invertébrés marins, plongeant souvent peu profondément sous l'eau et se nourrissant aussi des déchets rejetés en mer par les bateaux de pêche qu'il suit. Il se reproduit en haut des falaises rocheuses, réuni en grandes et bruyantes colonies comptant parfois plusieurs milliers d'oiseaux. Le fulmar ne construit pas de nid, mais laisse un œuf unique dans un creux de rebord rocheux, parfois entouré d'herbes tassées. Les deux parents couvent les œufs pendant deux mois environ, et les petits quittent le nid à peu près deux mois après l'éclosion.

PRION COLOMBE

NOM SCIENTIFIQUE	*Pachyptila turtur.*
FAMILLE	Procellariidae.
LONGUEUR	28 cm.
HABITAT	Océans et zones côtières.
RÉPARTITION	Colonies séparées dans les mers du Sud autour de l'Australie, Afrique du Sud et Amérique du Sud.
DESCRIPTION	Petit pétrel ; dessus gris avec marques noires sur les ailes et la queue ; blanc en dessous.

Le prion colombe, petit pétrel, est un oiseau de haute mer qui passe la plus grande partie de sa vie sur les océans. Il a tendance à former des bandes, se nourrissant de nuit, à la surface de l'eau, de crustacés, de plancton et autres petits animaux ; il filtre l'eau grâce aux petites plaques de son bec appelées lamelles. Il suit aussi les bateaux de pêche pour en récupérer les déchets. Vivant en colonies importantes, il se reproduit dans les îles du Sud et sur les rivages continentaux. Les œufs sont déposés dans des trous creusés sur le haut herbeux des falaises ou entre les rochers. L'incubation dure environ cinquante-cinq jours, après lesquels les parents nourrissent encore les petits pendant cinquante autres jours. Vulnérables sur la terre ferme, ces oiseaux, et surtout leurs petits, sont la proie de petits mammifères comme les rats, mais ils sont encore plus menacés par les mouettes.

PUFFIN DES ANGLAIS

NOM SCIENTIFIQUE	*Puffinus puffinus.*
FAMILLE	Procellariidae.
LONGUEUR	35 cm.
HABITAT	Océans et côtes sablonneuses ou rocheuses.
RÉPARTITION	De l'Amérique du Nord à l'Europe du Nord ; de l'Amérique du Sud à l'Afrique du Sud ; en Australie.
DESCRIPTION	Oiseau de mer de taille moyenne. Dessus noir ; dessous blanc ; bec noir et mince.

Le puffin des Anglais vole bas au-dessus de l'océan, grâce à ses ailes étroites, virant parfois pour raser la crête des vagues à la recherche de nourriture. Il capture de petits poissons, comme des harengs ou des sardines, de petits crustacés, comme des crevettes, ainsi que de nombreuses espèces pélagiques. Il hiverne sur les océans, avant de revenir vers le rivage pour s'y reproduire en été, lorsque les conditions climatiques sont plus favorables. La reproduction a lieu en grandes colonies pouvant réunir des centaines ou des milliers de couples. Cet oiseau préfère nidifier sur les îles du large, afin de se protéger des mammifères, comme les rats et les renards. La nuit, des milliers de puffins se rassemblent sur la mer avant de regagner leur nid sur la terre ferme. Un seul œuf est déposé dans un creux, et il est couvé par les deux parents. Bien que nichant vers le nord de son territoire, cette espèce a maintenant tendance à préférer les eaux plus chaudes de l'Amérique du Sud et de l'Afrique du Sud.

PÉLICAN BRUN ▼

NOM SCIENTIFIQUE	*Pelecanus occidentalis.*
FAMILLE	Pelecanidae.
LONGUEUR	127 cm.
HABITAT	Zones côtières, estuaires, rarement dans l'intérieur des terres.
RÉPARTITION	Le long des côtes est et ouest de l'Amérique du Nord. Au sud, Pérou et Brésil.
DESCRIPTION	Grand oiseau aquatique, généralement gris-brun ; tête et cou blancs ou jaunâtres. L'adulte montre un cou développé, brun avec une tache jaune à la base de la gorge.

Comme le pélican d'Amérique, le pélican brun, très sociable, forme de grandes colonies tout au long de l'année. Il ne s'enfonce pas loin à l'intérieur des terres, préférant un habitat côtier, et se reproduit en colonies sur les îles du large. Le mâle choisit alors habituellement un emplacement pour le nid, au sol ou dans le creux d'un arbre, et parade avec des mouvements de tête pour attirer la femelle. Les nids installés au sol consistent en un creux garni de plumes, alors que ceux placés dans les arbres sont de volumineuses constructions de branchages, de brins de roseau et d'herbes. Le pélican brun y dépose en général deux ou trois œufs, couvés pendant environ trente jours. Après l'éclosion, les jeunes peuvent sortir des nids au sol après trente jours environ ; ceux des nids dans les arbres ne volent pas avant deux mois et demi. Cet oiseau se nourrit presque exclusivement de poissons, qu'il capture en effectuant des plongeons spectaculaires.

PHAÉTON À BEC JAUNE ▲

NOM SCIENTIFIQUE	*Phaethon lepturus.*
FAMILLE	Phaethontidae.
LONGUEUR	80 cm.
HABITAT	Océans. Reproduction sur les côtes des îles tropicales.
RÉPARTITION	Eaux tropicales du Pacifique, de l'Atlantique, de l'océan Indien. Occasionnellement plus au nord (Caroline du Nord, États-Unis).
DESCRIPTION	Oiseau tropical blanc. Longues ailes tachées de noir ; raies noires sur le dessus ; longues plumes centrales de la queue ; bec jaune.

Bien que relativement petit, le phaéton à bec jaune voit sa longueur doublée par les plumes de sa queue ; pour un oiseau de cette taille, il a des ailes très développées. Il est aussi bien profilé, ce qui lui donne une apparence élégante. Pélagique, il passe beaucoup de temps sur la mer, et ne se pose à terre que pour se reproduire. Généralement solitaire, cette espèce commence à se reproduire vers quatre ans, et les couples paradent alors en volant ensemble parallèlement. L'accouplement intervient toute l'année, mais plus souvent en hiver, malgré l'habitat tropical. La ponte se fait sur des îles, avec un œuf unique déposé sur le sol ou dans un creux, souvent parmi les racines d'arbres ou dans les rochers. Les deux adultes assurent l'incubation, qui dure environ quarante jours. Le phaéton à bec jaune se nourrit de poissons et d'invertébrés marins, souvent en plongeant pour saisir sa proie.

PÉLICAN D'AMÉRIQUE

NOM SCIENTIFIQUE	*Pelecanus erythrorhynchos.*
FAMILLE	Pelecanidae.
LONGUEUR	170 cm.
HABITAT	Grands lacs et zones côtières.
RÉPARTITION	Surtout en Amérique du Nord. Très commun dans les États du Sud, Mexique et Amérique centrale.
DESCRIPTION	Grand oiseau aquatique de grande envergure. Dessus blanc ; taches noires sur les ailes ; bec à poche jaune orangé. Les mâles adultes ont une huppe jaune pâle et une arête sur le bec.

Le pélican d'Amérique, doté d'un très grand bec à poche et d'une envergure d'environ 3 m, est l'un des plus grands oiseaux aquatiques. C'est une espèce grégaire, formant de vastes colonies sur les lacs et le long des rivages côtiers. C'est aussi une des rares espèces se nourrissant en commun : plusieurs individus encerclent un groupe de poissons et le poussent vers des eaux peu profondes, avant de les attraper. Ils se nourrissent aussi d'amphibiens et de crustacés comme les langoustes. Lors de la reproduction, des populations de régions du Nord migrent vers le sud, au-dessus des terres, en grand nombre ; en général, les colonies du Sud ne migrent pas. Les nids sont construits sur le sol, les parents formant un monticule de terre, dans lequel sont généralement déposés deux ou trois œufs, couvés pendant trente jours environ. Les jeunes ont toutes leurs plumes quelque soixante-dix jours après l'éclosion.

FOU À PIEDS BLEUS ▼

NOM SCIENTIFIQUE	*Sula nebouxii.*
FAMILLE	Sulidae.
LONGUEUR	89 cm.
HABITAT	Eaux côtières et îles du large. S'aventure rarement en haute mer.
RÉPARTITION	Le long des côtes du Pacifique, du Mexique aux îles Galápagos et au Pérou.
DESCRIPTION	Semblable au fou de Bassan, mais plus foncé ; dos brun et tête tachetée de gris-brun ; dessus blanc et pattes bleu vif.

Cet oiseau, qui ne craint que très peu l'homme, est maladroit sur la terre ferme. Il vole fort bien, étant très profilé, et est capable de nager sous l'eau à la recherche de proies. Il se nourrit presque exclusivement de poisson, plongeant d'une hauteur de plus de 25 m ; il peut aussi pêcher tout en flottant à la surface – seul oiseau de son espèce capable d'une telle prouesse. La reproduction peut intervenir tout au long de l'année, précédée d'une parade au cours de laquelle le mâle exhibe ses pattes bleues, soit en volant, soit à terre, en réalisant de grands sauts. La nidification se fait sur le sol nu, avec une ponte comptant deux ou trois œufs. Les deux parents les couvent, les tenant au chaud entre leurs pattes. À l'éclosion, les poussins sont placés sur le dessus des pattes palmées et sont ainsi protégés pendant leur premier mois d'existence.

FOU DE BASSAN ▲

NOM SCIENTIFIQUE	*Morus bassanus.*
FAMILLE	Sulidae.
LONGUEUR	89 cm.
HABITAT	Pleine mer, sur les corniches des côtes rocheuses.
RÉPARTITION	Atlantique Nord, de l'Amérique du Nord au Groenland et au nord de l'Europe. Au sud durant la période de reproduction, sous le Mexique et l'Afrique du Nord.
DESCRIPTION	Grand oiseau de mer profilé, blanc ; longues ailes tachées de noir ; tête jaunâtre.

Grand oiseau de mer, le fou de Bassan est bien profilé, ce qui lui permet d'effectuer de spectaculaires plongeons d'environ 30 m de hauteur pour saisir des poissons. Il se nourrit de petites proies, comme des maquereaux et des harengs, les repérant grâce à sa vue perçante. Les fous de Bassan sont très sociables : on peut les voir voler en groupes au-dessus de la mer, souvent en file indienne, suivant parfois les bateaux. Ils nichent aussi en grandes colonies sur les falaises. Les couples se forment à la suite de parades amoureuses complexes consistant à se tapoter du bec, à s'incliner et à se lisser les plumes réciproquement. Les couples sont agressifs envers les oiseaux voisins pendant cette période. Les nids sont construits avec des algues et autres végétaux colmatés avec des fientes. Un seul œuf est pondu, couvé par les deux parents pendant quarante jours environ.

FOU MASQUÉ

NOM SCIENTIFIQUE	*Sula dactylatra.*
FAMILLE	Sulidae.
LONGUEUR	86 cm.
HABITAT	Pleine mer, eaux tropicales. Reproduction sur les îles tropicales.
RÉPARTITION	Surtout dans les régions tropicales des océans Atlantique, Pacifique et Indien. Au sud, Australie, Amérique du Sud et Afrique du Sud. Parfois rencontré au nord du golfe du Mexique, au sud-est des États-Unis et rarement en Europe de l'Ouest.
DESCRIPTION	Semblable au fou de Bassan, blanc avec le bord des ailes noir, queue noire, masque noir sur la face, bec jaune pointu.

Très semblable en apparence au fou de Bassan, le fou masqué s'en distingue essentiellement par sa tête plus blanche que jaune. Il réside dans les eaux chaudes tout au long de l'année. Oiseau pélagique, il passe la plupart de son temps au-dessus de la haute mer, ne se posant à terre, sur les îles, que pour se reposer et s'y reproduire. Il nidifie en nombreuses colonies, déposant à même le sol un ou deux œufs que les deux parents couvent ensemble, en les maintenant au chaud à l'aide de leurs grands pieds palmés. L'éclosion intervient quarante jours plus tard ; sur les deux œufs déposés, un seul parvient généralement à éclosion. Dans le cas où les deux œufs éclosent, un poussin brise sa coquille plusieurs jours avant l'autre, et chasse souvent son rival hors du nid. Comme les autres fous, cette espèce se nourrit surtout de poisson, mais aussi de crustacés, en particulier des crevettes.

Cormoran à aigrettes

Nom scientifique	*Phalacrocorax auritus.*
Famille	Phalacrocoracidae.
Longueur	82 cm.
Habitat	Zones côtières et eaux intérieures.
Répartition	Grande partie de l'Amérique du Nord, occasionnellement vers les îles Britanniques, à travers l'Atlantique.
Description	Oiseau aquatique à double huppe de plumes à l'arrière de la tête; long cou; tête jaune orangé; petite poche sur la gorge; bec crochu.

Bien qu'étant un oiseau aquatique, le cormoran à aigrettes passe beaucoup de temps sur la terre ferme, perché de préférence en hauteur, par exemple sur des arbres, des falaises, des bouées ou des ponts, rarement avec les ailes déployées. Pour s'alimenter, il plonge et nage vigoureusement dans l'eau; il peut demeurer immergé plus d'une minute à la recherche de poisson. Il se nourrit aussi de certains amphibiens et invertébrés, faisant surface avant d'avaler sa proie. On le rencontre généralement en petits groupes; toutefois, lors de la reproduction, des colonies bien plus nombreuses se forment, comportant parfois plusieurs milliers d'oiseaux. Les mâles attirent les femelles par des danses nuptiales et en leur offrant des matériaux pour édifier leurs nids, qui sont placés à même le sol ou dans les arbres. La couvée comprend habituellement quatre œufs, les deux parents assurant l'incubation et le nourrissage des jeunes.

GRAND CORMORAN

NOM SCIENTIFIQUE	*Phalacrocorax carbo.*
FAMILLE	Phalacrocoracidae.
LONGUEUR	91 cm.
HABITAT	Côtes, estuaires et eaux intérieures.
RÉPARTITION	Est de l'Amérique du Nord, Europe, Asie, certaines zones de l'Afrique et de l'Australie.
DESCRIPTION	Grand oiseau aux reflets bronze ; long cou ; joues blanches ; poche jaune orangé sur le cou. À la saison des amours, les adultes ont une tache blanche sur la cuisse et des plumes blanches sur le cou.

Le grand cormoran, le plus répandu de sa famille, est aussi celui qui a la plus grande envergure : 1,60 m. Comme ses congénères, il est très grégaire et on le voit en général en petits groupes, sauf en période de reproduction où il forme de grandes colonies pour nidifier. Commun dans les eaux douces, on le rencontre aussi le long des côtes et des estuaires ; c'est un excellent nageur, qui peut rester immergé plus d'une minute à la recherche d'une proie. Les pêcheurs japonais le dressent même pour la pêche depuis plus de mille ans. Ces oiseaux se nourrissent principalement de poisson, ainsi que d'invertébrés et, dans les eaux douces, d'amphibiens. Subordonnée à la nourriture, la reproduction peut intervenir toute l'année dans plusieurs de leurs habitats. Les deux parents assurent la nidification, l'incubation et le nourrissage des oisillons. Le nid, en général une grande construction faite de petites branches, peut être placé dans un arbre, sur le sol ou une corniche, et la couvée comprend quatre ou cinq œufs.

ANHINGA NOIR ▲

NOM SCIENTIFIQUE	*Anhinga anhinga.*
FAMILLE	Anhingidae.
LONGUEUR	90 cm.
HABITAT	Marécages, marais et zones côtières.
RÉPARTITION	Du sud-est des États-Unis à l'Amérique centrale, jusqu'à l'Argentine.
DESCRIPTION	Semblable au cormoran, mais noir avec des marques blanches sur le dos et les ailes ; cou et queue plus longs ; long bec pointu.

Très proche du cormoran, l'anhinga présente une apparence similaire, mais peut être identifié à ses marques blanches, à son cou relativement long, à sa tête étroite et à son bec mince et effilé. Il est moins associé aux habitats côtiers, préférant les marécages inhabités et les marais où des arbres lui procurent un abri, des emplacements pour les nids et des lieux pour se chauffer au soleil après la chasse. Il se nourrit surtout de poisson, mais aussi d'amphibiens et d'invertébrés aquatiques, transperçant sa proie de son bec effilé. Généralement solitaire, l'anhinga se reproduit en colonies éparses, tout au long de l'année, parfois en compagnie d'autres oiseaux, comme les hérons ou les aigrettes ; les couples peuvent rester unis leur vie durant. Après l'accouplement, environ quatre œufs sont déposés dans un nid au sommet d'un arbre et sont couvés un mois. Les jeunes ont toutes leurs plumes six mois après leur naissance, mais ils demeurent avec leurs parents plusieurs semaines encore avant de devenir indépendants.

CORMORAN HUPPÉ ▼

NOM SCIENTIFIQUE	*Phalacrocorax aristotelis.*
FAMILLE	Phalacrocoracidae.
LONGUEUR	72 cm.
HABITAT	Eaux côtières, falaises et rivages rocheux.
RÉPARTITION	Irlande, Grande-Bretagne, grande partie de l'Europe, Russie, Méditerranée et Afrique. Dans ces deux dernières zones, il s'agirait de sous-espèces (*P.a. desmarestii* et *P.a. riggenbachi*).
DESCRIPTION	Entièrement noir ; bec étroit aux reflets verts irisés. Les adultes ont la tête huppée.

Le cormoran huppé est plus inféodé à la mer que ses proches parents et pénètre rarement dans l'intérieur des terres, bien que, par mauvais temps, les jeunes puissent y être ramenés. Ces oiseaux ont une prédilection pour les rivages rocheux ; pendant la période de reproduction, ils nichent sur les falaises, dont ils apprécient les corniches, les crevasses et les cavités, souvent sur des îles du large. Le nid, construit par les deux parents, est constitué d'algues marines et autres végétaux, et garni de plumes et d'herbe. Il n'est pas rare qu'un couple reste uni pendant plusieurs saisons, et les deux parents couvent les œufs et prennent soin des oisillons. L'incubation dure environ un mois, et les jeunes demeurent avec leurs parents quelque deux mois après l'éclosion. Le cormoran huppé se nourrit surtout de poisson et plonge dans l'eau pour attraper sa proie.

FRÉGATE DU PACIFIQUE ▲

NOM SCIENTIFIQUE	*Fregata minor.*
FAMILLE	Fregatidae.
LONGUEUR	1 m.
HABITAT	Océans, côtes et fourrés de mangroves.
RÉPARTITION	Océan Pacifique, entre l'Amérique centrale et l'Asie du Sud-Est, l'Australie, l'Afrique de l'Est. Îles de l'Atlantique Sud et au large du Brésil.
DESCRIPTION	Grand oiseau de mer ; longue queue fourchue ; grand bec crochu. Les mâles ont une poche gulaire rouge, alors que les femelles ont la gorge et la poitrine blanches.

La frégate est un grand oiseau que l'on trouve surtout dans les îles du Pacifique. Il se nourrit essentiellement de poisson et d'encornets, qu'il saisit en vol à la surface de l'eau ; mais il se montre aussi opportuniste et obtient une grande part de sa nourriture en harcelant des oiseaux plus petits que lui, comme les fous, pour s'emparer de leurs proies. Il mange aussi des charognes et des jeunes tortues trouvées sur les plages. Les frégates ont une croissance lente, et les jeunes demeurent auprès des parents pendant plus de un an et demi après leur naissance, limitant ainsi la procréation des femelles. On pense que les mâles s'accouplent souvent avec une seconde femelle dans l'année, tout en continuant à nourrir la première couvée. Ils attirent les femelles en gonflant leurs poches gulaires, en battant des ailes et en secouant la tête. Un seul œuf est pondu sur une plate-forme de brindilles, édifiée dans un buisson ou un arbre. L'incubation dure environ cinquante-cinq jours.

BUTOR ÉTOILÉ

NOM SCIENTIFIQUE	*Botaurus stellaris*.
FAMILLE	Ardeidae.
LONGUEUR	75 cm.
HABITAT	Cannaies, marécages et marais, lacs et étangs.
RÉPARTITION	Grande-Bretagne, certaines zones de l'Europe, de l'Asie et de l'Afrique.
DESCRIPTION	Grand ; semblable au héron ; plumage brun taché et rayé ; sommet de la tête noir ; courtes pattes vertes et grands pieds.

Oiseau peu commun et très discret, le butor étoilé peut rarement être observé, et on le décèle plutôt, pendant la saison de la reproduction, grâce à son cri grave et puissant, que l'on peut percevoir à 2 km de distance. Bien camouflé, il adopte une posture inhabituelle quand il est dérangé : il dresse son cou verticalement, pour mieux se dissimuler dans les roseaux et les buissons. En période de reproduction, les mâles s'accouplent avec plusieurs femelles, qui pondent chacune quatre ou cinq œufs, aux mois de mars et avril. Les nids sont des plates-formes de roseaux pressés, et les femelles assurent seules l'incubation et les soins aux oisillons. Ces derniers quittent le nid très rapidement et deviennent indépendants après deux semaines. Chassant dans des eaux peu profondes, avec des mouvements lents et assurés, le butor étoilé se nourrit de poisson, mais également d'anguilles, d'amphibiens, d'invertébrés et même de petits mammifères, comme des rongeurs.

BUTOR D'AMÉRIQUE ▼

NOM SCIENTIFIQUE	*Botaurus lentiginosus*.
FAMILLE	Ardeidae.
LONGUEUR	71 cm.
HABITAT	Marais et végétation côtière.
RÉPARTITION	Amérique du Nord, Mexique. Très rarement en Europe de l'Ouest.
DESCRIPTION	Grand oiseau aquatique, semblable au héron ; pattes courtes. Taché de brun avec des stries foncées ; extrémités des ailes noires ; marques noires sur le cou.

De même que son homologue eurasien, le butor d'Amérique est extrêmement discret ; on l'observe le plus souvent au sol, où il tente de se dissimuler dans la végétation. Si l'on parvient parfois à apercevoir un mâle en vol, c'est parce qu'il manifeste sa présence par des vocalises puissantes et caractéristiques. Cet oiseau est particulièrement actif à l'aube et au crépuscule, moments de la journée qu'il choisit pour chasser des proies comme des poissons, des amphibiens, des reptiles, des petits mammifères, se déplaçant lentement dans la végétation du rivage ou demeurant immobile, avant de saisir rapidement sa proie. Les couples se forment en mai, la reproduction commence au début de l'été, puis l'incubation et les soins apportés aux jeunes sont assurés par la seule femelle. La couvée habituelle est de quatre ou cinq œufs, et l'éclosion survient après trente jours environ. Bien que les jeunes quittent le nid lorsqu'ils sont âgés de deux semaines environ, les femelles les nourrissent encore pendant un mois.

HÉRONS

Les hérons sont des échassiers à longues pattes et à long cou, appartenant à la famille des Ardeidae, qui inclut aussi les aigrettes et les butors. Ils peuvent mesurer de 40 cm à plus de 1,40 m, et ils sont tous carnivores, chassant les poissons, les amphibiens et les invertébrés. Les plus grandes espèces se nourrissent aussi de petits mammifères, de poussins et d'œufs. Amateurs d'habitats humides, les hérons chassent dans l'eau ou à proximité, dans les eaux salées comme dans les marais d'eau douce, les rivières ou les lacs. Généralement solitaires, ils défendent leur territoire d'alimentation, bien que quelques espèces se nourrissent en commun. La plupart ont un long bec pointu dont ils se servent pour saisir leur proie en eau peu profonde, souvent dans les cannaies ou autres végétations, suivant divers procédés. Parfois, ils demeurent immobiles et attendent patiemment que de la nourriture se présente ; d'autres fois, ils dérangent une proie en marchant et font fuir de petits animaux en agitant l'eau avec leurs pattes.

Le **héron vert** (*Butorides virescens*) est aussi connu sous le nom de héron au dos vert. C'est un petit oiseau au cou court que l'on rencontre aux États-Unis et en Amérique centrale. Il utilise un procédé de chasse inhabituel : il jette dans l'eau de petits invertébrés ou des brindilles de végétation, afin d'appâter le poisson. Très peu d'espèces chassent de cette manière et, avec les membres de la famille des corneilles et des perroquets, le héron vert est considéré comme l'un des oiseaux les plus intelligents. Il fréquente les eaux douces aussi bien que les marais côtiers, préférant les habitats humides, et perche fréquemment sur les arbres. Il a tendance à nicher au-dessus du sol, bien qu'il dépose parfois des œufs sur une plate-forme de branchages, parmi les roseaux et les racines de mangrove. Comme beaucoup de hérons, cette espèce est monogame, formant un couple pour reproduire et élever sa progéniture. Quatre ou cinq œufs sont incubés par les deux parents pendant trois semaines environ. Les adultes se reconnaissent au sommet de leur tête et à leurs ailes d'un gris verdâtre, la tête elle-même étant presque violette, ainsi que le cou et la poitrine, et le ventre blanc.

Ils peuvent mesurer 46 cm. Le couple de hérons verts niche souvent seul ou en très petits groupes, bien qu'il soit commun pour les hérons de nicher en grandes colonies, avec d'autres échassiers.

Le **grand héron** (*Ardea herodias*), espèce commune de l'Amérique du Nord, peut atteindre 1,30 m de longueur. Il peut se reproduire en groupes de plus de cinquante individus, en général au sommet des arbres surplombant l'eau. Son nid de branchages est volumineux et accueille de trois à cinq œufs, incubés pendant vingt-huit jours environ. Ce héron est facilement reconnaissable à sa taille et aux marques caractéristiques de son plumage gris-bleu, à son cou chamois, à sa huppe noire et aux taches noires de ses épaules, sans oublier son cou et ses pattes très longs. Au sud-est des États-Unis, des individus entièrement blancs, dont on a longtemps cru qu'ils appartenaient à une espèce distincte, sont connus sous le nom de grand héron blanc.

Le **héron cendré** (*Ardea cinerea*), commun en Europe, en Asie et en Afrique, est très semblable au grand héron, bien que légèrement plus petit (96 cm de long). Il occupe des habitats variés, visitant souvent les bassins des parcs suburbains pour y attraper des poissons, et il chasse aussi les rongeurs sur la terre ferme. Il niche en colonies, avec les mêmes habitudes que son congénère américain.

Le **bihoreau gris** (*Nycticorax nycticorax*) niche également en colonies et demeure sociable tout au long de l'année, perchant habituellement avec ses semblables. Il a certainement la plus grande diffusion de toutes les espèces de hérons dans le monde, dans le continent américain, l'Afrique, l'Europe et l'Asie. Il est de taille moyenne (environ 65 cm de long), assez trapu, avec un cou et des pattes courts qui lui donnent un aspect ramassé. Sa queue et ses ailes sont grises, le dessous noir, le dessus de la tête et le dos noirs. Il niche dans les arbres et incube de deux à cinq œufs pendant vingt-cinq jours environ. Comme ceux des autres hérons, les petits quittent le nid et commencent à grimper dans les branches avant d'avoir toutes leurs plumes.

◀ *Héron cendré*

Grand Héron ▼

HÉRON GARDE-BŒUFS

NOM SCIENTIFIQUE	*Bubulcus ibis.*
FAMILLE	Ardeidae.
LONGUEUR	50 cm.
HABITAT	Marécages, marais et vosinage de l'eau.
RÉPARTITION	Largement représenté en Amérique, Europe, Afrique, Asie et Australasie, mais rare au Canada et en Europe du Nord-Ouest.
DESCRIPTION	Plutôt petit avec de longues pattes d'échassier ; entièrement blanc avec le bec jaune. Lors de la reproduction, calotte, dos et poitrine nuancés de jaunâtre tandis que le bec devient plus rouge.

Espèce la plus sédentaire de la famille, le héron garde-bœufs se tient souvent près de l'eau ou dans des zones marécageuses ; mais, et c'est l'exception, il se nourrit sur la terre ferme. Comme son nom l'indique, cet oiseau est souvent associé au bétail ; en effet, on peut le trouver en compagnie de grands mammifères, parfois perché sur leur dos alors qu'ils broutent, saisissant des insectes dérangés dans l'herbe. Ses proies sont des vers de terre, des grillons et des papillons, mais aussi des petits vertébrés. Oiseau sociable, il se nourrit souvent en groupes importants et perche en grandes colonies, parfois avec d'autres espèces de hérons. En période de reproduction, mâle et femelle construisent ensemble le nid, incubent leurs trois ou quatre œufs, puis prennent soin des oisillons. L'incubation dure environ vingt-quatre jours, les jeunes devenant indépendants à deux mois environ.

AIGRETTE NEIGEUSE

NOM SCIENTIFIQUE	*Egretta thula.*
FAMILLE	Ardeidae.
LONGUEUR	60 cm.
HABITAT	Marais, mangroves, lacs et étangs.
RÉPARTITION	En grande majorité en Amérique, absente des régions du Nord.
DESCRIPTION	Taille moyenne ; longues pattes d'échassier. Plumage blanc ; petites plumes sur la tête. En période de reproduction, longues plumes effilées sur le dos. Pattes et bec noirs ; pieds jaunes.

Oiseau de taille moyenne de la famille des hérons, l'aigrette neigeuse doit son élégance à son corps délicat et à son bec très fin. Cette espèce est surtout active à l'aube et au crépuscule, lorsqu'elle recherche de la nourriture, ce qui lui permet de se reposer le reste de la journée. Son régime, très varié, est composé d'insectes, de crustacés, de reptiles, d'amphibiens et de petits mammifères, et elle peut franchir d'importantes distances, à partir de son perchoir, pour chercher des proies. La reproduction, qui commence fin mars ou courant avril, est marquée par un changement de la couleur de ses pieds, qui passent du jaune à l'orange, la pousse de fines plumes et une vocalisation plus développée. C'est généralement la femelle qui construit le nid, une plate-forme de branchettes, parfois placée à même le sol ou parmi les roseaux, mais plus généralement en haut d'un arbre. De deux à six œufs y sont pondus, incubés pendant vingt-quatre jours environ par les deux parents.

Bec-en-sabot du Nil

Nom scientifique	*Balaeniceps rex.*
Famille	Balaenicipitidae.
Longueur	1,20 m.
Habitat	Lacs et rivières à grande végétation.
Répartition	Afrique centrale.
Description	Grand oiseau aquatique à longues pattes ; très grosse tête ; bec développé. Plumage gris-brun, souvent plus foncé sur le dos et les ailes.

L'un des plus proches parents du héron, le bec-en-sabot du Nil est très reconnaissable à son extraordinaire bec en sabot crochu, parfaitement adapté à la capture des poissons, des amphibiens et des reptiles aqua-tiques dont il se nourrit. Il chasse en se déplaçant lentement ou bien en demeurant immobile avant de saisir rapidement sa proie, arrachant sou-vent en même temps des touffes de végétation, qu'il rejette avant d'avaler sa prise. D'habitude monogame, le bec-en-sabot a cependant un mode de vie solitaire ; même lorsqu'un couple partage un territoire, en période de reproduction, chacun de ses membres continue de chasser seul. Les deux parents participent toutefois à la construction du nid, à l'incuba-tion et au nourrissage des oisillons. Le nid est une simple plate-forme de végétation où sont pondus deux œufs, un seul poussin étant destiné à survivre. L'incubation dure environ un mois, les parents arrosent les œufs d'eau pour les tenir au frais. Les oisillons se développent lente-ment, nourris et élevés pendant deux mois après l'éclosion.

CIGOGNE BLANCHE

NOM SCIENTIFIQUE	*Ciconia ciconia*.
FAMILLE	Ciconiidae.
LONGUEUR	1,12 m.
HABITAT	Eaux peu profondes, prairies humides, souvent près des habitations.
RÉPARTITION	Grande partie de l'Europe continentale, certaines zones d'Afrique, du Moyen-Orient et d'Asie.
DESCRIPTION	Oiseau aquatique de grande taille; longues pattes; long cou. En grande partie blanc; rémiges primaires et secondaires noires; pattes et bec rouges.

Alors que la cigogne blanche se reproduit en Europe, pendant l'été, par couples ou en petits groupes, elle migre l'hiver en grand nombre vers l'Afrique, et ses vols sont impressionnants. S'élevant dans les airs avec les ailes, les pattes et le cou tendus, ces oiseaux migrent par voie de terre le plus loin possible, utilisant les courants chauds ascendants et revenant au même nid, année après année, en suivant le même trajet. C'est ce comportement qui leur vaut peut-être la réputation d'oiseau porte-bonheur, par association d'idée avec les naissances de printemps chez les humains. Les nids sont souvent placés en milieu urbain, sur les toits, les cheminées, les poteaux télégraphiques, mais aussi dans les arbres ou au bord des falaises. Ils sont faits de branchages, et les couples y ajoutent de nouveaux matériaux chaque année, les rendant ainsi très volumineux. La couvée compte six ou sept œufs, dont les parents s'occupent à tour de rôle. La cigogne blanche se nourrit de poissons, d'amphibiens, d'invertébrés et de petits mammifères.

TANTALE D'AMÉRIQUE ▲

NOM SCIENTIFIQUE	*Mycteria americana.*
FAMILLE	Ciconiidae.
LONGUEUR	1,05 m.
HABITAT	Marais, prairies humides, étangs et eaux côtières peu profondes.
RÉPARTITION	Grande partie de l'Amérique, absent ou rare dans le Grand Nord et la côte ouest de l'Amérique du Sud.
DESCRIPTION	Grand oiseau blanc, semblable à l'ibis. Bords des ailes noirs. Tête chauve avec un bec relativement long et incurvé vers le bas.

Cet oiseau est le seul tantale natif d'Amérique. On le rencontre dans les marais d'eau douce, mais il fréquente aussi les eaux plus saumâtres des marécages et des mangroves. Il a un peu l'apparence du vautour, avec sa tête et son cou chauves qui lui permettent de se nourrir en eau boueuse sans salir ses plumes, et avec son grand bec recourbé vers le bas qui lui permet de chercher des proies sous l'eau. Il se nourrit de petits animaux tels que des poissons, des invertébrés, des petits mammifères, des reptiles et même de jeunes alligators. Très grégaire, on le voit généralement en groupes et il se reproduit en grandes colonies, souvent avec d'autres cigognes. Les couples sont durables, et la nidification se fait sur les arbres du bord de l'eau, avec environ quatre œufs déposés sur une plate-forme de branchages. L'incubation dure quelque trente jours, les jeunes ayant toutes leurs plumes vers deux mois.

MARABOUT D'AFRIQUE

NOM SCIENTIFIQUE	*Leptoptilos crumeniferus.*
FAMILLE	Ciconiidae.
LONGUEUR	1,50 m.
HABITAT	Prairies et marais, parfois près des habitations.
RÉPARTITION	Afrique subsaharienne. Occasionnellement en Asie et en Europe méditerranéenne.
DESCRIPTION	Grande cigogne; tête et cou dénudés; dessus gris foncé; collerette blanche à la base du cou; bec massif et puissant. Dos et ailes noirs; rémiges secondaires visibles bordées de blanc; dessous blanc.

C'est un très grand oiseau, mangeur de débris et de charognes, planant très haut à la recherche d'aliments et atterrissant pour se nourrir de carcasses qu'il dispute aux vautours. Très vorace, il consomme aussi des invertébrés, des poissons, des amphibiens, des petits oiseaux et des mammifères. De plus, il fréquente les décharges, où il trouve aussi des déchets. En fait, l'expansion des villes et des villages a favorisé la croissance de sa population, au point qu'il est considéré comme un fléau dans certaines régions. Très sociable, on ne le voit presque jamais seul, et il niche en colonies, les couples étant en général constitués pour la vie. Les nids sont faits de branchettes et installés principalement au bord des falaises ou dans les arbres. La couvée compte deux ou trois œufs, les parents s'en occupant tous les deux.

IBIS

Dans l'ordre des Ciconiiformes, qui comprend surtout de grands échassiers comme les cigognes, les hérons et les flamants, la famille des Threskiornithidae est divisée en deux groupes : les Plateinae, ou spatules, et les Threskiornithinae, ou ibis. Ces derniers ne comptent pas moins de vingt-cinq espèces, répandues dans le monde entier, surtout communes dans les régions tropicales, dans des zones d'eaux douces ou saumâtres. La plupart des ibis habitent des terres humides comme les marais, les bancs de boue, le bord des rivières, les lacs, parfois des endroits plus secs comme des prairies, des champs cultivés et des dépôts d'ordures près des habitations. Deux espèces se distinguent par leur préférence pour des habitats non humides. L'**ibis caronculé**

(Bostrychia carunculata) ne se rencontre que dans les régions montagneuses d'Éthiopie, où il vit dans les landes ou sur les falaises rocheuses, alors que l'**ibis olive** *(Bostrychia olivacea)* habite des zones boisées de montagne.

La plupart des espèces sont grégaires ; elles se nourrissent, perchent et nidifient souvent avec d'autres grands échassiers comme les hérons. Oiseaux diurnes, ils chassent des invertébrés et autres petits animaux, poissons, amphibiens et reptiles. Quelques espèces se nourrissent aussi de petits mammifères et de petits oiseaux, particulièrement des oisillons. Les ibis mesurent de 50 cm à 1 m de long, avec un corps très allongé, les pattes et le cou longs, un bec caractéris-

Ibis rouge

tique recourbé vers le bas, avec lequel ils saisissent leurs proies. Ils ont aussi souvent la tête partiellement ou complètement dénudée, et des pieds en partie palmés.

L'**ibis rouge** *(Eudocimus ruber)* est peut-être l'espèce la plus remarquable. Son plumage est entièrement rouge vif, à l'exception de l'extrémité des ailes, qui est noire ; le bec et les pattes sont rouge orangé. Les jeunes sont en général gris-brun, avec le dessous blanc. Sans défense à la naissance, ils sont aidés par les deux parents et se développent rapidement ; ils ont leurs plumes après deux ou trois semaines et atteignent à l'âge adulte environ 60 cm de long. La reproduction se fait en grandes colonies très bruyantes, et les nids sont placés l'un près de l'autre dans les arbres, souvent au-dessus de l'eau. Ces rassemblements constituent sans doute une protection contre les prédateurs, bien que le taux de mortalité parmi les jeunes atteigne 50 %, les rapaces et les grands félins représentant pour eux le danger le plus important. On rencontre l'ibis rouge dans les marais tropicaux, les mangroves et les estuaires, dans le nord de l'Amérique du Sud.

L'**ibis falcinelle** *(Plegadis falcinellus)* est l'espèce la plus répandue ; on peut l'observer en Europe, en Asie, en Afrique et en Amérique centrale, ainsi qu'au nord des États-Unis. Cet oiseau atteint à peu près la taille de l'ibis rouge, mais son plumage est en général brun vif, avec les ailes vert irisé. Il vit dans des habitats variés : lagons côtiers, baies et bancs de boue, marais de l'intérieur et champs humides, avec des migrations saisonnières. De même que les autres ibis, il niche en colonies, souvent avec des hérons, plaçant son nid en plate-forme sur les arbres, et parfois sur le sol au milieu des roseaux. Il couve deux ou trois œufs pendant trois semaines. Son alimentation est surtout composée d'invertébrés aquatiques, de crabes et d'écrevisses, mais aussi de serpents, de lézards et autres vertébrés.

L'**ibis sacré** *(Threskiornis aethiopicus)* est un grand oiseau atteignant 75 cm de long. Sa nourriture est variée. Il chasse dans des habitats marécageux, cherchant avec son bec des invertébrés aquatiques, des amphibiens et autres petits animaux, mais il fréquente aussi les prairies et les cultures, ainsi que les dépôts d'ordures près des habitations, où il se nourrit de charognes. Sa tête et son cou noirs sont dénudés, et il porte des plumes noires sur le dos et la queue. Le reste de son plumage est blanc. Très sociable, il niche en colonies nombreuses, bien souvent en compagnie d'autres grands échassiers.

Sa période de reproduction coïncide avec la saison des pluies ; il migre alors vers le nord et les prairies humides, pour revenir vers des régions côtières et de grands plans d'eau à la saison sèche. Son nid est installé dans un arbre, un arbuste ou à même le sol, et accueille de deux à cinq œufs. Les deux parents assurent l'incubation et le nourrissage des jeunes. Cette espèce tire son nom de la vénération que lui vouaient les Égyptiens, qui considéraient l'ibis sacré comme une incarnation du dieu Thot, qu'ils représentaient d'ailleurs avec une tête d'ibis. Devenu rare aujourd'hui en Égypte, on le rencontre plus facilement dans l'Afrique subsaharienne, mais aussi dans certaines régions du Moyen-Orient et du sud de l'Asie.

Ibis falcinelle

FLAMANT ROSE

NOM SCIENTIFIQUE	*Phoenicopterus ruber.*
FAMILLE	Phoenicopteridae.
LONGUEUR	1,45 m.
HABITAT	Lacs, lagunes et hauts-fonds côtiers.
RÉPARTITION	Zones de l'Afrique, du sud de l'Europe et de l'Asie. Les individus vivant aux Caraïbes, au Mexique et aux îles Galápagos sont parfois considérés comme une sous-espèce de flamants américains.
DESCRIPTION	Grand oiseau aquatique à longues pattes et long cou. Plumage rouge rosé. Bec busqué blanc à bout noir.

Parmi les espèces d'oiseaux facilement reconnaissables, le flamant rose, outre sa vive coloration, est aussi connu pour son bec très particulier. Court et étroit chez les jeunes individus, celui-ci devient crochu chez les adultes et renferme plusieurs rangées de lamelles, qui lui permettent de se nourrir d'une façon particulière. En effet, les flamants roses filtrent leur nourriture, prise en eau profonde dans leur bec tourné vers le haut, en retenant ainsi des petits organismes, comme des algues ou des crevettes ; c'est peut-être ce régime alimentaire qui leur donne cette remarquable coloration. Très sociables, ces oiseaux forment des colonies de reproduction de plusieurs milliers d'individus, et les liens sont très durables chez les couples qui se forment alors. Le nid en forme de cône, construit avec de la boue, reçoit un seul œuf, couvé par les deux parents pendant environ un mois. Les poussins sont gris dans un premier temps, puis passent au marron quelques semaines plus tard, avant de former leur plumage définitif.

SPATULE BLANCHE

NOM SCIENTIFIQUE	*Platalea leucorodia.*
FAMILLE	Threskiornithidae.
LONGUEUR	88 cm.
HABITAT	Roseaux, lacs peu profonds, marais et lagunes.
RÉPARTITION	Certaines zones de l'Afrique du Nord, Asie et Europe.
DESCRIPTION	Grand oiseau à longues pattes et long cou. Plumage blanc avec une touffe jaunâtre pendante. En période de reproduction, la poitrine devient jaune orangé. Long bec dont l'extrémité est en forme de cuiller.

La spatule blanche adulte est aisément reconnaissable à son bec au bout rond évasé ; les jeunes ne présentent pas cette caractéristique, leur bec étant plus clair, plus court et sans l'extrémité en forme de cuiller. Cette espèce passe le plus clair de son temps à chercher de la nourriture en eau peu profonde, remuant la tête de l'arrière vers l'avant tout en marchant pour saisir des reptiles, des poissons, des amphibiens et des invertébrés, ainsi que des végétaux. La spatule blanche, espèce très grégaire, vole souvent en file indienne, se nourrit en groupes et nidifie en grandes colonies. Elle ne se mêle pas à d'autres oiseaux aquatiques. Les colonies nichent dans les roseaux, les buissons ou les arbres, sur des plates-formes constituées de branchettes, et les couples tendent à demeurer unis leur vie durant. L'incubation comprend trois ou quatre œufs et dure environ trois semaines.

CYGNE TUBERCULÉ

NOM SCIENTIFIQUE	*Cygnus olor.*
FAMILLE	Anatidae.
LONGUEUR	1,52 m.
HABITAT	Grandes étendues d'eaux dormantes ou peu agitées à l'intérieur des terres, étangs et lacs plus petits, estuaires.
RÉPARTITION	Europe, certaines zones de l'Asie. Introduit en Amérique du Nord, en Afrique du Sud et en Australasie.
DESCRIPTION	Oiseau aquatique grand et lourd, au long bec recourbé en S. Plumage blanc ; bec orangé avec une bosse noire à la base ; queue assez longue et pointue.

Le cygne tuberculé est le plus massif et le plus lourd des cygnes, et c'est aussi le plus commun dans son territoire d'origine. Il ne forme de grands groupes qu'en dehors de la période de reproduction, en hiver ; c'est à cette époque qu'on le rencontre le plus facilement, dans les estuaires ou les eaux intérieures. Le reste de l'année, on l'aperçoit en couples sur les étangs et les lacs, souvent dans les parcs des villes. Il se déplace hors de l'eau, mais se nourrit surtout en plongeant son long cou à la recherche de végétation aquatique. Son régime comprend aussi des invertébrés, des petits poissons et des amphibiens. Les couples demeurent ensemble toute une saison, mais peuvent aussi rester unis pour la vie, bien que, dans certains cas, le mâle puisse avoir plusieurs partenaires. La nidification se fait au printemps. Le nid est constitué d'un grand tas de végétation, élevé dans les roseaux ou près du rivage dans un endroit abrité. Les œufs, en général au nombre de six environ, sont incubés par les deux parents pendant trente-cinq jours. Les jeunes quittent le nid dès le lendemain de l'éclosion, mais les parents en prennent soin jusqu'au printemps suivant.

CYGNE CHANTEUR ▼

NOM SCIENTIFIQUE	*Cygnus cygnus.*
FAMILLE	Anatidae.
LONGUEUR	1,52 m.
HABITAT	Marais, toundras, étangs et lacs, abords des bois.
RÉPARTITION	Islande, grande partie de l'Europe, est de la Sibérie. L'hiver, au sud de l'Europe et en Asie.
DESCRIPTION	Grand oiseau aquatique. Plumage blanc ; long cou habituellement dressé. Tête plate ; bec long à base jaune ; queue relativement courte.

Rencontrés surtout en Islande et dans le grand nord de l'Europe, où certaines populations résident toute l'année, beaucoup de ces cygnes migrent cependant vers les îles Britanniques, le sud de l'Europe et l'Asie pendant les mois d'hiver. On peut alors voir le cygne chanteur chasser, en grand nombre, le long des côtes ou sur les lacs, ou encore se rassembler dans les zones cultivées, où il cause souvent des dommages. Son régime est essentiellement composé de végétaux aquatiques et d'invertébrés. Au moment de la reproduction, cet oiseau devient moins sociable et tend à nicher par couples isolés, délaissant les habitats ouverts et préférant demeurer caché dans les cannaies touffues. Les couples peuvent être unis pour la vie, et les deux parents élèvent leur progéniture. La femelle couve seule de cinq à sept œufs pendant environ trente-cinq jours.

CYGNE SIFFLEUR

NOM SCIENTIFIQUE	*Cygnus columbianus (bewickii).*
FAMILLE	Anatidae.
LONGUEUR	1,25 m.
HABITAT	Toundra arctique, marais, lacs, rivières, baies côtières.
RÉPARTITION	De la Sibérie à l'Alaska, le long des côtes arctiques vers la baie d'Hudson. L'hiver, îles Britanniques et Amérique du Nord (côtes du Pacifique). *Bewickii,* rencontré de la Finlande à la Russie, jusqu'à la Sibérie, est considéré comme une sous-espèce.
DESCRIPTION	Très semblable au cygne chanteur, mais relativement plus petit. Tête ronde ; cou et bec plus petits avec une petite tache jaune à la base.

Aussi appelé « cygne de la toundra », cet oiseau nidifie dans des toundras marécageuses en Alaska, au Canada et en Eurasie subarctique, en couples monogames, du printemps à l'hiver. De trois à six œufs sont couvés surtout par la femelle, qui quitte peu le nid. Le mâle demeure toutefois prêt à l'assister. Les petits naissent en général fin juin et migrent avec leurs parents vers des régions plus chaudes à l'approche de l'hiver. Les groupes familiaux demeurent unis jusqu'à ce que les jeunes soient en état de se reproduire, environ un an plus tard. Comme ses congénères, le cygne siffleur se nourrit surtout de plantes aquatiques, mais aussi d'invertébrés comme des mollusques. Moins commun que les autres cygnes dans ses aires de distribution, cet oiseau peut être confondu avec le cygne chanteur, bien qu'il soit relativement plus petit et ressemble davantage à une oie.

OIES

Les oies sont des oiseaux aquatiques de taille moyenne, au long cou, appartenant à la même famille que les canards et les cygnes, les Anatidae ; elles sont cependant classées dans la sous-famille des Anserinae, et la tribu des Ansérinés, dans laquelle on trouve deux genres, *Anser* (oie) et *Branta* (bernache). D'autres espèces sont nommées oies, comme l'ouette des Andes *(Chloephaga melanoptera)* et l'ouette d'Égypte *(Alopochen aegyptiacus),* très proches des tadornes, alors que la canaroie semipalmée *(Anseranas semipalmata)* n'est pas de la même tribu.

Les oies ont des caractéristiques communes : elles sont toutes herbivores, se nourrissant à terre de graines et de végétaux. Beaucoup migrent, bien que l'on rencontre parfois des populations sauvages sédentaires. Elles ont aussi des habitudes de reproduction semblables : elles nichent au sol, sont monogames, les couples étant unis pour la vie et se partageant les devoirs parentaux. Par ailleurs, les individus des deux sexes se ressemblent en général, et leur plumage est une combinaison de gris, de brun, de noir et de blanc. Les espèces appartenant au genre *Anser* sont communément désignées comme des « oies grises ». Cette appellation n'est cependant pas très précise. Les oies sont généralement uniformément colorées, mais ont aussi des bandes et sont plus souvent marron que grises. Certaines espèces sont blanches. Mais ce qui les différencie le plus est leur bec, rose, orange ou jaune. L'**oie**

cendrée *(Anser anser)* est la plus commune et la plus répandue des « oies grises » ; elle vit en Islande et à travers toute l'Europe, jusqu'en Asie. Autrefois très nombreuse, elle est domestiquée depuis des siècles et est l'ancêtre de la plupart des oies domestiques dans le monde occidental. C'est un grand oiseau, mesurant environ 90 cm de longueur, gris-brun dans son ensemble, avec des ailes foncées et la poitrine plus claire. Son bec est à peu près triangulaire, de couleur rose orangé, de même que ses pattes. Elle pond de quatre à six œufs dans une cavité du sol bordée de plantes, et l'incubation dure environ vingt-huit jours.

L'**oie à bec court** *(Anser brachyrhynchus)* est un peu plus petite (65 cm de longueur) et plus mince. Elle a une coloration semblable à celle de l'oie cendrée, mais ses pattes sont d'un rose plus foncé, son bec est rose au milieu et noir à la base et à l'extrémité. Elle niche au Groenland, en Islande et en Norvège, hivernant au nord-ouest de l'Europe, et particulièrement en Grande-Bretagne, où on la rencontre dans les estuaires, se nourrissant souvent dans les champs avoisinant les fermes. On la voit aussi en Amérique du Nord, lorsqu'elle revient du Groenland.

Inversement, l'**oie des neiges** *(Anser caerulescens)* est essentiellement une espèce d'Amérique du Nord, qui se déplace parfois vers

Bernache du Canada

Oie des neiges

l'ouest de l'Europe. Elle niche dans les toundras du Canada, du Groenland et de la Sibérie, hivernant au sud des États-Unis et au Mexique. Elle mesure environ 70 cm de longueur, et on la trouve sous deux formes colorées : bleue et blanche. La première a la tête blanche, le dos brun et le corps gris-bleu ainsi que les ailes ; la seconde est plutôt blanche, avec l'extrémité des ailes noire. L'oie des neiges pond de trois à cinq œufs, couvés pendant environ vingt-cinq jours.

Certains taxinomistes classent cette espèce dans le genre *Chen* plutôt que chez les *Anser*. De même que les *Anser* ne sont pas entièrement grises, les oies du genre *Branta,* connues comme les « oies noires », ne sont en général pas totalement noires : seuls le bec et les pattes le sont. Pour ce qui est du plumage, la plupart des oies présentent du noir ou du brun contrastant avec les parties blanches.

La **bernache du Canada** *(Branta canadensis),* parmi les plus familières, est une grande espèce, dépassant souvent 1,10 m de long. On la reconnaît aisément à sa tête et à son cou noirs, son corps gris-brun et

ses ailes marron. On la trouve en Amérique du Nord, d'où elle migre vers le Nouveau-Mexique. Elle est aussi répandue, en tant qu'espèce introduite, au nord-ouest de l'Europe, où elle fréquente les parcs des villes. Elle se rassemble également en grands vols bruyants, et elle est parfois considérée comme nuisible. Son nid, contenant cinq ou six œufs, est placé dans un creux du sol, parmi la végétation.

La **bernache cravant** *(Branta bernicla)* est petite et noire ; on la rencontre généralement dans les habitats côtiers, ainsi que dans la toundra où elle se reproduit, et, en hiver, autour des estuaires et des baies. On la voit rarement à l'intérieur des terres, excepté pendant la migration, sur son parcours vers le sud et les côtes de l'Amérique du Nord et de l'Europe. En période de reproduction, cette espèce produit de trois à cinq œufs, couvés environ pendant vingt-cinq jours. Comme chez les autres oies, les petits sont conduits vers les lieux où ils peuvent commencer à se nourrir. Les oies consomment d'autres végétaux que les herbes sauvages et causent parfois des dommages aux cultures.

Oie cendrée

CANARD COLVERT ▼

NOM SCIENTIFIQUE	*Anas platyrhynchos.*
FAMILLE	Anatidae.
LONGUEUR	60 cm.
HABITAT	Étangs, lacs, rivières et canaux, et souvent en zones urbaines.
RÉPARTITION	Très répandu dans l'hémisphère Nord, en Europe de l'Ouest, Amérique du Nord. Sud de l'Afrique du Nord, Asie du Sud-Est et Mexique pendant l'hiver.
DESCRIPTION	Grand canard. Mâle : tête verte ; collier blanc ; poitrine brune ; dessus gris ; croupion noir ; bec jaune. Femelle : tachetée de brun ; bec orange. Les deux sexes ont des ailes brunâtres avec des marques bleues et noires.

Le colvert est l'un des canards les plus communs et les plus répandus. C'est un oiseau familier qui vit au voisinage de l'homme, peuplant les étangs et les lacs, ainsi que les zones rurales, les parcs et les jardins des villes. Il est chassé dans certaines régions comme gibier à plume, mais son espèce est si nombreuse que cette intervention humaine n'a apparemment qu'un faible impact sur ses populations. Très sociables, ces canards se rencontrent en groupes très nombreux en hiver, s'unissant par couples pour se reproduire au printemps. Cependant, lorsqu'une femelle a pondu ses œufs, les mâles forment des petits groupes et cherchent à attirer d'autres partenaires pour se reproduire à nouveau. Environ douze œufs sont pondus dans un nid de végétaux et de plumes, généralement placé à même le sol, mais parfois aussi dans un arbre creux ou sur un toit ; l'incubation dure environ vingt-cinq jours. La femelle conduit ensuite sa progéniture à l'eau. Ces oiseaux se nourrissent à la surface ou en plongeant la tête sous l'eau, à la recherche de végétaux ou d'invertébrés ; ils viennent aussi dans les champs. Les populations sédentaires sont très courantes dans les lieux où la nourriture est abondante, bien que certaines migrent vers le sud et des contrées plus chaudes en hiver.

CANARD PILET ▲

NOM SCIENTIFIQUE	*Anas acuta.*
FAMILLE	Anatidae.
LONGUEUR	65 cm.
HABITAT	Lacs, marais, lagons et estuaires.
RÉPARTITION	Eurasie et Amérique du Nord. L'hiver, migre vers l'Amérique centrale, l'Afrique et l'Inde.
DESCRIPTION	Canard au corps moins volumineux que les autres. Mâle : tête brun foncé ; raies blanches sur le cou, s'étendant à la poitrine ; raies noires sur les ailes ; longues plumes de queue noires. Femelle : tachetée de gris-brun ; bord des ailes blanc.

Reconnaissable aux longues plumes effilées de sa queue, très développées chez le mâle pendant la période de reproduction, le canard pilet est commun dans l'hémisphère Nord. Il migre vers le sud en hiver, recherchant des climats plus chauds. La reproduction a lieu en général au début de l'été ; les mâles cherchent à attirer les femelles en nageant à leur côté et en dressant la queue. L'accouplement a lieu dans l'eau, et la femelle pond ensuite environ huit œufs, qu'elle couve seule pendant trois semaines dans un nid peu profond, tapissé de plumes. Les petits suivent leur mère vers l'eau pour s'y nourrir peu de temps après l'éclosion, saisissant des végétaux et des invertébrés à la surface. Comme d'autres canards, cette espèce se nourrit en plongeant la tête dans l'eau, son cou relativement long lui permettant de capturer ses proies en profondeur.

SARCELLE D'HIVER

NOM SCIENTIFIQUE	*Anas crecca.*
FAMILLE	Anatidae.
LONGUEUR	38 cm.
HABITAT	Marais, régions boisées, étangs herbeux et cours d'eau. Parfois des estuaires.
RÉPARTITION	Majeure partie de l'Amérique du Nord et de l'Eurasie. L'hiver, migre en Amérique centrale, Afrique du Nord, Inde et Asie du Sud-Est.
DESCRIPTION	Petite taille; essentiellement brun; ailes tachées de blanc et de gris.

Parmi les plus petits des canards européens, la sarcelle d'hiver se rencontre dans les étangs et les marécages forestiers, mais habite aussi, en dehors de la période de reproduction, de grandes étendues d'eau, et elle migre parfois vers les zones côtières. Le mâle a la tête d'un roux acajou et des bandes vertes autour des yeux. Les couples se forment en automne pour passer l'hiver, mais la reproduction n'intervient qu'à la fin du printemps ou au début de l'été. La femelle assure la construction du nid, dans un creux parmi les roseaux; elle le tapisse de végétaux secs et de duvet, qu'elle tasse avec sa poitrine. Elle pond ensuite environ six œufs, qu'elle incube seule pendant quelque six semaines; elle ne quitte alors le nid que pour aller chercher de la nourriture pour ses petits, composée de végétaux aquatiques et d'invertébrés.

HARLE BIÈVRE ▼

NOM SCIENTIFIQUE	*Mergus merganser.*
FAMILLE	Anatidae.
LONGUEUR	65 cm.
HABITAT	Lacs, réservoirs et rivières, souvent près des régions boisées, occasionnellement estuaires et rivages abrités.
RÉPARTITION	Eurasie et Amérique du Nord. Hiverne vers le sud.
DESCRIPTION	Gros plongeur. Mâle surtout blanc ; dos noir ; tête grise ; long bec crochu rouge. Femelle gris-brun ; poitrine tachetée ; gorge blanche ; tête rougeâtre.

Le harle bièvre est un gros canard plongeur que l'on rencontre surtout dans les grandes étendues d'eau ; cependant, la présence d'arbres lui est nécessaire, cette espèce passant le plus clair de son temps perchée. Les arbres, les falaises ou les édifices sont pour lui des emplacements de nids, ces derniers pouvant aussi être placés à même le sol. Les couples se forment en hiver, et les quelque dix œufs, pondus du printemps au début de l'été, sont couvés par la femelle. Les jeunes se nourrissent surtout d'insectes aquatiques, mais les adultes, pourvus d'un bec dentelé et crochu, ne consomment que du poisson. Le harle bièvre est généralement associé en couples ou en groupes d'environ vingt individus, mais, en dehors de la période de reproduction, de plus grands rassemblements du même sexe peuvent se former vers les estuaires ou les réservoirs.

CANARD CAROLIN ▲

NOM SCIENTIFIQUE	*Aix sponsa.*
FAMILLE	Anatidae.
LONGUEUR	45 cm.
HABITAT	Étangs des régions boisées, lacs et rivières.
RÉPARTITION	Amérique du Nord, sauf régions arides du sud-ouest. Aperçu aussi à Cuba.
DESCRIPTION	Mâle : tête rouge et vert irisés, avec des marques blanches et une longue huppe. Bec rouge ; poitrine marron ; flancs fauves ; dos foncé ; plumes des ailes gris-bleu irisé. Femelle : gris-brun, avec bande blanche aux yeux.

Comme beaucoup d'autres espèces d'oiseaux chez lesquelles la femelle assure l'incubation des œufs, le canard carolin présente un dimorphisme sexuel. Le mâle est parmi les plus remarquables de ses congénères américains en ce qui concerne les couleurs de son plumage ; la femelle, au contraire, est plus terne, ce qui lui sert de camouflage pendant la reproduction. Cette espèce ne nidifie pas au sol, comme beaucoup de canards, mais préfère les creux des troncs d'arbres, qui constituent des abris pour les nids, et on a pu en observer perchés dans des arbres à de grandes distances de l'eau. Les couples se forment en hiver, la reproduction ayant lieu au printemps. Au sud de son territoire, le canard carolin peut produire deux couvées dans l'année. Les œufs sont en général au nombre de six à douze, mais comme plusieurs oiseaux nidifient de façon très rapprochée, on a pu voir de nombreux nids communs contenant quarante œufs ou même davantage. Après l'éclosion, les canetons sautent de l'arbre et se dirigent vers l'eau, encouragés par les appels des femelles. Le canard carolin se nourrit de glands et autres végétaux, ainsi que d'invertébrés.

CANARD MANDARIN

NOM SCIENTIFIQUE	*Aix galericulata*.
FAMILLE	Anatidae.
LONGUEUR	45 cm.
HABITAT	Étangs de régions boisées, lacs et cours d'eau.
RÉPARTITION	Asie de l'Est, sud de la Chine en hiver, Europe du Nord.
DESCRIPTION	Le mâle a la tête vert, orangé et blanc, avec une huppe touffue sur la nuque. Taches blanches autour des yeux ; cou noir ; marques noires et blanches sur le dos ; flancs verdâtres ; rémiges bleu et orange ; ventre blanc ; pattes orange ; bec rouge. La femelle est principalement gris-brun.

Étroitement apparenté au canard carolin d'Amérique du Nord, le canard mandarin fréquente comme lui les cours d'eau arborés et passe la plupart de son temps perché dans les arbres, où il niche, se nourrissant à l'aube et au crépuscule. Il a aussi la même alimentation, et préfère les arbres à feuilles caduques fournissant des glands et des graisses en grande quantité. Il consomme également des insectes terrestres, de petits animaux aquatiques, comme des mollusques, et même de petits poissons. Sa coloration est différente de celle du carolin, mais les deux espèces ont en commun leur dimorphisme sexuel : le mâle a un plumage éclatant, alors que la femelle est plus terne. Les couples se forment en hiver pour se reproduire à partir d'avril. Les œufs sont déposés dans des nids de pic abandonnés ou autres cavités et accueillent environ dix œufs. La femelle les incube seule pendant une trentaine de jours. Après l'éclosion, la mère appelle les petits, qui sautent à terre, se dirigent vers l'eau et commencent aussitôt à se nourrir.

EIDER À TÊTE GRISE ▲

NOM SCIENTIFIQUE	*Somateria spectabilis.*
FAMILLE	Anatidae.
LONGUEUR	55 cm.
HABITAT	Toundras, îles rocheuses et zones côtières.
RÉPARTITION	Nord de l'Alaska, Canada, Groenland et Eurasie, occasionnellement plus au sud.
DESCRIPTION	Mâle : poitrine et cou blancs ; ventre, croupion et dos noirs ; calotte gris-bleu ; joues vert pâle ; front orange ; bec rougeâtre. Femelle : mouchetée de brun ; bec noir.

L'eider à tête grise est un canard marin, habitant les eaux froides du Grand Nord, hivernant même sur les bords sud du pack glacé. Il a besoin toute l'année d'une épaisse couche de duvet isolante. Pendant la période de reproduction, quand ces oiseaux viennent à terre, les femelles arrachent ce duvet de leur poitrine pour en garnir le nid. Le duvet de l'eider, recherché par les hommes pour doubler des vêtements ou garnir des oreillers, provient néanmoins la plupart du temps de l'eider à duvet *(S. mollissima).* Les couples nidifient en été, près des étangs de la toundra où les femelles pondent et incubent quatre ou cinq œufs dans un creux peu profond, pendant environ trois semaines au cours desquelles elles ne se nourrissent pratiquement pas. Après l'éclosion, certaines retournent à la mer, d'autres restent auprès des jeunes, qui se groupent pour se nourrir de végétaux et d'insectes. Les adultes plongent (jusqu'à 50 m de profondeur) pour chasser des mollusques, des crustacés, des échinodermes et des petits poissons.

FULIGULE À DOS BLANC

NOM SCIENTIFIQUE	*Aythya valisineria.*
FAMILLE	Anatidae.
LONGUEUR	53 cm.
HABITAT	Lacs, rivières, estuaires et baies.
RÉPARTITION	Amérique du Nord, hivernage au sud, jusqu'au Mexique.
DESCRIPTION	Grand canard plongeur. Le mâle a la tête et le cou couleur rouille, la poitrine et le croupion noirs, les flancs gris pâle. La femelle est tachetée de gris, avec la tête, le cou et le croupion bruns.

Le fuligule à dos blanc, grand canard plongeur, est remarquable par le long profil fuyant de sa tête et de son bec. En raison de sa taille, il peut plonger plus profondément que d'autres espèces. On le trouve souvent sur les eaux de petites îles, ainsi que dans les marais, où il nidifie dans les roseaux ou autres graminées lacustres, parfois même directement sur le sol ou sur des radeaux flottants. En période de reproduction, la femelle pond environ dix œufs, qu'elle couve seule pendant trois ou quatre semaines. Les petits, très développés dès la naissance, sont capables de suivre leur mère à l'eau tôt après l'éclosion, afin de se nourrir seuls. Cet oiseau utilise son long bec pour fouiller le fond des lacs ou des rivières et se nourrir de racines de plantes submergées, comme le céleri sauvage, ainsi que d'invertébrés et d'autres petits animaux aquatiques. Après la reproduction, cette espèce migre pour la saison froide vers les grands lacs intérieurs, les estuaires ou les baies abritées, descendant vers le sud jusqu'au golfe du Mexique.

FULIGULE MORILLON ▼

NOM SCIENTIFIQUE	*Aythya fuligula.*
FAMILLE	Anatidae.
LONGUEUR	43 cm.
HABITAT	Lacs, étangs et rivières, souvent dans les parcs des villes. Occasionnellement en bord de mer.
RÉPARTITION	Eurasie. Migre en hiver vers l'Afrique et l'Inde.
DESCRIPTION	Mâle noir à flancs blancs. Femelle brun terne à flancs plus clairs. Tous deux ont des yeux jaunes et une huppe au bas de la tête, plus longue chez le mâle.

Comme d'autres canards plongeurs, le fuligule morillon appartient à la tribu des Aythyinés, distincte des harles ou des canards marins comme les eiders, bien qu'il soit, lui aussi, un excellent plongeur. Les Aythyinés ressemblent beaucoup à des canards comme le colvert, mais leurs pattes plus courtes, placées plus en arrière par rapport au corps, leur sont utiles lorsqu'ils chassent sous l'eau. Ils se nourrissent surtout d'invertébrés aquatiques, d'escargots, d'insectes et de vers de terre, mais peuvent aussi capturer des petits poissons ; ils consomment également beaucoup de végétaux. De même qu'ils plongent sous l'eau pour y trouver de la nourriture, ils tendent à faire de même pour se cacher lorsqu'ils sont effrayés, au lieu de se réfugier à terre ou de s'envoler. Cet oiseau est très commun dans la plus grande partie de son territoire. Il est aussi très sociable et se reproduit en grandes colonies. Il nidifie au sol, en général au milieu de la végétation ; les couvées comportent jusqu'à neuf œufs.

FULIGULE MILOUIN

NOM SCIENTIFIQUE	*Aythya ferina.*
FAMILLE	Anatidae.
LONGUEUR	46 cm.
HABITAT	Marais, lacs, gravières, occasionnellement estuaires.
RÉPARTITION	Surtout en Europe, en Asie et en Afrique du Nord, occasionnellement errant en Alaska et à l'ouest des États-Unis.
DESCRIPTION	Gros canard plongeur ; front haut et bec incliné. Mâle gris ; tête et cou brun rouille ; poitrine et queue noires. Femelle brun tacheté ; tête plus foncée ; gorge grise. Tous deux ont une bande grise sur un bec noir.

Le fuligule milouin est un canard très commun qui ressemble à son congénère le fuligule morillon. Il a été menacé par la chasse, la destruction de son habitat et la pollution dans diverses parties de son territoire. Mais, par ailleurs, et notamment dans le nord de l'Europe, on observe un accroissement relatif de sa population, peut-être parce qu'il s'accommode des réservoirs et des gravières ; toutefois, le nombre de couvées reste peu élevé. Le fuligule milouin est très abondant en hiver ; il est alors rejoint par des populations du nord de l'Europe, et l'on peut le voir dans des habitats ouverts, comme des marais et des estuaires. Il se nourrit de végétation aquatique, d'insectes et autres invertébrés, ainsi que de petits poissons, étant actif à l'aube et au crépuscule, pour rester à terre durant la journée. Cependant, comme d'autres canards plongeurs, il est plutôt maladroit au sol, en raison de la position de ses courtes pattes. Il nidifie dans la végétation, par couvées de neuf ou dix œufs, menées à terme en quatre semaines.

CONDOR DE CALIFORNIE

NOM SCIENTIFIQUE	*Gymnogyps californianus*.
FAMILLE	Cathartidae.
LONGUEUR	1,20 m.
HABITAT	Milieux ouverts rocheux, légèrement boisés et semi-désertiques.
RÉPARTITION	Sud de la Californie, certaines zones de l'Arizona.
DESCRIPTION	Énorme oiseau charognard. Presque entièrement noir ; marques blanches sur les ailes ; tête dénudée de couleur rose orangé.

Le condor de Californie est un énorme oiseau d'environ 3 m d'envergure. On ne le voit pas souvent, car il appartient à l'une des espèces d'oiseaux les plus rares. Des années de persécution et le faible taux de reproduction du condor ont réduit sa population à moins de vingt spécimens sauvages, vers le milieu des années 1980. Toutefois, sa reproduction en captivité et des programmes de réintroduction ont produit des résultats satisfaisants ces dernières années. Mangeur de charognes, le condor californien parcourt de très longues distances pour se nourrir, en planant sur les courants chauds à plus de 450 m d'altitude, et couvrant parfois plus de 160 km en une journée. Il se pose pour dépecer de grandes carcasses, comme celles de bétail, mais ne néglige pas les animaux plus petits, comme les lapins ou les écureuils. Lorsqu'il ne se nourrit pas, il passe son temps à lisser son plumage ou à se prélasser au soleil, les ailes étendues. Il atteint sa maturité sexuelle à sept ans et forme alors un couple pour la vie, se reproduisant au printemps. La couvée se compose d'un unique œuf, déposé sur le sol nu d'une excavation ou d'un rebord. L'incubation dure presque soixante jours ; le jeune reste avec ses parents pendant un an environ, ses premiers vols ayant lieu vers six mois.

CONDOR DES ANDES ▲

NOM SCIENTIFIQUE	Vultur gryphus.
FAMILLE	Cathartidae.
LONGUEUR	1,30 m.
HABITAT	Lieux ouverts, zones montagneuses.
RÉPARTITION	Sur toute la chaîne des Andes.
DESCRIPTION	Énorme oiseau, semblable au vautour charognard. Quasi totalement noir ; plumes blanches aux ailes ; collier blanc. Tête chauve, rose chez les mâles, noire chez les femelles, avec une crête blanche.

Le condor des Andes est le plus grand des oiseaux de proie : il peut atteindre plus de 3 m d'envergure et peser plus de 13 kg. Il a aussi la plus importante longévité parmi les espèces d'oiseaux : il atteint fréquemment cinquante ans. Cependant, comme il est grand et qu'il se développe lentement, son cycle de reproduction est également lent, et il n'atteint la maturité sexuelle que vers huit ans, produisant des poussins un an sur deux. En conséquence, sa population se maintient difficilement quand il est menacé par l'homme. Il se reproduit en général au printemps ; un seul œuf est pondu sur une saillie rocheuse, parfois entouré de brindilles. Les deux parents couvent cet œuf, puis prennent soin du jeune, qui peut voler à six mois environ, mais demeure avec eux près de deux ans. Le condor des Andes se nourrit presque exclusivement de charognes, capturant parfois de petites proies, comme des reptiles ou des petits rongeurs, ou encore de très jeunes oiseaux et des animaux mourants. Il mange aussi les œufs d'autres oiseaux, en particulier ceux d'oiseaux marins, dont les grandes colonies lui fournissent une abondante nourriture.

VAUTOUR PERCNOPTÈRE

NOM SCIENTIFIQUE	Neophron percnopterus.
FAMILLE	Accipitridae.
LONGUEUR	65 cm.
HABITAT	Lieux ouverts, plaines arides, régions semi-désertiques.
RÉPARTITION	De la Méditerranée à certaines régions d'Asie et d'Afrique.
DESCRIPTION	Clair ou blanc cassé ; partie terminale des ailes marron ; collier autour de la gorge ; bec crochu à extrémité noire.

Malgré son autre appellation de « vautour d'Égypte », cet oiseau vit dans une grande partie de l'Afrique, au Moyen-Orient et dans le sud de l'Europe. Comme c'est le plus petit des vautours dans cette dernière contrée, il est souvent éloigné des carcasses par des oiseaux charognards plus grands. Mais comme sa taille le rend peu dépendant des courants chauds pour prendre de la hauteur, il a tendance à chercher sa nourriture plus tôt dans la journée que ses concurrents. Outre les charognes, il consomme des invertébrés, des fruits et autres végétaux. Il est surtout connu pour la méthode qu'il met en œuvre pour se nourrir des œufs d'autres oiseaux. En effet, et ce n'est pas habituel chez les oiseaux, il brise les plus grands œufs, comme ceux des autruches, à l'aide d'une pierre. Lorsque les œufs sont plus petits, il les laisse tomber de haut sur le sol afin de les briser. Cette espèce effectue une parade nuptiale inusitée pour un vautour, avec des rapprochements des deux partenaires en vol. Les deux parents s'occupent de leur progéniture : construction du nid, incubation et nourrissage des jeunes.

URUBU À TÊTE ROUGE

NOM SCIENTIFIQUE	*Cathartes aura.*
FAMILLE	Cathartidae.
LONGUEUR	72 cm.
HABITAT	Régions boisées, terres cultivées, lieux ouverts.
RÉPARTITION	Grande partie du continent américain, du sud du Canada aux Malouines (îles Falkland).
DESCRIPTION	Grand charognard à plumage gris-noir; bords des ailes plus clairs; tête rouge dénudée; bec blanc.

L'urubu à tête rouge, l'un des plus grands rapaces d'Amérique, se nourrit parfois d'animaux jeunes ou blessés, de petits rongeurs, de reptiles et des couvées d'autres oiseaux, mais c'est avant tout un charognard. Il est doté d'un odorat très développé et peut s'élever haut dans le ciel, d'où il repère des carcasses d'animaux à une grande distance; en outre, il a la tête dénudée, ce qui lui évite de souiller ses plumes lorsqu'il se nourrit. Comme d'autres vautours, il bénéficie d'un système immunitaire efficace, qui lui permet de manger des viandes en état de décomposition avancée. Cet oiseau se reproduit de mars à juin, avec une couvée allant jusqu'à trois œufs chaque année. Ceux-ci sont pondus dans des creux, au bord des falaises ou sur des rochers au sol, et couvés par les deux parents pendant quarante jours environ. Les jeunes reçoivent, pendant plus de dix semaines, les soins de leurs parents, qui leur apprennent à voler et à chasser. Cet oiseau peut se fixer pour toute l'année dans des régions plus chaudes, mais il a tendance à migrer durant l'hiver au sud de son territoire.

GYPAÈTE BARBU

NOM SCIENTIFIQUE	*Gypaetus barbatus.*
FAMILLE	Accipitridae.
LONGUEUR	1,10 m.
HABITAT	Régions montagneuses reculées.
RÉPARTITION	Sud de l'Europe autour de la Méditerranée, Moyen-Orient, Asie centrale, certaines zones d'Afrique.
DESCRIPTION	Grand vautour; ailes et dos noirs; tête, cou et dessous fauves; fortes pattes emplumées. Ailes longues et pointues; queue en losange. Touffe de plumes sous le bec.

Bien qu'habitant surtout des zones de haute montagne reculées, le gypaète barbu fréquente aussi les abords d'installations humaines, où il peut vaquer en grand nombre, cherchant des charognes et des invertébrés dans les décharges et les déchets agricoles. Il se nourrit en grande partie d'os, dont il extrait la moelle grâce à sa mandibule crochue. Il a aussi l'habitude peu commune de laisser tomber ces os de haut afin de les briser. La reproduction a lieu en février et débute par des parades nuptiales semblables à celles de l'urubu à tête rouge, faisant se toucher les serres du couple en vol. Les nids sont placés à flanc de montagne et formés de matériaux divers, de petites branches, de fourrure, de fientes, et habituellement jonchés de crânes et d'ossements. Un ou deux œufs y sont déposés, couvés par la femelle seule pendant une cinquantaine de jours. Les deux parents nourrissent les oisillons jusqu'à ce qu'ils puissent le faire seuls, pendant seize ou vingt semaines après l'éclosion.

VAUTOUR FAUVE ▼

NOM SCIENTIFIQUE	*Gyps fulvus.*
FAMILLE	Accipitridae.
LONGUEUR	1 m.
HABITAT	Régions montagneuses.
RÉPARTITION	De l'Espagne à l'Afrique du Nord, de l'Europe du Sud au Moyen-Orient et à l'Asie.
DESCRIPTION	Grand vautour. Surtout brun clair; ailes et queue plus foncées; tête blanche; cou et collier blancs.

On voit habituellement le vautour fauve survoler les régions montagneuses, se posant sur les parois rocheuses pour s'y percher et nidifier. Oiseau sociable, il se nourrit et niche en communauté, formant parfois des colonies de plus de cent individus; toutefois, de tels rassemblements ne sont pas communs, et les groupes n'excèdent souvent pas vingt couples. La reproduction a lieu entre l'hiver et le début du printemps, selon les conditions de climat et d'altitude. Un seul œuf est déposé dans un nid de branchettes placé sur un rocher escarpé. L'incubation dure cinquante jours, et les jeunes ont toutes leurs plumes au bout de six mois. Lorsqu'il n'est pas perché ou au nid, le vautour fauve, espèce strictement nécrophage, consacre environ huit heures par jour à la recherche de sa nourriture, planant jusqu'à ce qu'il repère une charogne. Lorsqu'une source de nourriture est détectée, plusieurs vautours s'assemblent pour chasser les charognards plus petits qui les ont précédés. Ils comptent aussi sur une carcasse découverte par de plus grands rapaces ou mammifères, et doivent alors attendre leur tour avant d'en profiter.

BALBUZARD PÊCHEUR

NOM SCIENTIFIQUE	*Pandion haliaetus.*
FAMILLE	Pandionidae.
LONGUEUR	55 cm.
HABITAT	Régions boisées, lieux ouverts ou falaises rocheuses, près des lacs et des rivières ou de la côte.
RÉPARTITION	Presque partout, sauf dans les régions polaires.
DESCRIPTION	Prédateur de taille moyenne. Dessus marron ; dessous blanc avec des marques brunes. Zones foncées sur les yeux jaunes, en bas du cou et sur le dos.

Seule espèce de sa famille, le balbuzard pêcheur se nourrit exclusivement de poisson. Cela le conduit à s'établir dans des habitats où ce type de nourriture est abondant, comme les lacs et les rivières, les marais et les zones côtières. Il est très répandu sur tous les continents, à l'exception de l'Antarctique. Il capture les poissons à la surface de l'eau en plongeant tête la première et les serres en avant, et peut saisir des proies de 1 kg ou même davantage. Celles-ci sont ensuite amenées jusqu'à un perchoir, pour y être consommées. En période de reproduction, sa proie est en général ramenée directement au nid ou à proximité. La nidification s'effectue du printemps à l'été, lorsque les migrateurs reviennent de l'hivernage, qui a lieu au sud de leur territoire. Les nids, volumineux, sont placés dans des arbres et constitués de branchages et de matériaux divers. Les couples les conservent pendant des années, les renforçant à chaque saison en y ajoutant de nouveaux matériaux. Les œufs, au nombre de deux ou trois, sont incubés par la femelle pendant quarante jours environ ; le mâle apporte la nourriture des jeunes tandis que la femelle demeure auprès d'eux.

Milan royal ▲

NOM SCIENTIFIQUE	*Milvus milvus.*
FAMILLE	Accipitridae.
LONGUEUR	65 cm.
HABITAT	Régions boisées, parfois zones montagneuses ou vallonnées, souvent près de l'eau.
RÉPARTITION	Grande partie de l'Europe, Asie, Moyen-Orient et certaines zones de l'Afrique du Nord.
DESCRIPTION	Grand oiseau de proie à queue très fourchue. Plumage rouille ; tête grise. Larges zones blanches sous les ailes, visibles lorsqu'il vole.

Aisément reconnaissable à sa longue queue fourchue, le milan royal était autrefois très fréquemment aperçu sur son territoire, particulièrement dans les îles Britanniques et tout le nord de l'Europe. Aujourd'hui, il est devenu relativement rare. Réputé grand charognard il y a quelques siècles, il était si abondant dans certaines régions qu'on le jugeait nuisible ; il fut de ce fait persécuté jusqu'au XIXe siècle. Depuis, des mesures de protection ont été prises, car il était menacé par la destruction de son habitat et l'emploi de pesticides. Ainsi, on a vu sa population s'accroître lentement ces dernières années, en des lieux d'où il avait presque totalement disparu. Outre les charognes, le milan royal consomme des insectes et des invertébrés, et chasse de petits mammifères de la taille d'un lapin. Les deux parents s'occupent des petits en se répatissant les tâches : la femelle demeure pratiquement toujours au nid et le mâle assure la nourriture pour elle et la nichée, ainsi qu'il en est pour de nombreux rapaces.

Milan noir

NOM SCIENTIFIQUE	*Milvus migrans.*
FAMILLE	Accipitridae.
LONGUEUR	60 cm.
HABITAT	Lieux ouverts, terrains marécageux, zones urbaines.
RÉPARTITION	Eurasie, sud de certaines zones de l'Afrique et de l'Australie.
DESCRIPTION	En général d'un brun foncé uniforme. Quelques populations (non européennes) ont le dessous des ailes plus clair. Queue plus courte et moins fortement fourchue que celle du milan royal.

D'apparence semblable à celle du milan royal, le milan noir se comporte différemment : il est beaucoup plus sociable et, en Australie, se rassemble en grandes colonies. Il tolère aussi beaucoup mieux la présence humaine et fouille les décharges auprès des lieux habités, cherchant parfois sa nourriture près des marchés. Outre les charognes et les carcasses, il consomme des invertébrés, des amphibiens, des reptiles, de petits mammifères, des poissons et de petits oiseaux. Migrant partiel, ses populations du nord vont vers le sud après la reproduction ; cependant, cette espèce peut se reproduire durant presque toutes les saisons, si les conditions atmosphériques le permettent. Des colonies de nidification sont en général établies dans des lieux boisés, souvent près de l'eau, les nids étant placés dans les arbres. Le milan noir installe aussi ses nids sur des édifices. La femelle pond et incube de un à trois œufs, le mâle assurant la nourriture. Les juvéniles éclosent au bout d'un mois environ et quittent le nid quarante jours plus tard.

BUSARD DES ROSEAUX ▲

NOM SCIENTIFIQUE	*Circus aeruginosus*.
FAMILLE	Accipitridae.
LONGUEUR	56 cm.
HABITAT	Marais, prairies humides, terres cultivées.
RÉPARTITION	Europe, Afrique, Asie et îles du Pacifique, près de l'Australie.
DESCRIPTION	En général brun-noir ; queue et partie des ailes grises. Dessous roussâtre rayé de brun ou plus jaunâtre chez les femelles.

Cet oiseau, le plus grand des busards, se rencontre en général dans les zones humides. Il est de plus en plus commun dans des terres arables, où il trouve des abris pour nidifier, habitats usuels de petits animaux qui assurent sa nourriture. Celle-ci est composée d'invertébrés, de reptiles, de petits oiseaux et de mammifères. On l'aperçoit rarement loin de l'eau, car son régime alimentaire comporte beaucoup de grenouilles. Au cours de ses migrations, alors qu'il se dirige vers son séjour hivernal, il évite les régions sèches et préfère suivre les cours d'eau. La reproduction a lieu habituellement au printemps, les femelles construisant leur nid en avril ou mai. Comme d'autres de ses congénères, le busard des roseaux place son nid à même le sol ou dans de la végétation basse, les cannaies étant le lieu préféré de cette espèce. La femelle y pond et incube quatre ou cinq œufs, qui éclosent aux alentours du trente-cinquième jour. Pendant ce temps, le mâle assure sa nourriture, puis celle des petits. Ces derniers quittent le nid environ quarante jours plus tard.

BUSARD SAINT-MARTIN

NOM SCIENTIFIQUE	*Circus cyaneus*.
FAMILLE	Accipitridae.
LONGUEUR	50 cm.
HABITAT	Prairies, landes et marais.
RÉPARTITION	Amérique du Nord et Eurasie. Migre vers le sud, en Amérique centrale, Afrique du Nord et Asie du Sud-Est.
DESCRIPTION	Mâle gris pâle ; extrémité des ailes noire ; croupion et dessous blancs. Femelle au dessus brun ; rayée de blanc en dessous.

Bien que diurne, le busard Saint-Martin présente une face arrondie semblable à celle du hibou ; on pense qu'il en résulterait un accroissement de ses facultés auditives, lorsqu'il vole bas à la recherche de petits mammifères, d'amphibiens ou d'invertébrés. Cependant, cette espèce est aussi connue pour capturer du gibier comme le tétras, ce qui lui a valu d'être persécutée par l'homme, particulièrement dans les hautes terres, où elle réside la plus grande partie de l'année. En hiver, on rencontre plus souvent ce busard dans les marais ou les zones côtières. La reproduction a lieu au printemps, les couples réalisant alors des parades nuptiales aériennes, avec de spectaculaires plongeons et l'exhibition de leurs serres. La nidification s'effectue sur le sol, souvent dans la bruyère ou sur des genêts, où la femelle pond et incube environ quatre œufs. Le mâle assure la plus grande part de la nourriture pendant l'incubation et la croissance des petits, qui dure de dix à douze semaines, avant qu'ils ne deviennent indépendants quelques semaines plus tard.

BUSARD CENDRÉ

NOM SCIENTIFIQUE	*Circus pygargus.*
FAMILLE	Accipitridae.
LONGUEUR	45 cm.
HABITAT	Marais côtiers, prairies.
RÉPARTITION	Grande partie de l'Europe, de l'Afrique et de l'Asie.
DESCRIPTION	Mâle gris foncé ; stries blanches sur les ailes ; ventre clair rayé de brun. La femelle a le dessus brun, le dessous blanc, une tache blanche sur le croupion et à l'arrière des yeux.

Comme d'autres busards, celui-ci privilégie les habitats offrant un couvert suffisant pour assurer son alimentation et sa nidification, et vole bas au-dessus de ces zones à la recherche de proies. Cette espèce est peut-être la plus agile de son groupe, par son vol léger que les observateurs ont pu comparer à celui de l'hirondelle de mer. Il capture des petits mammifères, surtout des souris et des campagnols, des petits oiseaux, des amphibiens et des invertébrés, mais aussi, à défaut, des charognes. Il nidifie au sol dans la végétation herbacée, produisant de trois à cinq œufs au début de l'été. L'incubation est assurée uniquement par la femelle, pendant environ quatre semaines, le mâle s'occupant de sa nourriture, puis de celle des petits après l'éclosion. Ainsi que d'autres busards, les mâles de cette espèce sont généralement monogames, mais peuvent parfois s'unir à deux femelles et s'occuper de l'ensemble de leur progéniture.

FAUCONS

Les spécialistes réservent l'appellation «faucons» aux membres de la sous-famille des Accipitrinae. Cependant, ce terme est le plus souvent utilisé de façon générique pour qualifier l'ensemble des oiseaux de proie, et en particulier les membres de la famille des Accipitridae, qui comprend les vautours de l'Ancien Monde, les aigles, les busards et les milans. Beaucoup d'autres espèces sont aussi classées parmi les faucons, comme la **buse de Harris** *(Parabuteo unicinctus)* et la **buse à queue rousse** *(Buteo jamaicensis),* en général classées dans la sous-famille des Buteoninae, qui inclut les busards et les aigles. Les véritables faucons sont inclus dans le genre *Accipiter,* le plus nombreux, non seulement des oiseaux de proie, mais de tous les oiseaux, avec un total de quarante-neuf espèces. Ce sont surtout des prédateurs des terres boisées, spécialisés dans la capture en vol d'oiseaux plus petits qu'eux. Ils se caractérisent par des ailes larges et arrondies, une longue queue leur servant à ralentir ou à diriger leur vol et de grands yeux, souvent de couleur jaune ou orange. Les grands vautours ont des pattes fortes et des serres puissantes, tandis que les éperviers, plus petits, ont des serres et des pattes plus fines. Ils nichent en général dans les arbres, construisent des plates-formes de branchettes et de brindilles garnies d'écorces et de plumes. Comme chez la plupart des oiseaux de proie, les femelles sont souvent un peu plus grandes que les mâles.

L'**épervier d'Europe** (*Accipiter nisus*) est le plus petit des prédateurs dans son territoire qui va de l'Europe à l'Asie, et, au sud, de l'Afrique du Nord au nord de l'Inde et jusqu'au sud de la Chine. Le mâle a le dessus gris-bleu et le dessous blanc, avec des stries rapprochées orange; il mesure environ 28 cm. La femelle a le dessus brun, avec des rayures foncées dessous, et elle atteint 38 cm de long. Cet oiseau niche habituellement dans les forêts de conifères, mais aussi dans des bois à feuilles caduques, et même dans les parcs et les jardins. La femelle incube environ cinq œufs pendant une quarantaine de jours, et les deux parents nourrissent les petits. L'épervier d'Europe peut planer, mais son vol est rapide et bas lorsqu'il chasse de petits oiseaux. Son homologue d'Amérique du Nord, l'**épervier brun** (*Accipiter striatus*), a la même apparence et les mêmes habitudes. Il est

Épervier d'Europe

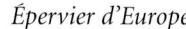

largement répandu en Amérique du Nord, et migre l'hiver jusqu'au Costa Rica.

L'**autour des palombes** *(Accipiter gentilis)* lui est très semblable d'apparence, avec le dessus gris-brun et des rayures foncées sur son dessous clair, mais il est plus grand, les mâles et les femelles atteignant respectivement 48 et 58 cm de long. Il a des sourcils blancs caractéristiques, et le mâle des taches noires derrière les yeux. On rencontre cette espèce dans une large bande de l'hémisphère Nord, mais elle est absente du Grand Nord. Les habitats de l'autour des palombes sont variés dans les régions boisées, mais cet oiseau préfère éviter les zones habitées par les hommes. Ses proies sont d'assez grands oiseaux, comme des pigeons ramiers et des faisans, ainsi que des amphibiens, des reptiles et des mammifères, comme des lapins. En période de reproduction, le mâle construit le nid et la femelle incube jusqu'à cinq œufs pendant trente-six jours environ ; le mâle apporte la nourriture pour les petits.

La **buse de Harris** est une espèce lourdement charpentée, qui chasse dans les terres légèrement boisées et autres habitats ouverts ; on peut la rencontrer en terrains semi-désertiques ou de broussailles, du sud des États-Unis jusqu'à une grande partie de l'Amérique du Sud. Elle capture la plupart de ses proies au sol, des rongeurs et des lapins,

des reptiles et des oiseaux. Elle chasse de façon inhabituelle, en groupes de cinq individus, en général conduits par une femelle, dans lesquels chaque membre a un rôle déterminé pour assurer la prise, un ou deux d'entre eux délogeant un animal de sa cachette, les autres l'attendant pour le poursuivre. Les femelles qui incubent sont fréquemment nourries par des groupes de mâles, avec lesquels elles assurent les soins aux juvéniles. La couvée est en général de deux ou quatre œufs, et une femelle peut pondre jusqu'à trois fois en un an. La buse de Harris est brun foncé, avec des taches brun-rouge sur les ailes ; elle a un bec jaune crochu à l'extrémité noire et des pattes jaunes. Les mâles mesurent environ 44 cm de long et les femelles 58 cm.

Le **faucon à queue rouge** est une autre grande et puissante espèce ; les mâles atteignent environ 50 cm de long et les femelles 65 cm. Le dessus est brun tacheté de noir, le dessous moucheté est plus clair. Comme son nom l'indique, cet oiseau a la queue rousse. Il chasse surtout en habitats ouverts, dans des zones légèrement boisées, des prairies ou des terres semi-désertiques, volant haut ou perché très en hauteur pour repérer ses proies – des invertébrés, des reptiles, des oiseaux et des mammifères. On peut le voir en Amérique du Nord et centrale, ainsi qu'aux Caraïbes. Il construit un nid volumineux, dans lequel les deux parents incubent plus de cinq œufs pendant un mois.

Autour des palombes

Buse de Harris

BUSE VARIABLE

NOM SCIENTIFIQUE	*Buteo buteo.*
FAMILLE	Accipitridae.
LONGUEUR	50 cm.
HABITAT	Collines, prairies, littoraux et zones forestières reculées.
RÉPARTITION	Toute l'Europe, grande partie de l'Asie. Migre en hiver dans toute l'Afrique, l'Inde et l'Asie du Sud-Est.
DESCRIPTION	Ailes larges ; plumage variable, allant du brunâtre au blanchâtre ; bandes claires sur la poitrine et la queue.

C'est en Europe que cet oiseau de proie de taille moyenne est probablement le plus commun. La buse variable vit dans des habitats variés, de préférence dans les forêts ou près des terres arables des zones rurales. Elle s'élève très haut ou se perche sur les clôtures, les poteaux télégraphiques et les pylônes, surveillant les mouvements de proies éventuelles. Elle se nourrit de petits animaux, des insectes par exemple, chassant parfois au sol ; cependant, son régime alimentaire consiste surtout en petits mammifères, notamment les lapins. À l'occasion, elle consomme des charognes. Les couples de buses variables sont en général monogames, souvent pour la vie, et défendent toute l'année leur territoire. Le nid est construit par le mâle et la femelle, et utilisé plusieurs années de suite, devenant avec le temps une volumineuse construction de branchettes de plus de 1 m de large. Les couvées sont de deux ou trois œufs, et les deux parents en prennent soin.

BUSE PATTUE

NOM SCIENTIFIQUE	*Buteo lagopus.*
FAMILLE	Accipitridae.
LONGUEUR	55 cm.
HABITAT	Montagnes, lieux boisés, terrains découverts.
RÉPARTITION	Dans tout l'hémisphère Nord. Celles de l'Amérique du Nord sont souvent considérées comme une sous-espèce, *B. l. sanctijohannis.*
DESCRIPTION	Presque entièrement brune. Dessous des ailes blanchâtre ; gorge et ventre noirs ; queue blanche rayée de noir.

Très commune dans tout son territoire, la buse pattue est un assez grand rapace, qui aime les terrains ouverts ou montagneux. Comme la buse variable, elle a tendance à se percher en des points élevés, tels des poteaux télégraphiques, ou à se laisser porter par les courants ascendants pour repérer ses proies ; elle peut aussi voler au ras du sol, à la manière d'un busard. Cette espèce est également remarquable pour son vol plané. Elle se nourrit de petits oiseaux, d'invertébrés, de charognes, mais l'essentiel de son régime est constitué de mammifères, en particulier de rongeurs, comme les lemmings et les campagnols. La reproduction a lieu au printemps et en été, avec la construction d'un gros nid touffu, composé de végétaux et placé sur des rebords rocheux ou sur des arbres, surtout au sud de son territoire. Trois ou quatre œufs y sont pondus, la femelle assurant presque entièrement l'incubation et le nourrissage des petits. Le mâle, quant à lui, pourvoit à leur nourriture. En hiver, cette espèce migre vers le sud en groupes nombreux.

Pygargue à tête blanche

NOM SCIENTIFIQUE	*Haliaeetus leucocephalus.*
FAMILLE	Accipitridae.
LONGUEUR	De 75 cm à 1,05 m. Mâle plus petit que la femelle.
HABITAT	Rivières, lacs et régions côtières.
RÉPARTITION	Grande partie de l'Amérique du Nord, jusqu'au Mexique. Absent du Grand Nord. Occasionnellement en Russie ou au nord de l'Europe.
DESCRIPTION	Grand aigle à plumage pratiquement brun ; tête blanche caractéristique ; cou et queue blancs ; serres jaunes.

Emblème national des États-Unis, cette espèce est répandue en Amérique du Nord, mais plus abondante en Alaska et au Canada, où ses habitats ont été menacés par les activités humaines. Ses territoires sont toutefois variés, et les populations du nord tendent à migrer en hiver des toundras glacées vers le Mexique. On rencontre rarement le pygargue à tête blanche loin d'une source d'eau, car son régime est essentiellement piscivore. Il attrape des poissons aussi grands que des saumons et peut même s'attaquer à des oiseaux d'eau comme des oies. Il chasse aussi des mammifères, tels que rongeurs, lapins et même de jeunes loutres. Il consomme également des charognes, et il est connu pour harceler d'autres oiseaux de proie afin de les contraindre à abandonner une prise. En période de reproduction, il est fréquent qu'un couple réutilise son premier nid pendant des années : il en résulte une volumineuse construction de branchages. Le pygargue à tête blanche nidifie dans les arbres, et c'est lui qui construit le plus grand des nids d'oiseaux. De un à trois œufs y sont pondus, les deux parents assurant l'incubation pendant environ six mois et participant aux soins donnés aux aiglons.

AIGLE ROYAL

NOM SCIENTIFIQUE	*Aquila chrysaetos.*
FAMILLE	Accipitridae.
LONGUEUR	De 75 à 95 cm. Mâle plus petit que la femelle.
HABITAT	Montagnes, souvent lieux boisés, lieux accidentés.
RÉPARTITION	Amérique du Nord, Europe, Afrique du Nord, Asie de l'Est.
DESCRIPTION	Grand oiseau de proie marron foncé; plumes brun clair ou jaunâtres autour de la tête et sur le dos. Serres et bec jaunes aux extrémités noires.

Puissant oiseau de proie, l'aigle royal chasse surtout dans les lieux isolés et accidentés. Son vol adroit et efficace lui permet de plonger de haut à une vitesse atteignant 320 km/h, mais il peut aussi chasser près du sol, à la façon d'un busard. Il se nourrit surtout de petits animaux, des mammifères – particulièrement des lapins – et des rongeurs, mais il est aussi capable de capturer de plus grosses proies comme les jeunes chamois. Il s'en prend aussi aux oiseaux et aux reptiles. Certains prétendent qu'il peut s'attaquer au bétail, mais il est probable qu'il ne s'agit là que de consommation de cadavres. La reproduction a lieu du début du printemps à la fin de l'été, les couples étant communément unis pour la vie et réutilisant leur nid appelé aire. Celle-ci est en général placée sur un rocher ou un arbre élevés, d'où les oiseaux jouissent d'un large point de vue sur le milieu environnant, favorable au repérage des proies. La ponte est habituellement de deux œufs, parfois quatre, généralement couvés par la femelle seule pendant quarante jours. Pendant ce temps et par la suite, le mâle demeure à proximité et assure l'essentiel de la nourriture pour toute la famille. Les aiglons deviennent indépendants environ quatre mois après leur naissance.

HARPIE FÉROCE ▼

NOM SCIENTIFIQUE	*Harpia harpyja.*
FAMILLE	Accipitridae.
LONGUEUR	De 90 cm à 1 m. Mâle plus petit que la femelle.
HABITAT	Voûte de forêts pluviales.
RÉPARTITION	Du sud du Mexique au nord de l'Argentine.
DESCRIPTION	Gros oiseau de proie aux serres massives, au bec puissant et crochu. Parties supérieures du corps gris-blanc ; tête légèrement plus claire à crête noire ; dessous blanc.

La harpie féroce est l'un des plus grands et des plus puissants rapaces. Son envergure d'environ 2 m et ses serres massives lui permettent de saisir de grandes proies. Elle se nourrit d'oiseaux, de reptiles, de mammifères et même de gros serpents et de lézards, de singes, de paresseux et d'opossums, attrapés de préférence dans les arbres. Elle est dotée d'une ouïe et d'une vue excellentes, peut-être favorisées par sa face aplatie et arrondie comme celle d'une chouette. Parmi les oiseaux, elle chasse les aras, ce qui lui a valu d'être quasi exterminée par les chercheurs de perroquets ; elle est également traquée pour sa chair et ses plumes. Cependant, la plus grande menace qui la guette est la destruction de son habitat : elle est aujourd'hui classée parmi les espèces en voie de disparition. En outre, la longueur de son cycle de reproduction lui permet difficilement de maintenir le taux de sa population ; en effet, elle n'élève qu'un seul petit tous les deux ou trois ans, lequel n'atteint sa maturité sexuelle qu'à quatre ou cinq ans. Comme beaucoup d'aigles, la harpie féroce est monogame et s'unit pour la vie. Elle niche haut dans la voûte forestière ou sur un rebord de falaise, produisant deux œufs, dont un seul survit. L'incubation dure cinquante-cinq jours environ, et le poussin demeure dépendant de ses parents dix mois ou même davantage.

CARACARA HUPPÉ ▲

NOM SCIENTIFIQUE	*Polyborus plancus.*
FAMILLE	Falconidae.
LONGUEUR	De 55 à 60 cm. Mâle plus petit que la femelle.
HABITAT	Prairies, terres cultivées, broussailles, souvent près de l'eau.
RÉPARTITION	Sud des États-Unis, particulièrement le Texas, Amérique centrale et Amérique du Sud.
DESCRIPTION	Grand faucon aux longues pattes ; grosse tête ; gros bec. Brun dans l'ensemble ; cou blanc ; calotte noire et zone de peau rouge sur la face. Poitrine, plumes primaires des ailes et queue striées de blanc et noir.

Le caracara huppé, le plus terrestre des faucons, est bien adapté à une présence prolongée au sol, car il est doté de pattes allongées et de grands pieds lui permettant de marcher, de courir et de saisir ses proies lorsqu'il chasse dans les habitats ouverts qu'il affectionne. C'est un prédateur efficace ; ses proies sont des invertébrés, des amphibiens, des petits oiseaux et des mammifères. Il consomme parfois des charognes, qu'il partage occasionnellement avec des vautours lorsque la prise est d'importance. Malheureusement, son habitude de se nourrir sur les routes provoque une forte réduction de ses effectifs, aggravée par l'intensification des installations humaines dans ses habitats. La période relativement longue de développement de ses petits, deux mois environ, est également un facteur de déclin, bien qu'il ne soit pas rare de compter deux couvées par an. La nidification de cet oiseau est inhabituelle chez les faucons : il préfère construire un nid plutôt que d'utiliser celui abandonné par une autre espèce. Ce nid, une grande construction de branchages et de végétaux, est placé à même le sol. Jusqu'à trois œufs y sont pondus et incubés pendant un mois environ ; lorsqu'ils ont toutes leurs plumes, les juvéniles dépendent encore de leurs parents pendant plusieurs mois.

MESSAGER SAGITTAIRE

NOM SCIENTIFIQUE	*Sagittarius serpentarius.*
FAMILLE	Sagittariidae.
LONGUEUR	1,50 m.
HABITAT	Prairies et broussailles.
RÉPARTITION	Afrique subsaharienne.
DESCRIPTION	Immense oiseau de proie chassant au sol. Élancé ; pattes, ailes, queue et cou longs. Plumage gris ; plumes noires aux ailes et au bout de la queue ; huppe noire. Tache rouge autour des yeux.

Le nom de cet oiseau, également appelé « secrétaire », provient de sa huppe, qui évoque la plume d'un écrivain. Il se distingue parmi les prédateurs par son mode de chasse : il ne vole que rarement, si ce n'est pour se percher ou nidifier dans les arbres, et poursuit ses proies au sol. Comme d'autres rapaces, il est doté de caractéristiques qui lui donnent une apparence très particulière. Ses pattes, longues et puissantes, lui permettent de marcher et de courir dans les prairies pour chasser ; en revanche, ses pieds sont petits, car il n'a pas besoin de saisir ses proies en vol. Ses ailes lui servent surtout de balancier lorsqu'il court. Il se nourrit d'une quantité de petits animaux, de grands invertébrés, de grenouilles, de lézards et de rongeurs. Mais il est surtout connu pour chasser les serpents : de fait, les écailles qui couvrent ses pattes le protègent des morsures, lui permettant de frapper plusieurs fois sa proie de ses pattes pour la tuer ou l'étourdir, avant de l'achever d'un coup de bec. Lorsqu'il chasse le serpent, le messager sagittaire déploie ses ailes, afin de modifier son apparence et d'empêcher le reptile de se défendre. La reproduction a lieu aux moments où la nourriture est la plus abondante ; le couple nidifie alors dans un arbre ou dans un buisson, réutilisant fréquemment le nid précédent pendant plusieurs années. Comme beaucoup de prédateurs, cet oiseau garde le même partenaire toute sa vie. Les œufs, au nombre de deux, sont couvés pendant environ quarante-cinq jours.

FAUCON CRÉCERELLE

NOM SCIENTIFIQUE	*Falco tinnunculus.*
FAMILLE	Falconidae.
LONGUEUR	De 30 à 38 cm. Mâle plus petit que la femelle.
HABITAT	Lieux ouverts, prairies, marais et marécages, souvent près de zones peu boisées. Également dans les villes.
RÉPARTITION	Grande partie de l'Europe, Afrique et Asie.
DESCRIPTION	Dessus brun rouille ; dessous chamois ; partiellement moucheté de noir. Queue striée chez la femelle, grise chez le mâle ; croupion et tête gris. Les deux sexes ont une bande noire près du haut des ailes.

Très commun dans son aire de distribution, le faucon crécerelle est facilement reconnaissable à son vol en surplace, dit du Saint-Esprit,

lorsqu'il cherche une proie. On l'aperçoit souvent près des routes de campagne, perché sur des poteaux télégraphiques ou dans les arbres, scrutant le sol pour y déceler une proie. Il se nourrit principalement de petits mammifères, comme des campagnols, des musaraignes ou des rats, mais aussi de reptiles, d'amphibiens et d'invertébrés, ou encore de gros scarabées. En milieu urbain, il chasse les petits oiseaux. La reproduction a lieu de mars à juin, le nid étant installé dans des lieux très divers suivant les habitats : bords de falaises ou édifices, creux des arbres ou nids abandonnés d'autres oiseaux, comme les corneilles et, très rarement, au sol. De trois à six œufs sont incubés pendant un mois environ, et les petits ont toutes leurs plumes un mois après l'éclosion. Ils sont nourris par leurs parents plusieurs semaines encore, le temps d'apprendre à chasser seuls.

FAUCON HOBEREAU ▼

NOM SCIENTIFIQUE	Falco subbuteo.
FAMILLE	Falconidae.
LONGUEUR	De 30 à 36 cm. Mâle plus petit que la femelle.
HABITAT	Basses terres, prairies, broussailles, lisières de forêts et terres cultivées.
RÉPARTITION	Grande partie de l'Europe, Asie et certaines zones d'Afrique du Nord. Hiverne vers l'Afrique du Sud, l'Inde et la Chine.
DESCRIPTION	Dessus brun ; calotte noire ; joues et gorge claires. Marques noires faciales ressemblant à des moustaches. Dessous chamois tacheté de noir. Cuisses et dessous de la queue roux.

Le faucon hobereau, de petite taille, est à la fois vif et élégant, et son vol est particulièrement acrobatique. Son excellente vision le favorise dans sa recherche de petits oiseaux rapides, tels que les martinets. Chassant le plus souvent au crépuscule, cette espèce a tendance à s'attaquer aux oiseaux qui se rassemblent avant de se percher, mais aussi aux chauves-souris. Très souvent, ce faucon saisit sa proie dans ses serres et la porte ensuite à son bec.

La parade nuptiale de cet oiseau est impressionnante : il réalise des vols en boucle, des plongeons à pic et offre à la femelle, en plein vol, des proies qu'il tient dans ses serres. La reproduction intervient vers le début de l'été : la femelle pond jusqu'à trois œufs, souvent déposés dans un nid abandonné par une corneille, une pie ou encore un écureuil. L'incubation dure environ un mois, les oisillons ayant tout leur plumage un mois après l'éclosion. Ils sont toujours nourris par leurs parents, mais parviennent rapidement à attraper eux-mêmes des insectes au vol ; par la suite, la taille de leurs proies augmente peu à peu, proportionnellement à leur propre croissance.

FAUCON ÉMERILLON ▲

NOM SCIENTIFIQUE	Falco columbarius.
FAMILLE	Falconidae.
LONGUEUR	De 25 à 30 cm. Mâle plus petit que la femelle.
HABITAT	Prairies, marais, marécages, zones côtières.
RÉPARTITION	Grande partie de l'hémisphère Nord, Europe et Asie. Hiverne dans le nord de l'Amérique centrale, en Afrique et en Inde.
DESCRIPTION	Petit faucon. Dessous couleur chamois, rayé de noir ; extrémité de la queue blanche. Dessus brun foncé chez la femelle, gris-bleu chez le mâle.

S'il figure parmi les plus petits de tous les rapaces, le faucon émerillon est cependant un chasseur adroit et agressif, capturant la plupart de ses proies en vol après une rapide poursuite, habituellement assez près du sol. Il se nourrit principalement de petits oiseaux, mais aussi de grands invertébrés, comme des libellules, et de petits mammifères, tels les lapins, passant beaucoup de temps perché sur des rochers, des souches d'arbres ou des poteaux, d'où il guette ses proies. Les couples chassent souvent ensemble et défendent leur territoire au moment de la reproduction, éloignant les corneilles et les autres rapaces de leurs nids. Dans les lieux boisés, cette espèce pond ses œufs dans des nids abandonnés par d'autres oiseaux, mais dans des lieux ouverts, elle a tendance à nicher au sol où elle pond quatre œufs dans un creux peu profond, parmi la végétation. Les deux parents assurent l'incubation et prennent soin des petits, mais c'est surtout le mâle qui chasse et défend le nid.

FAUCON LANIER

NOM SCIENTIFIQUE	*Falco biarmicus.*
FAMILLE	Falconidae.
LONGUEUR	De 35 à 50 cm. Mâle plus petit que la femelle.
HABITAT	Zones désertiques ou semi-désertiques, falaises de l'intérieur ou côtières, savanes et lieux boisés.
RÉPARTITION	Grande partie de l'Afrique, certaines zones de l'Europe du Sud et du Moyen-Orient.
DESCRIPTION	Faucon de taille moyenne ; dessus gris ardoise ; dessous chamois ou brun rougeâtre avec des marques grises. Certains oiseaux du nord ont des taches noires dessous, absentes chez ceux du sud. Tête brun rougeâtre ou chamois, avec des moustaches noires. Les femelles ont souvent un plumage plus foncé.

Le faucon lanier, très répandu en Afrique, est plus rare sur le reste de son territoire : en Europe, il est confiné à l'Italie et à la Grèce. Il habite des zones arides et rocheuses, où il trouve des emplacements pour son nid et des points d'observation, mais on le rencontre aussi dans des lieux boisés. Comme d'autres rapaces, il est grandement servi lorsqu'il chasse par sa vue perçante, qui lui permet de repérer sa proie d'un perchoir éloigné. Il plonge alors à toute vitesse pour la saisir. Les petits oiseaux, surtout attrapés en vol, constituent l'essentiel de son alimentation, mais il prend aussi des chauves-souris, de gros insectes et attaque même au sol des reptiles et des petits mammifères. Il fait parfois tomber un oiseau, au lieu de le saisir en vol, avant de fondre sur lui une fois qu'il est à terre. Le faucon lanier est en général solitaire, en dehors de la période de reproduction, mais un couple peut quelquefois chasser ensemble pour s'attaquer à une grosse proie.

C'est un oiseau monogame dont l'accouplement est précédé d'une parade nuptiale consistant en de vifs appels sonores. Le nid est ensuite établi dans un arbre, au bord d'une falaise ou d'un édifice. Dans les zones dépourvues d'arbres, il peut être installé à même le sol. La nidification peut aussi avoir lieu dans le nid abandonné d'un autre rapace. Trois ou quatre œufs y sont déposés et couvés par les deux parents pendant un mois environ. Après l'éclosion, la nourriture est apportée par le mâle, la femelle se joignant à lui quand les petits grandissent. Ces derniers ont leur plumage définitif de trente-cinq à quarante-cinq jours plus tard. Cette espèce ne migre pas, mais n'hésite pas à nomadiser sur de vastes territoires à la recherche de nourriture.

FAUCON PÈLERIN

NOM SCIENTIFIQUE	*Falco peregrinus.*
FAMILLE	Falconidae.
LONGUEUR	De 40 à 50 cm. Mâle plus petit que la femelle.
HABITAT	Lieux ouverts, toundra, savane, montagnes, marais, marécages, estuaires, côtes rocheuses. Apparaît aussi dans les zones urbaines.
RÉPARTITION	Apparaît dans le monde entier dans les habitats appropriés, mais évite les forêts pluviales et les régions polaires les plus froides.
DESCRIPTION	Dessus gris ardoise ; calotte noire et « moustaches » ; taches sur les joues et la poitrine. Dessous blanc rayé de gris. Queue grise striée de noir.

Grand et puissant faucon, le pèlerin est renommé pour la vitesse foudroyante à laquelle il fond sur sa proie. Il se nourrit surtout d'oiseaux, comme des pigeons ou du gibier aquatique, mais peut attaquer des animaux aussi gros que des hérons. Il plonge de haut par surprise, parfois à plus de 200 km/h, tuant souvent sa proie par son seul impact.

Il peut aussi attraper des oiseaux perchés ou posés au sol, ainsi que de petits mammifères, des amphibiens et de grands vertébrés. Bien que très répandue et très commune dans son aire de répartition, cette espèce a gravement souffert d'empoisonnement par les pesticides épandus dans les champs ; elle connaît actuellement une légère reprise de croissance, des couples s'établissant dans les zones urbaines et nichant sur les édifices. Les sites naturels de nidification sont les parois de falaises ou les rochers de régions montagneuses, dans lesquels les femelles creusent en général une petite excavation. Des nids abandonnés sont aussi utilisés. Trois ou quatre œufs sont pondus et incubés pendant quelque trente jours par la femelle, le mâle assurant la nourriture. À partir de deux ou trois semaines après l'éclosion, c'est en couple que ces faucons partent à la chasse. Les petits ont leurs plumes après quarante jours et deviennent indépendants deux mois plus tard.

LÉIPOA OCELLÉ ▲

NOM SCIENTIFIQUE	*Leipoa ocellata.*
FAMILLE	Megapodiidae.
LONGUEUR	60 cm.
HABITAT	Broussailles d'eucalyptus.
RÉPARTITION	Certaines zones du sud de l'Australie, mais totalement absent dans le sud-est du pays.
DESCRIPTION	Grand oiseau vivant au sol; tête et cou gris chamois, tachetés ou rayés de brun; dessus noir et blanc; dessous gris; strie noire sur la poitrine.

Autrefois répandu, cet oiseau, confiné de nos jours dans les broussailles d'eucalyptus des régions du sud du pays, est considéré comme le plus menacé des oiseaux d'Australie. Vivant et nidifiant au sol, il a souffert de la prédation d'animaux introduits, comme les chats et les renards, mais aussi de la destruction de son habitat, due en grande partie au débroussaillage par le feu. Le comportement le plus caractéristique du léipoa tient à ses habitudes de nidification. Pour construire le monticule dans lequel il incube ses œufs, le mâle creuse d'abord un trou dont la profondeur peut atteindre 1 m. Il le tapisse d'une grande quantité de feuilles et autres végétaux, destinés à se décomposer, qu'il recouvre ensuite de terre et de sable. Il obtient ainsi un amas d'environ 5 m de diamètre, quelquefois davantage. La femelle y pond jusqu'à trente œufs, parfois en plusieurs jours, et le mâle en assure la couvaison en régulant leur température, les couvrant et les découvrant alternativement. L'éclosion a lieu entre cinquante et cent jours plus tard, après quoi les petits doivent assurer seuls leur subsistance. Bien qu'ils soient capables de courir pendant des heures et de voler dès le lendemain de leur naissance, beaucoup sont victimes de prédateurs.

TALÉGALLE DE LATHAM ▼

NOM SCIENTIFIQUE	*Alectura lathami.*
FAMILLE	Megapodiidae.
LONGUEUR	70 cm.
HABITAT	Forêts pluviales et broussailles, souvent en hautes altitudes au nord de son territoire, mais aussi en montagne et basses terres au sud.
RÉPARTITION	Est de l'Australie, du Queensland jusqu'au sud, presque jusqu'à Sydney.
DESCRIPTION	Grand oiseau du genre gallinacé à longues pattes. Presque entièrement noir; tête rouge dénudée; caroncule gulaire jaune; queue étalée latéralement.

Malgré son apparence, le talégalle de Latham (dit aussi « mégapode de Latham ») est plus proche du léipoa que du dindon sauvage d'Amérique du Nord, et appartient à la famille des Megapodiidae, connue pour ses nids en monticules. Ses habitudes de nidification sont semblables à celles du léipoa : il construit un amas de végétation pour y incuber ses œufs, en général dans les lieux où le couvert est dense, et ses nids remplis d'une litière de feuilles sont posés sur le sol de la forêt. C'est le mâle qui édifie ce monticule de feuilles, ratissées avec ses pieds, qui peut atteindre 1 m de hauteur et environ 4 m de largeur, dans lequel la femelle pond ses œufs. Ce nid est partagé avec plusieurs autres femelles et peut ainsi contenir une cinquantaine d'œufs; il est entretenu par le mâle, qui remue les feuilles avec son bec et en rajoute, afin d'y maintenir une température régulière. Dès la naissance, les petits sont livrés à eux-mêmes, car ils peuvent subvenir à leurs besoins, courir et voler quelques heures après l'éclosion. Cependant, beaucoup sont victimes de prédateurs, comme les lézards et les serpents. Le talégalle se nourrit de graines, de fruits et d'invertébrés.

ORTALIDE CHACAMEL

NOM SCIENTIFIQUE	*Ortalis vetula.*
FAMILLE	Cracidae.
LONGUEUR	60 cm.
HABITAT	Forêts, fourrés et buissons épineux.
RÉPARTITION	Le long du Rio Grande, du sud du Texas au Nicaragua, à travers tout le Mexique.
DESCRIPTION	Grande taille ; pattes, queue et cou longs ; ailes courtes et arrondies. Plumage brun olive dessus, plus chamois dessous. Queue vert foncé à l'extrémité blanche. Tache grise sur la partie dénudée de la gorge, rouge chez le mâle en période de reproduction.

Bien qu'appartenant à l'ordre des Gallinacés, largement composé d'oiseaux de sol, l'ortalide chacamel passe le plus clair de son temps dans les arbres, à tel point qu'on l'appelle parfois « faisan mexicain des arbres ». On rencontre généralement cet oiseau en petits groupes de cinq individus, se déplaçant dans les branches des fourrés à la recherche de graines, de baies, de bourgeons et de feuilles. Ses pieds bien adaptés à la préhension lui permettent de se suspendre tête en bas pour atteindre sa nourriture. À l'occasion, il peut attraper au sol de quoi manger, en particulier quand les insectes sont nombreux, ou dans des réservoirs à graines disposés par l'homme. Dans ce cas-là, il arrive qu'il se fasse totalement apprivoiser. C'est un oiseau bruyant, appelé aussi « chachalaca » en référence à son cri, particulièrement sonore pendant la période de reproduction, au début du printemps. Il niche sur une petite plate-forme de branchettes, souvent placée au niveau de la fourche d'un arbre, où sont déposés deux ou trois œufs. L'incubation dure trente jours environ, et, bien que les petits soient capables de grimper presque immédiatement après leur naissance et de voler une semaine plus tard, il faut attendre trois semaines pour qu'ils aient leur plumage définitif.

DINDON SAUVAGE

NOM SCIENTIFIQUE	*Meleagris gallopavo.*
FAMILLE	Phasianidae.
LONGUEUR	De 90 à 120 cm. Mâle plus petit que la femelle.
HABITAT	Lieux boisés.
RÉPARTITION	Amérique du Nord, du sud du Canada au Mexique.
DESCRIPTION	Très grand oiseau terrestre. Le mâle a un plumage cuivré à reflets irisés, des rayures à l'extrémité des ailes et une touffe noire sur la poitrine. Tête dénudée bleu et rouge ; caroncules rouges verruqueuses sur la poitrine ; grands ergots aux pattes. La femelle est plus terne ; absence de touffe sur la poitrine.

Autrefois sévèrement menacé en raison d'une chasse incontrôlée et de la destruction de son habitat, le dindon sauvage est un gallinacé (souche des dindons domestiques de basse-cour) qui réapparaît dans une grande partie de son aire de répartition, bien que sa population soit quelque peu disséminée, ce qui a déterminé le développement d'espèces locales variées. Parmi ces dernières, la plus connue est le dindon sauvage de l'Est, *M.g.silvestris,* qui vit surtout à l'est des États-Unis. Toutes ont des apparences et des habitudes similaires. Le dindon sauvage préfère un habitat mixte de terrains boisés et de prairies, et se nourrit le jour, perchant dans les arbres durant la nuit. Il consomme un grand nombre de végétaux et de petits animaux, son régime comprenant des graines, des noix, des fruits, des fleurs, des invertébrés, de petits reptiles et des amphibiens. La plupart du temps, ces oiseaux demeurent groupés par sexes ; cependant, au début du printemps, les mâles attirent les femelles en glougloutant et en déployant les plumes de leur queue. Après l'accouplement, les femelles nichent dans des creux peu profonds du sol, y pondant une dizaine d'œufs, couvés pendant près d'un mois. Après leur naissance, les juvéniles suivent leur mère et de petits groupes se reforment.

TÉTRAS-LYRE ▼

NOM SCIENTIFIQUE	*Tetrao tetrix.*
FAMILLE	Phasianidae.
LONGUEUR	De 41 à 55 cm. Mâle plus grand que la femelle.
HABITAT	Marais, marécages et prairies, souvent près de la lisière des forêts.
RÉPARTITION	Des îles Britanniques à la Sibérie, Europe et Asie du Nord.
DESCRIPTION	Grand oiseau noir ; stries blanches aux ailes ; longues plumes blanches sous la queue ; crêtes rouges au-dessus des yeux ; queue en forme de lyre. Femelle tachetée de brun avec bandes noires.

Le tétras-lyre (aussi appelé « petit coq de bruyère »), autrefois plus commun qu'aujourd'hui, bénéficiait de nombreux habitats, y compris les bruyères des basses terres. En raison des atteintes portées à ces lieux, on ne le trouve maintenant que dans des landes, des terres arables ou des forêts reculées sur les hauteurs. Devant le déclin de sa population, des efforts ont été faits pour lui procurer des environnements mieux aménagés et mieux adaptés à son espèce, qui demande pour subsister à la fois des terrains boisés et des lieux ouverts. Ce gallinacé est essentiellement un oiseau de sol, qui apprécie le couvert de la lande dans les lieux ouverts où il nidifie et se nourrit la plupart du temps. Cependant, il se perche aussi dans les arbres et trouve un abri dans les bois pendant l'hiver, quand la neige l'empêche de se nourrir à découvert. Son alimentation comprend des insectes, des bourgeons, des jeunes pousses et des herbes pendant le printemps et l'été, des graines et des baies l'hiver, cette nourriture étant très importante pendant la période de reproduction. Celle-ci commence au début de l'été, avec des parades nuptiales : les mâles attirent les femelles en faisant des bonds et en glougloutant bruyamment. Après l'accouplement, les femelles nichent à part, pondant environ neuf œufs dans un léger creux du sol. L'incubation dure vingt-cinq jours ; après l'éclosion, les femelles et leurs petits se rassemblent avec d'autres pour former de petits groupes.

TÉTRAS DES ARMOISES ▲

NOM SCIENTIFIQUE	*Centrocercus urophasianus.*
FAMILLE	Phasianidae.
LONGUEUR	De 55 à 75 cm. Mâle plus grand que la femelle.
HABITAT	Plaines broussailleuses et contreforts.
RÉPARTITION	Parties ouest de l'Amérique du Nord.
DESCRIPTION	Grand oiseau de sol ; longues ailes arrondies ; plumes de queue pointues. Les deux sexes sont mouchetés de gris-brun et de noir ; dessous marron. Le mâle a la gorge noire, avec un collier blanc et des huppes au-dessus des yeux.

Comme son nom l'indique, le tétras des armoises peuple les terres où croissent ces plantes aromatiques, qui lui fournissent à la fois l'abri et la nourriture. Habituellement sédentaire, il se déplace en fouillant la végétation. On le rencontre surtout dans les plaines en hiver et sur les contreforts des montagnes en été. Pendant les mois d'hiver, on le voit souvent en groupes du même sexe, les mâles se rassemblant avant de s'accoupler au printemps. Ils délimitent alors des « arènes » sur leur territoire et effectuent une parade nuptiale pour attirer les femelles. En général, ils se pavanent, étendent leurs ailes, dressent leur queue en éventail, gonflent et dégonflent les poches qu'ils ont sur la poitrine, tout en glougloutant bruyamment. Chaque femelle choisit un mâle, s'accouple, puis le quitte pour nicher seule. Le nid consiste en un creux peu profond au sol, dans lequel sont pondus environ huit œufs. L'incubation dure une quarantaine de jours ; peu après leur naissance, les petits suivent leur mère à la recherche d'insectes. Les adultes sont principalement herbivores ; ils se nourrissent surtout de feuilles d'armoise et autres végétaux, ainsi que d'invertébrés.

LAGOPÈDE ALPIN

NOM SCIENTIFIQUE	*Lagopus mutus.*
FAMILLE	Phasianidae.
LONGUEUR	36 cm.
HABITAT	Zones rocheuses de montagne et toundra.
RÉPARTITION	Hémisphère Nord : Canada, Groenland, Islande et Eurasie du Nord.
DESCRIPTION	Petit oiseau alpin ; queue noire ; huppes rouges au-dessus des yeux. En été, plumage tacheté de brun sur le dessus ; ailes et dessous surtout blancs, le devenant entièrement en automne, la tête et le cou demeurant tachetés. Plumage d'hiver complètement blanc ; queue noire.

Ce lagopède vivant surtout dans la toundra arctique et les contreforts alpins, où le couvert des plantes est très réduit, présente au cours de l'année un remarquable changement de plumage, qui devient blanc en hiver pour se camoufler sur la neige. Des groupes de même sexe se forment en hiver, pour se séparer à l'approche de la période de reproduction. À la différence d'autres espèces de lagopèdes, les mâles ne paradent pas en commun pour attirer les femelles ; chacun délimite un grand territoire qu'il défend vigoureusement. La parade nuptiale comprend alors l'étalage de la queue en éventail et la description de cercles autour de la femelle, l'oiseau laissant traîner une aile à terre. Après l'accouplement, la femelle niche au sol, pondant jusqu'à dix œufs dans une excavation, en général dans un abri rocheux. L'incubation dure trois semaines environ, et les petits quittent le nid presque immédiatement après leur naissance, pour commencer à se nourrir. Ils restent cependant auprès de leur mère encore une dizaine de semaines. Les jeunes consomment des invertébrés, ainsi que beaucoup de plantes, comme des feuilles, des bourgeons et des graines, à mesure qu'ils grandissent.

GRAND TÉTRAS

NOM SCIENTIFIQUE	*Tetrao urogallus*
FAMILLE	Phasianidae.
LONGUEUR	De 80 cm à 1,10 m. Mâle plus grand que la femelle.
HABITAT	Forêts de conifères et broussailles, surtout en régions collinaires ou montagneuses.
RÉPARTITION	De l'Écosse à l'Asie, à travers l'Europe de l'Ouest, particulièrement dans le nord.
DESCRIPTION	Très gros oiseau. Le plumage du mâle est gris foncé ou noir dans l'ensemble; ailes marron; poitrine d'un vert brillant; rayures sur la queue et le dessous; taches rouges autour des yeux. Femelle tachetée de marron sur le dessus; plus claire en dessous; poitrine rougeâtre.

Le grand tétras est le plus gros gallinacé de son espèce. Le mâle, particulièrement remarquable, est devenu peu commun dans son aire de répartition, surtout en raison de la perte de son habitat. Il avait disparu de Grande-Bretagne au XVIIIᵉ siècle, mais a été réintroduit et survit depuis en très petit nombre dans quelques zones reculées de l'Écosse.

Comme le tétras-lyre, il fréquente les zones boisées et les terres marécageuses, ce qui est important pour sa reproduction et lui fournit une source d'insectes pour nourrir ses petits. C'est l'un des rares oiseaux de son territoire à effectuer sa parade nuptiale sur des « arènes » communes, afin d'attirer les femelles. Les grands tétras se pavanent, déploient leur queue en éventail et émettent des vocalises et des glouglous sonores, finissant par un bruit semblable à celui d'une bouteille dont on fait sauter le bouchon. Des combats entre les mâles surviennent pendant cette période, causant des blessures et entraînant parfois la mort. Après l'accouplement, les femelles nichent au sol, pondant une dizaine d'œufs dans un creux peu profond. L'incubation dure environ quatre semaines, les petits pouvant voler deux semaines plus tard. Ils demeurent auprès de leur mère pendant l'été, avant de rejoindre de grands groupes de leurs congénères.

CAILLES

Bien que souvent classées dans la famille des Phasianidae, qui comprend les faisans, les dindons, les perdrix et les espèces apparentées, une distinction est établie entre les cailles de l'Ancien Monde, c'est-à-dire d'Europe, d'Afrique du Nord et d'Asie, et celles du Nouveau Monde, uniquement endémiques ou natives du continent américain. Ces dernières comprennent le **colin de Virginie** *(Colinus virginianis)* et le **colin de Californie** *(Calliplela californica).* Ces oiseaux sont classés dans leur propre famille, les Odontophoridae, particulièrement par les taxinomistes américains. Toutefois, ils sont très semblables aux cailles de l'Ancien Monde, comme la **caille des blés** *(Coturnix coturnix),* tant par leur apparence que par leurs habitudes.

Les cailles sont généralement de taille petite ou moyenne, avec des pattes courtes, car elles vivent surtout à terre et fréquentent des habitats ouverts, comme les prairies ou les terres cultivées, mais aussi des couverts denses sous la forme de fourrés, de broussailles ou de bois clairsemés. Elles se nourrissent de graines, de bourgeons et autres végétaux, ainsi que de petits invertébrés. Elles nichent au sol, dans de légers creux ou des dépressions naturelles, et beaucoup d'entre elles ont un plumage tacheté qui leur sert de camouflage. Les deux groupes présentent néanmoins quelques différences. Les cailles du Nouveau Monde sont généralement un peu plus grosses, plus marquées et beaucoup d'entre elles ont une huppe. Sédentaires, elles sont aussi plus sociables, alors que celles de l'Ancien Monde migrent beaucoup, malgré leur petite taille.

La **caille des blés** est une petite espèce d'environ 18 cm de long. Elle est marron tacheté, avec le dessous marron et des marques faciales. Le mâle a la gorge noir et blanc, alors que la femelle est plus terne, avec le dessous moins tacheté. Elle est assez abondante dans son aire de répartition, qui s'étend de l'Europe à l'Asie centrale, au Moyen-Orient et à l'Afrique. Toutefois, sa population a décru significativement dans certaines régions. Comme beaucoup de ses congénères, lorsqu'elle est dérangée, elle court sous le couvert au lieu de s'envoler, bien qu'elle soit capable de le faire ; de fait, ces oiseaux d'Europe peuvent migrer jusqu'en Inde et en Afrique du Nord. Elle niche au sol dans la végétation dense, produisant une grande couvée allant jusqu'à douze œufs. La femelle les incube seule dix-huit jours environ, et, bien que les poussins aient leur plumage dix-huit jours après leur naissance, ils demeurent en groupe pendant plus d'un mois.

Caille des blés

Le **colin de Virginie** est probablement la plus connue des cailles du Nouveau Monde, ainsi que le plus important gibier d'Amérique du Nord. Il est très répandu de l'est des États-Unis à l'Amérique centrale, où il peuple les prairies, les broussailles et les forêts, et a été également introduit au nord-ouest. Marron tacheté, avec le dessous plus clair, il mesure en moyenne 24 cm de long. Comme c'est le cas chez la plupart des cailles, le mâle est plus marqué que la femelle, avec la gorge et le contour des yeux blancs. Sociable en dehors de la période de reproduction, il vit en petits groupes, ou encore en « compagnies », qui se perchent et se nourrissent ensemble. On l'entend plus facilement qu'on ne l'aperçoit, et il est reconnaissable à son cri sifflé. En période de reproduction, la couvée compte fréquemment une douzaine d'œufs, dont s'occupent les deux parents, les femelles quittant quelquefois le nid pour produire une autre nichée ailleurs. Les petits peuvent quitter le nid presque immédiatement après leur naissance, et deviennent indépendants environ deux semaines plus tard.

Les cailles ont un taux de reproduction élevé, avec l'une des plus importantes couvées chez l'ensemble des oiseaux. Cependant, leur espérance de vie est particulièrement courte, et il est fréquent qu'elles meurent dans leur première année.

Très commun le long de la côte du Pacifique, de la baie de Californie au sud de l'Oregon, le **colin de Californie** est une espèce intéressante, qui a été élevée et introduite hors de son milieu naturel en tant qu'oiseau décoratif, mais il est également chassé pour sa chair. Il est en général très sociable en dehors de sa période de reproduction ; dans certains cas, on a pu l'observer nichant en commun, ce qui semble l'avoir aidé à s'alimenter, réduisant ainsi le taux de mortalité chez les adultes. Cet oiseau atteint environ 26 cm de long ; il est dodu, avec un plumage gris-brun, le bas de la poitrine et le ventre rayés de blanc, des taches beiges sur les flancs, le dessus de la tête brun avec une aigrette. Les mâles ont une huppe plus longue que celle des femelles, la gorge noire et des marques faciales blanches. Bien que tendant à vivre dans des habitats plus arides que la plupart des autres cailles, qui récoltent surtout l'eau de la rosée, on rencontre parfois le colin de Californie près des cours d'eau ou de toutes sortes de sources aquatiques. L'espèce a été introduite avec succès en Afrique du Sud et en Nouvelle-Zélande.

Colin de Virginie

PERDRIX GRISE

NOM SCIENTIFIQUE	*Perdix perdix.*
FAMILLE	Phasianidae.
LONGUEUR	30 cm.
HABITAT	Prairies, dunes, cultures et haies.
RÉPARTITION	Europe et Asie occidentale. Introduite aux États-Unis.
DESCRIPTION	Oiseau de sol gris-brun ; tache noisette sur le ventre ; flancs striés de roux ; queue rousse.

La perdrix grise était autrefois la plus nombreuse parmi le gibier de son aire de répartition, mais sa population a diminué ces dernières années, en raison de la destruction de ses habitats, d'une chasse incontrôlée et de la rareté des insectes, victimes des pesticides. C'est aussi un oiseau discret, qui préfère demeurer caché dans les cultures, les haies ou les broussailles quand il est dérangé, ne s'envolant que lorsqu'il est menacé par un danger immédiat. Il se nourrit et nidifie au sol, cherchant des graines, des bourgeons et des insectes, ces derniers constituant la plus grande part de son alimentation quand il est jeune ou pendant sa période de reproduction. Celle-ci a lieu de la fin du printemps au début de l'automne, et on rencontre alors généralement la perdrix grise en couple. Elle tend ensuite à s'assembler en petits groupes appelés « compagnies ». Son nid consiste en une légère excavation bordée de végétaux, dans laquelle sont déposés jusqu'à vingt œufs. Si une couvée est perdue, une autre vient la remplacer. La couvaison dure un peu plus de trois semaines, assurée par la femelle, mais les deux parents demeurent avec les oisillons jusqu'au printemps suivant.

TRAGOPAN DE TEMMINCK ▼

NOM SCIENTIFIQUE	*Tragopan temminckii.*
FAMILLE	Phasianidae.
LONGUEUR	60 cm.
HABITAT	Forêts mixtes et pluviales, souvent en montagne.
RÉPARTITION	Asie centrale et du Sud, Inde, Birmanie, Tibet, Vietnam et Chine.
DESCRIPTION	Gros faisan aux ailes courtes. Mâle vivement coloré; plumage brun rougeâtre ocellé de gris, huppe, cou et poitrine orange vif; face et caroncule bleu brillant.

Le mâle du tragopan de Temminck, espèce la plus répandue chez les tragopans, est peut-être le plus coloré des faisans. Il manifeste une prédilection pour les habitats reculés, en général à haute altitude; aussi le rencontre-t-on rarement, bien qu'il ne soit guère effarouché en présence des hommes. Il choisit les environnements ombreux des forêts pluviales, car il n'aime pas la chaleur excessive. Pour un faisan, il est plutôt arboricole; il niche dans les arbustes ou les basses branches des arbres et utilise parfois les nids abandonnés par les oiseaux d'autres espèces. En période de reproduction, le mâle, souvent solitaire, capte l'attention d'une femelle par une parade nuptiale impressionnante : il gonfle son plumage et les caroncules de sa gorge, et érige sa huppe en forme de corne, le tout accompagné de hochements de tête et de vocalises. Après l'accouplement, la femelle pond de deux à quatre œufs, incubés pendant environ quatre semaines. Les petits naissent avec des ailes bien développées et peuvent voler peu de jours après. Pendant les deux premières semaines, ils se nourrissent presque exclusivement d'invertébrés, puis adoptent un régime plus végétarien en grandissant.

FAISAN DE COLCHIDE

NOM SCIENTIFIQUE	*Phasianus colchicus.*
FAMILLE	Phasianidae.
LONGUEUR	De 60 à 90 cm. Mâle plus grand que la femelle.
HABITAT	Terres cultivées, régions boisées, marais.
RÉPARTITION	Grande partie de l'Europe et, au-delà, Asie et Chine. Introduit en Amérique du Nord et en Australie.
DESCRIPTION	Brun; taches noires et longue queue rayée. Le mâle a la tête et le cou vert foncé irisé, des caroncules faciales rouges et souvent un collier blanc.

Bien que commun dans une grande partie de l'Europe, avec une extension moindre en Amérique du Nord et en Australie, le faisan de Colchide (dit aussi « faisan de chasse ») est en général natif d'Asie. Il a été introduit ailleurs comme gibier et élevé pour sa chair et pour la chasse. Cette espèce très discrète préfère vivre dans des lieux offrant des couverts, sous forme de cultures, de haies et de lisières de forêts. Cet oiseau passe beaucoup de temps au sol à chercher sa nourriture, mais se perche occasionnellement dans les arbres. Son régime varié comprend des matières végétales, des graines, des baies, des bourgeons ainsi que des vers de terre et autres invertébrés. On le rencontre souvent en petits groupes toute l'année, et par couples à la période de reproduction. Cependant, les mâles peuvent aussi être accompagnés de plusieurs femelles, qui demeurent seules au nid après l'accouplement. Ce nid est posé à même le sol, dans un léger creux au milieu de la végétation, et peut accueillir une quinzaine d'œufs. Ceux-ci sont incubés pendant quatre semaines environ, et les petits ont leur plumage deux semaines après leur naissance.

PAON BLEU

NOM SCIENTIFIQUE	*Pavo cristatus.*
FAMILLE	Phasianidae.
LONGUEUR	De 85 cm à 1,20 m. Mâle plus grand que la femelle.
HABITAT	Forêts tropicales denses, souvent zones collinaires près de l'eau.
RÉPARTITION	Inde, Sri Lanka et Pakistan.
DESCRIPTION	Grand faisan. Mâle : tacheté de bleu ; cou et poitrine bleu roi ; face blanche ; huppe en éventail ; plumes suscaudales en traîne, ornées d'ocelles. Femelle : plus terne, gris-brun dans l'ensemble ; gorge blanche ; cou et poitrine verdâtres.

Plus connu sous le simple nom de paon, le paon bleu, communément familier comme espèce semi-domestiquée ou sauvage dans plusieurs parties du monde, est considéré comme nuisible dans certaines régions. Il est natif d'Asie, où son habitat naturel se situe dans les forêts tropi-cales à feuilles caduques. Il peut voler et se perche souvent dans les arbres, mais passe malgré tout le plus clair de son temps posé au sol, dans les clairières ou les lieux découverts adjacents, à la recherche de sa nourriture. Son régime, très varié, est composé de végétaux, comme les fruits, les graines et les plantes vertes, mais le paon consomme égale-ment de petits animaux, invertébrés, reptiles et même rongeurs.

Menant souvent une vie de solitaires ou vivant en groupes réduits ne comptant pas plus de six individus, les mâles se rassemblent néanmoins sur des lieux communs de reproduction, où ils paradent et tentent d'attirer les femelles par des cris rauques et très sonores. Ils se pavanent et ouvrent leurs immenses plumes subcaudales en éventail. Un mâle peut s'accoupler avec plusieurs femelles ; celles-ci nichent ensuite seules, creusant un trou peu profond dans le sol pour y déposer quelque six œufs, qui sont incubés pendant environ quatre semaines. Après leur naissance, les petits demeurent avec leur mère pendant une dizaine de semaines.

LOPHOPHORE RESPLENDISSANT ▲

NOM SCIENTIFIQUE	*Lophophorus impejanus.*
FAMILLE	Phasianidae.
LONGUEUR	De 55 à 65 cm. Mâle plus grand que la femelle.
HABITAT	Prairies, zones rocheuses, forêts de montagne.
RÉPARTITION	Himalaya, Afghanistan, Tibet, Inde et Pakistan.
DESCRIPTION	Faisan à queue courte. Mâle vert irisé, pourpre, rouge et bleu; tache blanche au croupion; queue cuivrée; dessous noir; huppe de paon. Femelle tachetée de brun dans l'ensemble avec des marques noires, chamois et blanches; gorge blanche; petite huppe. Les deux sexes ont une tache bleue autour des yeux.

Généralement oiseau de sol, le lophophore resplendissant habite des régions montagneuses où il trouve des rochers escarpés et des lieux boisés qui lui procurent le couvert, des endroits de perchage et de nidification, ainsi qu'une nourriture appropriée. Son régime comprend des végétaux, comme des racines, des tubercules, des bourgeons, des glands et des baies, ainsi que des insectes terrestres ou souterrains et leurs larves, qu'il déterre avec son bec en forme de cuiller. Il se nourrit souvent en petits groupes du même sexe et se montre parfois grégaire, quoique les groupes importants ne soient pas fréquents; ils sont plus communs en hiver, quand les habitats sont restreints. La reproduction a lieu du printemps au début de l'été. Les mâles deviennent solitaires et agressifs envers leurs congénères, poussant des cris sonores pour attirer les femelles. Leur parade nuptiale consiste à ébouriffer leur plumage, à se pavaner et à décrire des cercles autour d'une éventuelle partenaire, en laissant pendre une aile sur le sol. Parfois ils offrent aussi à la femelle des pierres ou de la nourriture. Après l'accouplement, le couple reste uni jusqu'à ce que la femelle commence à couver, le mâle pouvant aller se reproduire ailleurs. La femelle nidifie seule, en général dans une zone boisée, en creusant un trou peu profond dans un lieu abrité. Elle y pond quatre ou cinq œufs incubés vingt-huit jours.

COQ BANKIVA ▼

NOM SCIENTIFIQUE	*Gallus gallus*
FAMILLE	Phasianidae.
LONGUEUR	De 40 à 55 cm. Mâle plus grand que la femelle.
HABITAT	Forêts, broussailles et champs.
RÉPARTITION	Grande partie de l'Asie du Sud-Est, Pakistan, Inde, Chine du Sud, Sumatra et Indonésie. Dans le monde entier sous sa forme domestiquée.
DESCRIPTION	Mâle en général noir ou vert foncé dessous; longues plumes de queue; tête et cou de doré à rouge orangé; zones variables de rouge, marron, orange et brun sur le dos et les ailes. Grande huppe dentelée rouge; caroncule rouge sur la gorge; petites taches blanches sur les côtés de la tête. La femelle est plus terne, chamois dessus et brun roux dessous.

Le coq bankiva, ancêtre de notre poulet domestique, est probablement originaire d'Asie du Sud-Est, peut-être du nord de l'Inde, ou encore de Thaïlande et du Vietnam, où il a longtemps été capturé et élevé pour le combat et pour sa chair. Sa forme sauvage serait encore commune par endroits, mais, dans beaucoup de cas, il a subi des croisements, si bien qu'il est difficile d'estimer sa population. On peut observer cet animal craintif dans les forêts ou leurs abords, où il trouve un bon couvert et peut disparaître quand on l'approche. Il est donc difficile à localiser, mais on peut déceler sa présence par le chant sonore du mâle. Il a tendance à vivre en petits groupes, et le mâle, polygame, attire plusieurs femelles lors de la période de reproduction. Comme d'autres membres de la famille des Phasianinae, le mâle ne participe pas, après l'accouplement, à la nidification, à l'incubation ou aux soins accordés aux poussins. La femelle pond cinq ou six œufs dans un creux à même le sol, habituellement parmi la végétation, et les incube pendant trois semaines environ. Ce coq se nourrit essentiellement de graines, de bourgeons, de fruits et d'insectes, qu'il débusque en fouillant le sol de ses pattes.

GRUES

Bien que très semblables aux hérons, les grues ne leur sont pas étroite-ment apparentées; elles appartiennent à l'ordre des Gruiformes, qui comprend notamment les râles et les outardes. Il y a quinze espèces de grues, formant la famille des Gruidae, celle-ci se subdivisant en deux sous-familles, les Balearicinae, ou grues couronnées, dont les deux espèces ne se rencontrent qu'en Afrique, et les grues typiques de la sous-famille des Gruinae, représentée sur la plupart des continents. Les grues sont des oiseaux aux longues pattes et au long cou, avec un grand bec pointu. La plupart des individus de leurs espèces vivent en des lieux humides, comme les marais, les marécages, les cannaies; d'autres, cependant, passent une partie de leur temps dans des habitats plus secs, comme les prairies ou les champs cultivés. Les grues sont omnivores; elles consomment une grande variété de végétaux, des graines, des racines, des bourgeons et des feuilles, ainsi que de petits animaux, dont des invertébrés aquatiques, des amphibiens, des reptiles, des poissons et de petits mammifères. Les grues se signalent par leurs danses, sauts et battements d'ailes, ce comportement étant sur-tout observé en période de reproduction, afin de préserver le territoire des couples et de le défendre, la plupart des espèces devenant alors agressives. Bruyantes, elles émettent des cris que l'on entend de loin.

Elles se reproduisent à différentes époques de l'année, selon les espèces et les lieux, et construisent un monticule de végétation dans les roseaux. Deux œufs sont en général incubés par les deux parents, et les petits sont capables de quitter le nid quelques jours après leur naissance pour chercher de la nourriture. Ces oiseaux sont de bons voiliers, et certaines espèces entreprennent des migrations massives, pour aller hiverner après la reproduction.

La **grue cendrée** (*Grus grus*) migre sur de longues distances, du nord et de l'ouest de l'Eurasie vers l'Afrique du Nord, l'Inde et la Chine. Disparues depuis longtemps des îles Britanniques, les grues commencent à s'y rétablir en très petit nombre. Cet oiseau mesure environ 1,10 m de long; il est blanc dans son ensemble, avec la face et la gorge noires, des bandes blanches s'étendant des yeux sur la nuque. Il a aussi une tache rouge sur l'arrière de la calotte et des plumes longues et pendantes au niveau de la queue, qu'il dresse lors de sa parade nuptiale.

La **grue du Canada** (*Grus canadensis*) lui est semblable en appa-rence, mais mesure légèrement plus petite : elle mesure environ 1 m de long.

Grue du Japon

Grue royale

Elle est aussi plus grise que blanche, et sa couronne est plus rouge. Elle se reproduit dans les marais et les toundras au Canada, en Alaska et en Sibérie, avec de grandes migrations vers le sud et le Mexique en hiver. On en trouve des populations le long du golfe du Mexique.

La **grue du Japon** (*Grus japonensis*) est l'une des plus grandes et des plus rares espèces de grues du monde. Avec sa longueur d'environ 1,40 m, elle est exceptionnellement grande et gracieuse, presque entièrement blanche, avec les pattes et les plumes de la queue noires. Les mâles ont la gorge, la face, le cou et le bec noirs, et non gris comme chez les femelles. Comme beaucoup de grues, elle a deux plaques de peau dénudée rouge sur la calotte. Il existe deux populations de grues du Japon : l'une réside à Hokkaïdo, île du nord du Japon, l'autre se reproduit dans le nord de la Chine, en Russie et en Mongolie, et hiverne dans l'est de la Chine et en Corée. N'étant pas dotées de pieds palmés, les grues nagent cependant très bien. De fait, cette espèce est très aquatique et peut se nourrir en eau plus profonde que d'autres grues, grâce à la longueur de ses pattes. Elle tend cependant à passer l'été dans des prairies plus sèches, hivernant dans les marais et les rizières. La repro-

duction a lieu dans les marais au printemps et, comme ses congénères, la grue du Japon dépose deux œufs, incubés pendant trente jours environ ; en général, un seul poussin survit.

Cette espèce, victime de la chasse presque jusqu'à l'extinction à la fin du XIXᵉ siècle, est aujourd'hui protégée, mais la disparition de son habitat constitue toujours une menace, et l'on pense qu'il n'en reste qu'environ deux mille individus dans la nature.

De loin plus nombreuse et moins belle, malgré sa huppe en couronne, la **grue royale** (*Balearica regulorum*) est la grue la plus abondante en Afrique. On la rencontre de l'Ouganda, dont elle est l'oiseau national, jusqu'à l'Afrique du Sud. Elle se distingue par son habitude de se percher dans les arbres, une caractéristique qu'elle partage avec la **grue couronnée** (*Balearica pavonina*), avec laquelle on la confond d'ailleurs souvent. Toutes deux mesurent environ 1 m de long ; leur plumage est presque entièrement noir, avec de larges taches blanches sur les ailes, de longues plumes sur le cou et la poitrine et une grande huppe jaune dressée. Cependant, la grue royale a un cou plus clair que celui de la grue couronnée ainsi que de grandes taches blanches sur les joues.

COURLAN BRUN

NOM SCIENTIFIQUE	*Aramus guarauna.*
FAMILLE	Aramidae.
LONGUEUR	66 cm.
HABITAT	Marais et marécages boisés.
RÉPARTITION	De la Floride aux Caraïbes et à l'Amérique du Sud.
DESCRIPTION	Grand échassier à pattes, cou et bec longs. Plumage allant du marron au gris-brun dans l'ensemble, avec des marques blanches. Ailes petites et arrondies.

Grand échassier des marais et des marécages, le courlan brun pourrait passer pour un croisement entre une grue et un râle. Pourtant, s'il partage certains traits avec ces oiseaux, il n'a pas de liens étroits avec eux, étant l'unique membre de la famille des Aramidae. Sa principale caractéristique est peut-être son long bec recourbé vers le bas et élargi sur les côtés, avec un petit orifice à son extrémité, et légèrement courbé vers la droite. Ces conformations constituent des adaptations à son régime alimentaire très spécialisé et le rendent capable de manipuler et d'extraire de leur coquille les grands escargots, qui constituent l'essentiel de son alimentation. Il consomme aussi d'autres types d'escargots et de mollusques, des crustacés, des vers de terre, des amphibiens et des reptiles. Pour ce faire, il progresse dans l'eau et la végétation, en pataugeant ou en nageant, en fouillant la vase ou les plantes de son bec. C'est un oiseau plutôt nocturne, qui devient actif au crépuscule et fait entendre la nuit son cri triste et plaintif. Ses procédés de nidification sont assez variables : il peut nicher au sol dans les roseaux, juste au-dessus de l'eau, ou dans les buissons et les arbres. Il construit une plate-forme de branchettes, de roseaux et d'herbes, bordée de matériaux plus ténus. De quatre à huit œufs y sont pondus, incubés par les deux parents. À dix semaines, les petits commencent à se nourrir de façon indépendante, puis quittent leurs parents environ deux semaines plus tard.

▼ RÂLE DES GENÊTS

À première vue, le râle des genêts paraît semblable à la perdrix grise, mais on peut le reconnaître à sa taille plus petite et à son plumage, en particulier son dos tacheté et ses ailes noisette. Bien qu'appartenant à la famille des Rallidae, qui comprend surtout des oiseaux de marais comme les râles, les foulques et les poules d'eau, il n'est pas considéré comme un oiseau aquatique, car il vit dans les prairies et les champs cultivés. On le trouve toutefois dans des habitats humides, et il a souffert quelquefois du drainage des champs pour leur mise en cultures. Cette pratique, jointe à d'autres comme le fauchage mécanique, ainsi que la perte plus générale de ses habitats ont conduit l'espèce au bord de l'extinction dans ses territoires de reproduction, bien que des efforts soient faits aujourd'hui pour la protéger. En période de reproduction, les mâles appellent les femelles et continuent à le faire après l'accouplement, pour se reproduire à nouveau. Les femelles nichent seules, construisent un nid en forme de coupe sur le sol et y pondent jusqu'à douze œufs. Les poussins le quittent peu de jours après leur naissance, et ne restent souvent avec leur mère que deux semaines. Celle-ci peut alors s'accoupler à nouveau et produire une seconde couvée.

NOM SCIENTIFIQUE	Crex crex.
FAMILLE	Rallidae.
LONGUEUR	26 cm.
HABITAT	Prairies humides et champs cultivés.
RÉPARTITION	Europe jusqu'à l'Asie centrale. Hiverne en région méditerranéenne et en Afrique.
DESCRIPTION	Plumage du dessus fauve, marqué de taches noires; face, poitrine et gorge grises; flancs rayés; ailes noisette. Bec et pattes courts et roses.

RÂLE D'EAU ▼

NOM SCIENTIFIQUE	Rallus aquaticus.
FAMILLE	Rallidae.
LONGUEUR	26 cm.
HABITAT	Cannaies ou autres types de végétation dense, près des lacs et des rivières ou dans les marais.
RÉPARTITION	Partout en Europe, de l'Islande au Moyen-Orient et à l'Asie. Également en Afrique du Nord.
DESCRIPTION	Petit échassier brun tacheté de noir du sommet de la tête au dos et à la queue. Face, poitrine et dessus gris; rayures noires et blanches sur les flancs. Long bec rouge au bout noir.

Le râle d'eau est un petit échassier des marais qui passe le plus clair de son temps à se déplacer précautionneusement dans les cannaies denses à la recherche de nourriture, s'aventurant rarement à découvert durant la journée. Cependant, s'il est rare de le rencontrer, on décèle immédiatement sa présence par son cri aigu et sonore, que l'on peut comparer à celui d'un cochon se faisant égorger. Il est surtout actif la nuit, cherchant à se nourrir de plantes, mais aussi d'invertébrés comme les vers de terre, les escargots et les larves d'insectes. Il lui arrive toutefois de chasser de plus grands animaux, tels que des amphibiens, des poussins et des rongeurs comme les musaraignes et les souris. Essentiellement sédentaires, certaines populations migrent vers le sud de leur aire de répartition après la reproduction, d'avril à juin. Le râle d'eau construit un nid en forme de coupe, composé d'herbes tressées et placé dans les cannaies denses. La femelle y pond de cinq à quinze œufs, qui éclosent environ trois semaines plus tard. Les deux parents incubent et prennent soin de leur progéniture.

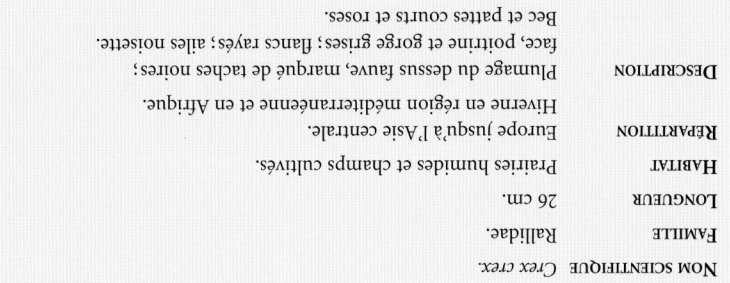

RÂLE WÉKA

NOM SCIENTIFIQUE	*Gallirallus australis.*
FAMILLE	Rallidae.
LONGUEUR	50 cm.
HABITAT	Broussailles, lisières de forêts et prairies.
RÉPARTITION	Nouvelle-Zélande.
DESCRIPTION	Grand râle de sol. Marron dans l'ensemble, rayé de noir; face et dessous grisâtres; petites ailes très courtes; pattes courtes et puissantes.

On ne rencontre le râle wéka qu'en Nouvelle-Zélande, où il était autrefois très commun dans les îles du Nord et du Sud. Aujourd'hui, toutefois, la sous-espèce de l'île du Nord, *Gallirallus greyi*, se fait de plus en plus rare, et elle est devenue très craintive. Dans l'île du Sud, cet oiseau est mieux établi et plus hardi, s'approchant même des hommes, si nécessaire, pour se nourrir.

Le wéka ne vole pas et passe le plus clair de son temps à chercher de la nourriture au sol; il est capable de courir très vite pour échapper à un danger, et est également bon nageur. Omnivore, il consomme aussi bien des végétaux, des graines et des fruits, que des œufs d'oiseaux, des invertébrés, des oiseaux, des reptiles et des rongeurs. La reproduction peut avoir lieu tout au long de l'année, avec jusqu'à quatre couvées par an, mais la meilleure période se situe entre août et janvier. Le nid, peu profond, est en forme de coupe et placé le plus fréquemment au milieu de la végétation; les deux parents couvent jusqu'à six œufs.

TALÈVE TAKAHÉ

NOM SCIENTIFIQUE	*Porphyrio mantelli.*
FAMILLE	Rallidae.
LONGUEUR	60 cm.
HABITAT	Prairies et forêts en zones montagneuses.
RÉPARTITION	Île du Sud de la Nouvelle-Zélande.
DESCRIPTION	Très gros oiseau de sol fortement charpenté. Pattes courtes et robustes; grand bec; très petites ailes.

Oiseau inapte au vol, la talève takahé était dite en voie d'extinction vers 1900, en raison de l'introduction de prédateurs et de la chasse intensive, jusqu'à la découverte d'une petite population, dans une vallée reculée du Fiordland, dans l'île du Sud de la Nouvelle-Zélande. Des mesures ont été aussitôt prises pour la protéger. Son déclin a été stoppé grâce à un programme de reproduction en captivité et à son introduction dans de petites îles dépourvues de prédateurs; néanmoins, cette espèce reste menacée. Cet oiseau passe une grande partie de l'année dans des prairies d'altitude, à la recherche de graines et de pousses de touffes d'herbe, descendant en général vers les vallées en hiver pour s'y nourrir de fougères. Le couple s'unit pour la vie et s'assemble en groupes familiaux. La reproduction ayant lieu en octobre ou novembre. Trois œufs sont pondus dans un creux du sol bordé d'herbe ou dans un nid en forme de coupe placé dans les touffes d'herbe. Ils sont incubés par les deux parents pendant trente jours. Après l'éclosion, les petits restent trois mois avec leurs parents, avant de se nourrir par eux-mêmes.

GALLINULE POULE-D'EAU

NOM SCIENTIFIQUE	*Gallinula chloropus.*
FAMILLE	Rallidae.
LONGUEUR	33 cm.
HABITAT	Marais, cours d'eau, étangs et lacs, souvent en milieu urbain.
RÉPARTITION	Europe, grande partie de l'Afrique, Asie du Sud-Est. Vastes zones du continent américain.
DESCRIPTION	Gris-noir dans l'ensemble ; marques blanches sur les flancs et autour de la queue. Bec rouge et front « en bouclier ». Longues pattes ; grands pieds ; bout du bec jaune ou verdâtre.

Espèce très commune dans tout son territoire, la gallinule poule-d'eau se rencontre dans tous les habitats d'eau douce, des petits étangs et cours d'eau aux rivières et aux réservoirs, mais peut aussi vivre dans des habitats d'eau saumâtre dans certaines régions. Elle préfère cependant des étendues d'eau avec une végétation dense pour son couvert et sa nourriture. Elle cherche cette dernière sur le sol et dans l'eau, et l'on peut la voir marcher, nager et plonger ou s'avancer parmi les plantes flottantes en écartant ses très longs orteils. Le régime de la gallinule poule-d'eau consiste surtout en plantes aquatiques, graines, herbes et invertébrés comme des escargots et des vers de terre, mais aussi, au besoin, en petits poissons, amphibiens et charognes. Se nourrissant essentiellement à terre, elle se perche parfois sur les basses branches des arbres et des buissons. Toutefois, son nid est placé soit sur le sol, dans la végétation des berges, soit juste au-dessus de l'eau, sur une plate-forme de roseaux. Le comportement de cet oiseau lors de la reproduction est inhabituel, car les femelles rivalisent alors avec les mâles, les deux sexes se livrant à des parades nuptiales. De six à douze œufs sont couvés par les deux parents pendant environ trois semaines.

TALÈVE VIOLACÉE

NOM SCIENTIFIQUE	*Porphyrula martinica.*
FAMILLE	Rallidae.
LONGUEUR	33 cm.
HABITAT	Lacs à végétation, lagons, marais et marécages.
RÉPARTITION	Régions tropicales, continent américain. Autour de la Méditerranée et en Afrique.
DESCRIPTION	Plumage violet; dos et ailes verts. Bec rouge à extrémité jaune; front « en bouclier » bleu; longues pattes jaunes.

Bien que d'apparence et d'habitudes semblables à celles de la gallinule poule-d'eau et partageant souvent les mêmes habitats, la talève violacée est beaucoup plus remarquable par son plumage très coloré et ses longues pattes jaunes. Elle habite les marais et les marécages à végétation

dense et cherche sa nourriture en se déplaçant parmi les plantes aquatiques et les nénuphars, ou encore en grimpant dans les branches des buissons qui surplombent l'eau. Elle demeure la plupart du temps sous le couvert des feuillages, mais peut aussi se nourrir dans des habitats ouverts, comme les prairies inondées et les rizières. Son régime est composé de végétation aquatique, de graines, de baies, d'invertébrés et d'amphibiens. C'est un faible voilier, mais elle peut s'envoler si elle est soudainement dérangée, et les populations du nord tentent de migrer vers le sud après la reproduction. Elle niche entre le printemps et l'automne, construisant un nid en forme de coupe dans les roseaux ou dans la végétation flottante. Elle pond environ huit œufs, incubés pendant près de trois semaines. Comme la poule d'eau, cette espèce vit en général en petits groupes familiaux; ainsi, d'autres oiseaux peuvent l'aider à construire son nid et à prendre soin des petits.

FOULQUE MACROULE

NOM SCIENTIFIQUE	*Fulica atra.*
FAMILLE	Rallidae.
LONGUEUR	36 cm.
HABITAT	Étangs à cannaies, lacs et rivières, souvent en zone urbaine. Estuaires en hiver.
RÉPARTITION	Grande partie de l'Europe, sauf régions très au nord. Sud de l'Afrique du Nord, Asie et Australasie. Rarement en Amérique du Nord.
DESCRIPTION	Dodue ; tête noire et ronde ; plumage gris foncé ; bec et front blancs « en bouclier ».

La foulque macroule fait partie des grands râles. On la reconnaît aisément à son plumage foncé, à son bec blanc et à son « bouclier » frontal. Elle est aussi dotée de grands pieds. On la rencontre dans divers habitats d'eau douce, des grands lacs et des rivières aux petits étangs dans les parcs des villes. En hiver, quand les mares sont gelées, elle s'en tient aux plus grandes étendues d'eau. On peut alors aussi la trouver dans les estuaires ou les côtes abritées, où elle se réunit souvent en grand nombre. Lors de la reproduction, les couples se sédentarisent et sont parfois très agressifs à l'encontre des oiseaux de leur propre espèce, y compris les poussins. La nidification débute au printemps, et un grand amas de roseaux est construit au sein de la végétation, à proximité de l'eau. Environ quinze œufs sont pondus, incubés par les deux parents pendant quelque trois semaines ; généralement, une seconde couvée est produite dans l'année. Cet oiseau est omnivore : il se nourrit de végétaux aquatiques hors de l'eau ou plonge pour prendre des invertébrés et parfois des petits poissons. La foulque américaine, *Fulica americana*, est à peu près semblable, mais en général plus petite et plus claire.

GRÉBIFOULQUE D'AFRIQUE

NOM SCIENTIFIQUE	*Podica senegalensis.*
FAMILLE	Heliornithidae.
LONGUEUR	55 cm.
HABITAT	Cours d'eau en régions boisées.
RÉPARTITION	Afrique subsaharienne.
DESCRIPTION	Assez grand oiseau semi-aquatique. Sommet de la tête, cou, dos et ailes marron tachetés de blanc; dessous chamois tacheté. Rayure blanche aux yeux, s'étendant le long du cou. Bec pointu orange; pieds orange très forts.

Généralement considéré comme rare, le grébifoulque d'Afrique (dit aussi «podica africain») est en fait plus commun que ne le suggèrent plusieurs ouvrages, surtout en raison de sa nature très discrète. On le rencontre souvent le long d'étendues d'eau écartées et boisées, particulièrement avec un bon couvert de végétation, au sein de laquelle il vit, au voisinage de rivières ou d'eau dormante. Il ressemble à un gros râle ou à un grèbe, mais son corps profilé et ses grands pieds le rapprochent de la foulque. Il cherche sa nourriture aussi bien dans l'eau qu'au-dehors, plongeant et nageant bien, grimpant aussi dans les branches des arbres au-dessus de l'eau. Il se nourrit surtout d'insectes et autres invertébrés, de libellules, de coléoptères, d'escargots et de crevettes, mais aussi de proies plus grosses : grenouilles, serpents, poissons... La reproduction a lieu en général de septembre à avril, et le nid est placé au sol dans les roseaux du bord de l'eau ou dans les basses branches des buissons et des arbres. De un à trois œufs sont pondus, mais le plus souvent deux. Ils sont incubés par les deux parents pendant au moins trois semaines. Les poussins sont bien développés et capables de nager quelques jours après l'éclosion.

CAURALE SOLEIL ▲

NOM SCIENTIFIQUE	*Eurypyga helias.*
FAMILLE	Eurypygidae.
LONGUEUR	46 cm.
HABITAT	Cours d'eau forestiers et marécages boisés.
RÉPARTITION	Bassin de l'Amazone, nord de l'Amérique centrale.
DESCRIPTION	Grand oiseau semi-aquatique. Dos et ailes marron avec des bandes claires; dessous plus clair. Cou, poitrine et devant des ailes couleur fauve, avec de grands ocelles noirs visibles en vol. Bec long, étroit et pointu.

Malgré une certaine ressemblance avec le butor, le caurale soleil ne lui est pas apparenté. Il est le seul membre de la famille des Eurypygidae, associée aux râles, aux grues, ainsi qu'à des espèces comme le courlan et le grébifoulque, qui appartiennent aux Gruidae. Le caurale soleil a une posture plus horizontale que le butor, ou petit héron, et un plumage plus brillant, avec de grands ocelles sur les ailes, qui lui servent de parade de défense.

On rencontre cet oiseau le plus souvent seul ou en couple. Commun dans une grande partie de son aire de répartition, il fréquente notamment les marécages et les cours d'eau dans les forêts ou dans la jungle, où il cherche sa nourriture en eau peu profonde. Il consomme des insectes, des crustacés et des petits poissons, perçant sa proie de son bec fin et pointu. Il niche dans les arbres ou au sol et fabrique un grand nid constitué d'herbes, de boue et de mousse, dans lequel deux œufs sont habituellement pondus. Les deux parents assurent l'incubation et les soins apportés aux oisillons. Les tâches sont équitablement réparties : l'un d'eux s'occupe de la nourriture pendant que l'autre veille sur la couvée.

CARIAMA HUPPÉ

NOM SCIENTIFIQUE	*Cariama cristata.*
FAMILLE	Cariamidae.
LONGUEUR	75 cm.
HABITAT	Lieux boisés, prairies et broussailles.
RÉPARTITION	Est de l'Amérique du Sud, du Brésil à l'Argentine.
DESCRIPTION	Long cou ; longues pattes rouges. Gris-brun dans l'ensemble, plus clair dessous. Grande touffe de plumes à la base du bec.

Rencontré surtout dans les habitats herbeux du centre du Brésil, le cariama huppé fréquente aussi des lieux plus boisés, en particulier au sud de son aire de répartition. Oiseau de sol, il vole rarement, mais court rapidement sur ses longues pattes, lorsqu'il cherche sa nourriture à découvert. Omnivore, son régime est composé de petits animaux tels que des insectes, des rongeurs, des reptiles, des amphibiens et des oiseaux, ainsi que de feuilles, de fruits et de graines. Les petites proies sont avalées entières, la tête la première, alors que celles de plus grande taille sont déchirées par ses griffes acérées. La reproduction a lieu en général au cours des mois pluvieux, de mai à septembre, et débute par la parade nuptiale du mâle, qui se pavane, étale ses ailes et dresse sa huppe. Les deux sexes construisent un nid en forme de coupe, fait de brindilles et de branchages, garni de boue et de feuilles, placé dans un arbre ou dans un grand buisson. La ponte compte le plus souvent deux œufs, incubés pendant trente jours environ par les deux parents, qui s'occupent ensemble des soins à apporter aux poussins. Ceux-ci peuvent quitter le nid deux semaines après l'éclosion, mais ils commencent à suivre leurs parents et n'ont leur plumage définitif qu'environ un mois plus tard. Le cariama huppé se distingue par son cri, comparable à un aboiement.

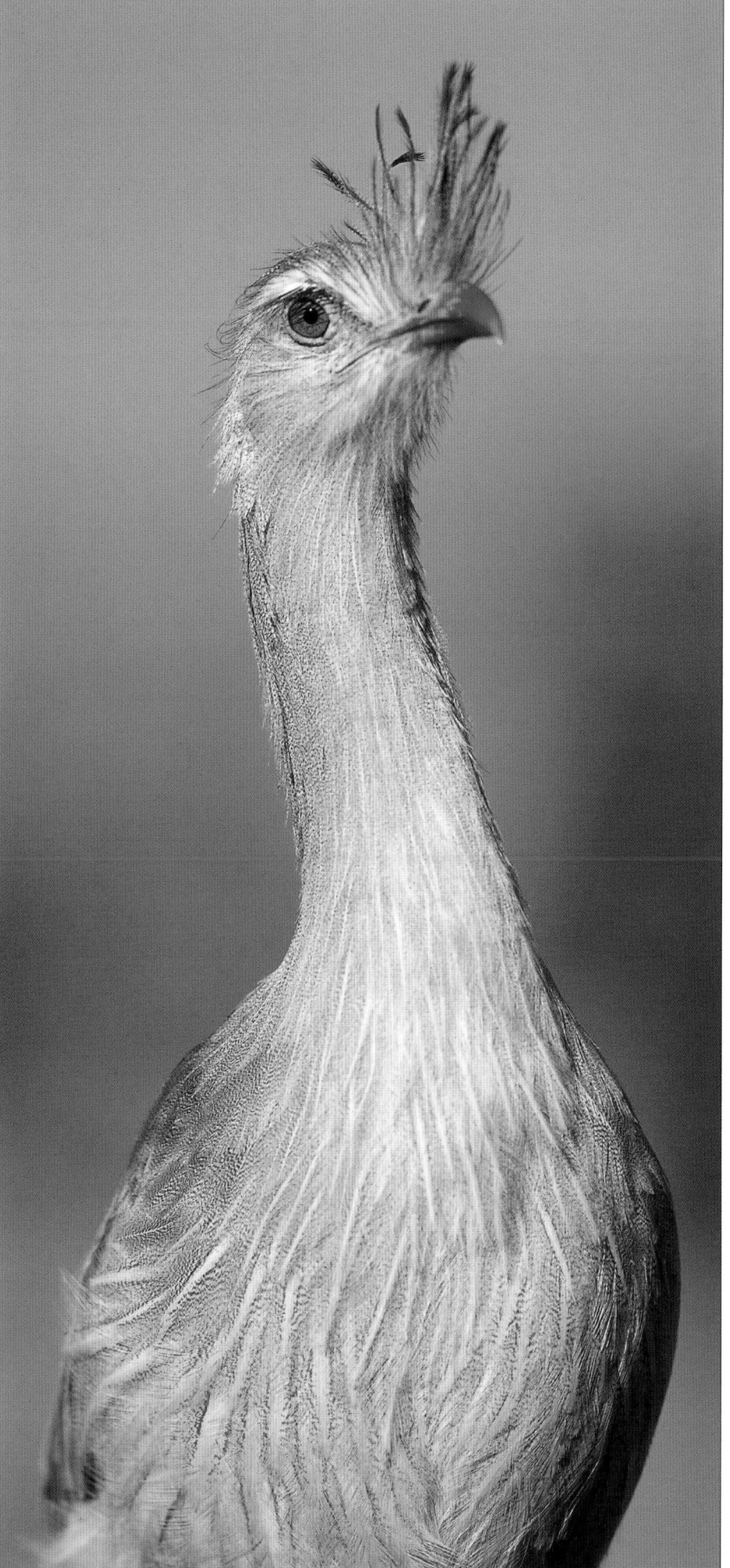

JACANA À LONGUE QUEUE ▲

NOM SCIENTIFIQUE	*Hydrophasianus chirurgus.*
FAMILLE	Jacanidae.
LONGUEUR	30 cm.
HABITAT	Étangs, lacs et marais.
RÉPARTITION	De l'Inde au sud-est de l'Asie.
DESCRIPTION	Plumage presque entièrement noirâtre ; ailes, face et gorge blanches ; nuque jaune. Pattes et pieds gris et très longs. En période de reproduction, le mâle arbore une longue queue, comparable à celle du faisan.

Comme son nom l'indique, le jacana à longue queue est doté de longues plumes caudales, semblables à celles d'un faisan, mais uniquement en période de reproduction. Celle-ci se déroule d'avril à octobre dans la plus grande partie de son aire de répartition, avec une période particulièrement propice entre mai et juin. Cet oiseau pratique la polyandrie, les femelles pouvant avoir jusqu'à cinq partenaires et pondant de deux à six œufs dans le nid de chacun d'eux. Les mâles assurent l'incubation et les soins apportés aux poussins une fois par saison, mais, dans certains cas, peuvent recommencer au cours de l'année. Oiseau craintif, le jacana à longue queue préfère les étangs calmes, les lacs et les terres marécageuses, où la végétation abonde en nénuphars, lotus et jacinthes d'eau. Comme les autres jacanas, cette espèce a de très longues pattes, ainsi que des griffes et des pieds très développés, qui supportent bien son corps et lui permettent de se déplacer sur les plantes flottantes. En Chine, où on le rencontre dans les champs de châtaignes d'eau, son port élégant et ses habitudes lui ont valu le surnom de « fée marchant sur les eaux ». Son régime est varié, constitué autant d'organismes planctoniques que de grands invertébrés, d'amphibiens et de petits poissons.

OUTARDE BARBUE ▼

NOM SCIENTIFIQUE	*Otis tarda.*
FAMILLE	Otididae.
LONGUEUR	De 80 à 100 cm. Mâle plus grand que la femelle.
HABITAT	Prairies.
RÉPARTITION	De l'Europe au sud-est de la Sibérie et au Japon.
DESCRIPTION	Gros oiseau de prairie, à long cou et longues pattes. Roussâtre sur le dessus, strié de noir. Ailes, dessous, tête et cou blancs. Le mâle a une bande roussâtre à la base du cou et des plumes semblables à une barbe en période de reproduction.

Grand oiseau mesurant plus de 1 m de longueur, l'outarde barbue (dite aussi « grande outarde ») est le plus lourd échassier capable de voler, certains mâles pesant fréquemment plus de 20 kg. Toutefois, c'est surtout un oiseau de sol. Si elle vit dans les prairies, souvent près des champs cultivés, elle est cependant plus commune dans les steppes inhabitées d'Eurasie. Sa population a décru dans une grande partie de son aire de répartition, en raison de la destruction de son habitat et de la chasse. Ainsi, elle était autrefois très répandue dans le nord de l'Europe, mais en avait complètement disparu en 1832 ; elle a été récemment réintroduite grâce à une trentaine de jeunes individus importés en Russie. Comme d'autres espèces de grues ou de faisans, ces oiseaux s'assemblent pour se reproduire en commun sur des « arènes » où les mâles paradent pour attirer les femelles. Ils battent des ailes et gonflent leurs poches gulaires, de façon à exposer le plus possible leur plumage blanc. Après l'accouplement, la femelle niche seule, à même le sol, souvent parmi les cultures, où elle pond de deux à quatre œufs. L'outarde barbue est omnivore : elle se nourrit autant de végétaux variés que d'invertébrés et de petits vertébrés, comme des campagnols et des souris.

Jacana du Mexique

Nom scientifique	*Jacana spinosa*.
Famille	Jacanidae.
Longueur	23 cm.
Habitat	Étangs et marais, en général avec végétation flottante.
Répartition	Mexique et Amérique centrale, occasionnellement Texas et Arizona, aux États-Unis.
Description	Petit oiseau des marais au plumage foncé ; tête et cou noirs. Dessus des ailes et dos roux foncé. Dessous des ailes vert clair ou jaunes. Bec et front jaunes « en bouclier ». Longues pattes et pieds gris.

Le jacana du Mexique, qui vit sur un territoire relativement restreint, partage autant l'apparence que les habitudes de la gallinule poule-d'eau. Cette espèce a la particularité, si on la compare aux oiseaux de taille équivalente, d'être dotée des pieds les plus longs. Cet oiseau est parfois appelé « trotteur des nénuphars », car ses grands pieds lui permettent de traverser les amas de végétation flottante lorsqu'il cherche de la nourriture. Il se sert alors de son long bec pour saisir des insectes, des escargots et autres petits invertébrés. Il préfère chasser hors de l'eau, bien qu'il puisse aussi patauger dans les fonds peu profonds. Il ne vole qu'occasionnellement, laissant alors traîner ses pattes et révélant les taches jaune vif qu'il a sous les ailes. En période de reproduction, la femelle occupe un grand territoire englobant ceux de plusieurs mâles, avec lesquels elle s'accouple, ainsi que leurs nids. Ces mâles assurent l'incubation et les soins apportés aux oisillons. La femelle n'abandonne aucun des mâles, pratiquant ainsi la polyandrie.

HUÎTRIER PIE

NOM SCIENTIFIQUE	*Haematopus ostralegus.*
FAMILLE	Haematopodidae.
LONGUEUR	43 cm.
HABITAT	Côtes, estuaires et bancs de vase. Prairies dans l'intérieur des terres et bruyères dans quelques zones.
RÉPARTITION	Europe, Asie centrale. Hiverne en Afrique et en Inde.
DESCRIPTION	Grand échassier; tête et dessus noirs; dessous blanc. Grand bec orange et courtes pattes orangées.

Échassier familier des eaux salées, l'huîtrier pie a envahi progressivement les eaux intérieures de son aire de répartition, habitant les marais et les rives des lacs, les réservoirs et les gravières. On peut parfois l'apercevoir dans des habitats plus secs, tel que prairies et bruyères, mais, en hiver, il est plus particulièrement côtier. L'huîtrier pie est aisément repé-rable en raison de sa grande taille et de sa coloration vive. De plus, sa présence est souvent annoncée par son cri sonore. Pour se nourrir, il se sert de son bec pour fouiller la vase ou extraire sa proie des rochers ou des brise-lames. Dans l'intérieur des terres, il consomme surtout des vers de terre et, sur les côtes, des mollusques, berniques, coques ou moules, ainsi que des vers de sable et des crabes. Malgré son nom et son bec puissant, il ne semble pas que les huîtres constituent une grande partie de son alimentation; en effet, il a le plus grand mal à les ouvrir quand elles sont grosses. Solitaire la plus grande partie de l'année, on peut le voir en grand nombre durant l'hiver, lorsque les populations résidantes sont rejointes par celles migrant du nord de leur territoire, ou par couples au printemps et en été, pendant la période de reproduction. Il niche au sol, avec une couvée de trois œufs en général, dont s'occupent les deux parents.

PLUVIER GRAND-GRAVELOT ▼

NOM SCIENTIFIQUE	*Charadrius hiaticula.*
FAMILLE	Charadriidae.
LONGUEUR	18 cm.
HABITAT	Plages, dunes de sable, estuaires et toundra. Rives des eaux intérieures, surtout en période de reproduction.
RÉPARTITION	Toundra arctique du nord-est du Canada. Du Groenland à la Sibérie et, au sud, vers l'Eurasie. Migre l'hiver en Afrique.
DESCRIPTION	Petit oiseau côtier; dessus gris-brun; dessous blanc; courtes pattes orange. Front et collier blancs; yeux noirs; bandes sur la tête et la poitrine. Bec court jaune orangé à l'extrémité noire.

Petit échassier aux pattes courtes plutôt dodu, le pluvier grand-gravelot entreprend de longues migrations de ses zones nordiques de reproduction pour hiverner dans de plus chaudes contrées. Des populations résidant à l'ouest de l'Europe sont rejointes par des oiseaux en provenance du nord, mais ceux du Canada et du Groenland ne font que passer à la fin de l'été, se dirigeant vers l'Afrique. Fréquentant principalement les plages de sable et de galets, il est abondant dans les eaux intérieures et les gravières abandonnées. C'est une espèce grégaire, souvent rencontrée en vols de plus de cinquante individus, qui se joint aussi à d'autres pluviers ou espèces voisines comme les maubèches. Le pluvier grand-gravelot est actif de jour comme de nuit, particulièrement dans les habitats sans marées, cherchant sa nourriture à la façon des échassiers côtiers : il se déplace au bord de l'eau, puis s'arrête brusquement pour saisir sa proie. Il consomme des insectes, des araignées et des invertébrés marins, et l'on peut le voir remuant la vase de ses pieds pour déloger un animal. Il se reproduit dans la toundra du nord de son territoire ou sur des plages plus au sud, nidifiant dans un creux du sol. Les œufs, de deux à quatre, sont incubés par les deux parents pendant environ vingt-cinq jours.

VANNEAU HUPPÉ ▲

NOM SCIENTIFIQUE	*Vanellus vanellus.*
FAMILLE	Charadriidae.
LONGUEUR	30 cm.
HABITAT	Prairies, terres cultivées et marais. Estuaires, notamment en hiver.
RÉPARTITION	Toute l'Eurasie, de l'Europe à l'Extrême-Orient. Hiverne dans le sud de son territoire en Afrique.
DESCRIPTION	Verdâtre et noir sur le dessus; dessous blanc; tache rousse au croupion. Poitrine noire; face noir et blanc; calotte et longue crête noires.

Le vanneau huppé se distingue du pluvier par sa huppe. On le rencontre le plus souvent dans l'intérieur des terres, dans des habitats tels que prairies à herbe rase, marécages et terres labourées, à la recherche d'insectes, surtout de coléoptères et de mouches, de vers de terre et autres invertébrés, souvent la nuit sous le couvert de l'obscurité. On le rencontre aussi sur les côtes et dans les estuaires, où il se rassemble en grand nombre, particulièrement en hiver. Ces groupes se dispersent en général en février, lorsque les oiseaux commencent à retourner vers leur lieu de reproduction. Le vanneau huppé niche en petits groupes, en général dans un lieu découvert d'où les éventuels prédateurs sont faciles à repérer. La femelle pond trois ou quatre œufs dans un creux tapissé de végétation; ils sont couvés par les deux parents qui prennent ensemble soin des oisillons et les conduisent peu après l'éclosion vers des lieux humides voisins afin qu'ils s'y nourrissent. Ils demeurent avec eux jusqu'à ce qu'ils soient en état de voler, environ six semaines plus tard. Pendant ce temps, les jeunes sont vulnérables, et les adultes adoptent un comportement inhabituel, feignant parfois d'être blessés afin d'attirer les prédateurs loin de leur progéniture.

GRAVELOT KILDIR

NOM SCIENTIFIQUE	*Charadrius vociferus.*
FAMILLE	Charadriidae.
LONGUEUR	26 cm.
HABITAT	Pâturages de l'intérieur des terres, terres cultivées et marais. Côtes, estuaires et bancs de vase.
RÉPARTITION	Amérique du Nord et centrale. Nord de l'Amérique du Sud. Nomade en Europe.
DESCRIPTION	Grand pluvier ; dessus gris-brun ; croupion roux ; deux bandes blanches sur la poitrine. Cou et dessous blancs.

Semblable en apparence au pluvier grand-gravelot, le gravelot kildir (dit aussi «pluvier kildir») s'en différencie par sa taille supérieure, ses deux bandes de poitrine et par un habitat étendu. Considéré comme un oiseau côtier et parfois comparé au vanneau huppé, il est commun dans l'intérieur des terres, particulièrement dans les champs cultivés.

Cette espèce adopte aussi le comportement du vanneau huppé quand il nidifie et qu'il est avec ses petits : il peut, à l'approche d'un prédateur, feindre d'être blessé, en boitillant et en laissant traîner au sol une de ses ailes. Puis, dès qu'il s'est suffisamment éloigné de sa couvée ou de ses petits, le gravelot kildir s'envole rapidement. Il niche en général dans un petit creux du sol, qui peut être à nu ou parfois tapissé de petits cailloux, mais on le voit aussi nidifier sur les toits en terrasses, dans les lieux habités. Les deux parents couvent généralement quatre œufs, pendant quatre semaines environ. Les oisillons sont précoces, bien développés à leur naissance, couverts de duvet et ont les yeux ouverts ; ils sont capables de courir et de se nourrir par eux-mêmes quelques heures seulement après l'éclosion. Ils demeurent cependant dépendants de leurs parents, au moins jusqu'à ce qu'ils soient à même de voler. Le gravelot kildir, considéré comme omnivore, consomme des végétaux, comme des baies, mais l'essentiel de son régime consiste en invertébrés.

BÉCASSEAU VARIABLE ▲

NOM SCIENTIFIQUE	*Calidris alpina.*
FAMILLE	Scolopacidae.
LONGUEUR	18 cm.
HABITAT	Toundra et étangs vaseux, réservoirs, marécages, côtes et estuaires.
RÉPARTITION	Largement répandu dans l'hémisphère Nord, se reproduit dans l'Arctique, hiverne au sud de l'Europe, en Amérique du Nord et en Extrême-Orient.
DESCRIPTION	Dessus gris-brun ; dessous blanc ; long bec recourbé vers le bas. En période de reproduction : calotte et dos roux ; ventre blanc.

Petit échassier d'allure discrète, le bécasseau variable est le plus commun des oiseaux côtiers dans la plus grande partie de son aire de répartition. On le voit se rassembler par milliers sur les rivages et dans les estuaires, particulièrement en hiver. Rencontré parfois dans l'intérieur des terres, il a tendance, en période de reproduction, à nicher dans les marais et les prairies humides, en général dans la toundra arctique, à l'extrême nord de son territoire. On observe des populations fixes dans le nord et l'ouest de l'Europe. En période de reproduction, en été, cet oiseau présente une couleur rougeâtre sur le dessus et une tache noire sur le ventre, qui permettent de l'identifier facilement parmi les autres espèces de petits bécasseaux. Cette livrée nuptiale, plus colorée que celle d'hiver, lui procure un meilleur camouflage parmi les rochers, les mousses et les lichens de ses habitats préférés. Il niche à découvert sur le sol, avec une couvée d'environ quatre œufs. Ces bécasseaux se nourrissent d'insectes, de mollusques, de crustacés et de vers de terre, qu'ils trouvent en fouillant la vase de leur bec incurvé.

COURLIS CENDRÉ

NOM SCIENTIFIQUE	*Numenius arquata.*
FAMILLE	Scolopacidae.
LONGUEUR	57 cm.
HABITAT	Marais, marécages, dunes, bancs de vase et estuaires.
RÉPARTITION	Europe centrale et septentrionale, Eurasie. Migre vers l'Afrique du Nord et l'Asie du Sud.
DESCRIPTION	Grand échassier tacheté de gris-brun ; plaques sombres sur les ailes. Poitrine rousse ; croupion blanc. Long bec incurvé vers le bas.

Le courlis cendré, le plus grand des échassiers d'Europe, se distingue par son bec recourbé vers le bas, exceptionnellement long, et par son cri sonore portant loin. En période de reproduction, au printemps et en été, on le rencontre dans les habitats herbeux de l'intérieur des terres, les marais, les basses terres ou les lieux cultivés. Cependant, il a une prédilection pour les côtes et les bancs de vase des estuaires ou les marais d'eau salée, où il se rassemble en groupes très nombreux. Il niche au sol, dans un creux peu profond tapissé de plantes et d'herbes, généralement dans une végétation basse comme la lande ou la bruyère. La ponte a généralement lieu d'avril à juin, mais peut durer plus longtemps dans les zones plus chaudes de son territoire, comme l'Europe et l'Asie du Sud. La couvée se compose généralement de trois à six œufs, et l'incubation dure environ un mois. On a enregistré dans l'ouest de l'Europe un déclin du nombre des oiseaux reproducteurs, dû surtout à la destruction de leur habitat ; cependant, il semble que les naissances augmentent légèrement, de même que le nombre des migrants qui hivernent sur les côtes. Le courlis cendré utilise son long cou pour découvrir ses proies : insectes, mollusques, crustacés et vers de terre.

GRAND CHEVALIER ▼

NOM SCIENTIFIQUE	*Tringa melanoleuca.*
FAMILLE	Scolopacidae.
LONGUEUR	36 cm.
HABITAT	Marais, marécages, lisières de forêts, lacs côtiers et bancs de vase.
RÉPARTITION	Amérique du Nord, hivernant en Amérique centrale et du Sud. Occasionnellement en Grande-Bretagne et en Europe.
DESCRIPTION	Dessus gris-brun tacheté ; dessous plus clair ; longues pattes orange ; long bec. Plumage plus accentué à la reproduction, avec des taches plus foncées sur le dos et le dessous tacheté.

Moins sociable que d'autres échassiers, le grand chevalier (dit aussi « chevalier criard ») est un oiseau plutôt solitaire. Il forme cependant des groupes lorsqu'il migre entre ses lieux de reproduction et d'hivernage. On le rencontre en général, en période de reproduction, au nord de son territoire, où il occupe de nombreux habitats de l'intérieur des terres (marais, toundras, broussailles et forêts de conifères), de préférence près de lacs et d'étangs. Pendant l'hiver, on le voit dans diverses terres humides, tant à l'intérieur que le long des côtes. On peut l'observer sur les bancs de vase, les lagons ou en mer sur des îles rocheuses, particulièrement lorsqu'il se perche. Dans l'intérieur des terres, il peut habiter des bords de lacs, des prairies inondées et, au sud des États-Unis, dans des rizières. Il se nourrit surtout d'invertébrés, de petits poissons et d'amphibiens, mais aussi de végétaux, comme des baies. Il est actif de jour comme de nuit, chassant à marée basse dans les zones côtières, à vue ou en fouillant la vase de son bec pointu. Il niche sur le sol, souvent au pied d'un arbre ou d'un buisson, pondant trois ou quatre œufs dans un léger creux bordé de mousse ou autres végétaux.

BÉCASSINE DES MARAIS ▲

NOM SCIENTIFIQUE	*Gallinago gallinago.*
FAMILLE	Scolopacidae.
LONGUEUR	26 cm.
HABITAT	Marais, landes humides et prairies.
RÉPARTITION	Eurasie et Amérique du Nord. Migre en Afrique centrale, Asie du Sud-Est et Amérique du Sud.
DESCRIPTION	Dessus brun tacheté ; dessous blanc ; bandes blanches le long des ailes ; tête rayée de brun et de roux. Bec proportionnellement plus long que celui d'autres échassiers.

Échassier trapu aux pattes courtes, la bécassine des marais se rencontre dans les terres humides des zones côtières, surtout près des estuaires, mais en général pas sur le rivage, car elle préfère s'abriter dans les prés humides et les marais à la végétation abondante. C'est un oiseau craintif qui se nourrit de préférence la nuit, chassant dans les étangs et les cours d'eau, en eau peu profonde, à la recherche de petits invertébrés, insectes, vers de terre, mollusques et crustacés. Il consomme aussi parfois des petits poissons et des végétaux, comme des graines et des baies. Cette bécassine peut trouver sa nourriture à terre ou à la surface de l'eau, mais, le plus souvent, elle fouille avec son bec, très long par rapport à son corps et disposant d'une extrémité flexible qui lui permet de saisir et de consommer sa proie sans l'extraire de la vase. Cette espèce se reproduit en général au nord de son aire de répartition, au printemps et en été, et migre vers le sud en hiver. Les mâles attirent les femelles en émettant une sorte de roulement de tambour et en battant des ailes. Au début de la saison, une femelle peut s'accoupler avec plusieurs mâles avant d'installer le nid sur le sol. Après l'éclosion des quatre œufs, les petits reçoivent les soins des deux parents jusqu'à ce qu'ils aient tout leur plumage.

COMBATTANT VARIÉ

NOM SCIENTIFIQUE	*Philomachus pugnax.*
FAMILLE	Scolopacidae.
LONGUEUR	De 25 à 30 cm. Mâle plus grand que la femelle.
HABITAT	Toundra, marais, prairies humides.
RÉPARTITION	Se reproduit en Europe du Nord, en Sibérie et parfois en Alaska.
DESCRIPTION	Femelle tachetée de brun ; dessous blanc. Mâle à plumage très variable, noir, blanc, brun et orange ; ventre blanc. Grandes huppes sur la tête et une collerette en période de reproduction. Pattes orange ; bec incurvé vers le bas : base orange, entièrement orange chez les mâles.

Le combattant varié est un échassier moyen, dont le mâle présente en période de reproduction un aspect et un comportement remarquables : il dresse sa grande collerette et ses huppes, ébouriffe les plumes de sa queue, s'accroupit et effectue des bonds pour attirer une femelle. Ces parades nuptiales se tiennent dans des emplacements communs, appelés « arènes », les marais et les prairies humides étant les lieux de prédilection de cette espèce pour la reproduction. Après l'accouplement, la femelle niche seule dans un creux du sol, en général dans les buissons ou toute autre végétation procurant un abri. La couvée compte de deux à quatre œufs, l'incubation durant quatre semaines environ. À la fin de la période de reproduction, le combattant varié migre du nord de son territoire vers les climats plus chauds de l'hémisphère Sud. Il y a cependant des populations sédentaires qui résident dans certaines zones d'Europe. L'hiver, on rencontre davantage cet oiseau plus près de larges étendues d'eau, comme des lacs ou des lagons saumâtres côtiers que pendant le reste de l'année. Il est alors très grégaire ; plus de un millier d'individus fréquentent ainsi le lac Tchad. Le combattant varié cherche sa nourriture dans les prairies ou la vase, repérant sa proie et la saisissant à vue. Son régime consiste surtout en insectes, vers de terre, petits poissons et amphibiens.

ÉCHASSE BLANCHE

NOM SCIENTIFIQUE	*Himantopus himantopus.*
FAMILLE	Recurvirostridae.
LONGUEUR	38 cm.
HABITAT	Côtes, lagons, marais d'eau douce et salée, prairies inondées.
RÉPARTITION	Surtout autour de la Méditerranée, parfois en Europe de l'Ouest et du Nord. Hiverne en Afrique.
DESCRIPTION	Échassier élancé avec de très longues pattes rouge et noir et un bec fin. Plumage du dessus noir; calotte et nuque noires.

Échassier répandu et très commun, l'échasse blanche est très proche de l'avocette, à laquelle elle ressemble beaucoup. On peut l'en distinguer par sa moindre corpulence, par son bec rectiligne et non incurvé vers le haut ainsi que par ses pattes extrêmement longues. En réalité, cette espèce possède des pattes plus longues, comparées à la taille du corps,

que n'importe quel oiseau : en effet, elles représentent plus de 60 % de sa hauteur. Elle est ainsi capable de courir très rapidement et de se nourrir plus loin du rivage que la plupart des échassiers. Elle se nourrit habituellement à la surface de l'eau, mais y plonge aussi la tête pour saisir des proies dans la vase, qu'elle fouille de son bec à la manière des avocettes. Son régime consiste surtout en insectes et autres invertébrés, en petits amphibiens, en poissons et leurs œufs. On rencontre l'échasse blanche seule ou en petits groupes, mais elle se perche souvent en communauté, à découvert, ce qui lui permet de se défendre plus efficacement contre les prédateurs. En période de reproduction, elle s'installe en petites colonies sur des bancs de vase près de l'eau. Les nids peuvent consister en un simple creux à nu ou en un monticule de boue et de végétaux. La couvée habituelle est de deux à cinq œufs, l'incubation étant assurée par les deux parents pendant environ vingt-cinq jours. Les poussins quittent le nid dans les vingt-quatre heures qui suivent l'éclosion et sont d'ores et déjà capables de se nourrir par eux-mêmes et de nager.

AVOCETTE ÉLÉGANTE

NOM SCIENTIFIQUE	*Recurvirostra avosetta.*
FAMILLE	Recurvirostridae.
LONGUEUR	43 cm.
HABITAT	Estuaires, bancs de vase, bancs de sable et lagons.
RÉPARTITION	Grande partie de l'Europe, et de l'Asie à l'Extrême-Orient. Hiverne au sud de l'Afrique, au Pakistan et en Chine.
DESCRIPTION	Élégant échassier ; longues pattes ; long bec recourbé vers le haut. Blanc dans l'ensemble ; calotte noire ; nuque et rayures noires sur les ailes. Pattes palmées.

L'avocette est un élégant échassier à l'aspect étonnant, aisément reconnaissable à son plumage, à son bec recourbé vers le haut et à ses pattes palmées. Elle se déplace dans les basses eaux ou marche à marée basse dans les bancs de vase, où elle attrape de petits invertébrés à la surface de l'eau ou en plongeant son bec, la tête souvent immergée. Elle fouille parfois en eau plus profonde, adoptant une position de plongée verticale, à la manière des canards. Mollusques et crustacés sont ses proies préférées ; dans les eaux intérieures, les insectes constituent l'essentiel de son régime. Grégaire la majeure partie de l'année, ses groupes comptent en général trente individus. Mais, lorsque la nourriture est abondante, ces oiseaux se dispersent et s'unissent par couple à la fin de l'hiver. Des colonies éparses se forment au printemps. Les couples coopèrent à l'édification de leur nid et à l'incubation, plaçant de la végétation dans un léger creux du sol. La femelle y pond de trois à quatre œufs. Les poussins naissent trois semaines plus tard, et, bien qu'ils soient capables de courir et de se nourrir seuls en quelques heures, les parents continuent de s'en occuper pendant quarante jours. Père et mère sont très agressifs lorsqu'il s'agit d'assurer la protection de leur progéniture, pendant toute la période de reproduction. Les populations d'avocettes ont décliné en Europe au cours du XIXᵉ siècle, cessant même de se reproduire en Grande-Bretagne dès 1842. Cependant, lors de la Seconde Guerre mondiale, l'inondation des terres à des fins militaires a constitué des habitats pour ces oiseaux, qui ont recommencé à se reproduire.

BÉCASSE DES BOIS ▼

NOM SCIENTIFIQUE	*Scolopax rusticola.*
FAMILLE	Scolopacidae.
LONGUEUR	35 cm.
HABITAT	Terrains boisés humides et marais.
RÉPARTITION	Eurasie, migration vers l'Afrique du Nord et l'Asie du Sud-Est.
DESCRIPTION	Échassier trapu à pattes courtes ; très long bec étroit. Plumage chamois, tacheté et strié de roux, de brun et de noir.

Comme son nom l'indique, cette bécasse est un oiseau des lieux forestiers qui marque une préférence pour les forêts humides ou les habitats de marais boisés. Elle vit essentiellement au sol, passant le plus clair de son temps dans les broussailles denses ou les tapis de feuilles des sous-bois, où son plumage tacheté lui procure un excellent camouflage. Sa défense est accrue par la position de ses grands yeux, placés haut sur sa tête étroite, ce qui lui assure une vision sur presque 360°. Plutôt crépusculaire, active aussi à l'aube et dans l'obscurité, elle peut chasser la nuit. Elle se nourrit principalement d'insectes et autres invertébrés, fouillant dans la vase, la végétation ou le sol, et localisant sa proie avec son bec, dont l'extrémité est très sensible. Au printemps, alors que la période de reproduction commence, on voit et l'on entend les mâles qui entreprennent leur parade nuptiale à l'aube et au crépuscule. Ils volent bas au-dessus de la cime des arbres, émettant des cris rauques et sonores afin d'attirer l'attention de partenaires. Après l'accouplement, la femelle niche seule, pendant que le mâle recherche d'autres unions. Le nid est placé sur le sol, environ quatre œufs y étant incubés pendant trois semaines. Les oisillons peuvent voler deux ou trois semaines après l'éclosion.

GRAND LABBE

NOM SCIENTIFIQUE	*Catharacta skua.*
FAMILLE	Stercorariidae.
LONGUEUR	58 cm.
HABITAT	Océans. Se reproduit sur les côtes rocheuses et dans les terres marécageuses.
RÉPARTITION	Atlantique Nord. Hiverne vers les côtes d'Afrique. Apparaît quelquefois en Amérique du Nord, en général loin des côtes.
DESCRIPTION	Semblable à une mouette, mais plus trapu et ailes plus larges. Plumage brun foncé sur le dessus, avec des traînées plus claires. Rayure blanche à la base des rémiges primaires. Grand bec recourbé.

Comme son nom l'indique, cet oiseau est le plus grand de la famille des labbes ; c'est également un puissant prédateur. Très pélagique, il passe la plus grande partie de son temps en haute mer et s'y nourrit principalement de poisson, qu'il saisit directement ou encore en harcelant des oiseaux de mer plus petits pour leur dérober leur proie. Il se montre opportuniste, notamment en période de reproduction ; il passe alors beaucoup de temps à terre, où il trouve une nourriture abondante. Ses proies sont des oiseaux plus petits que lui, des mouettes ou des macareux, les œufs et les couvées d'autres espèces ainsi que des charognes, des rongeurs et des végétaux, en général des baies. Il se reproduit d'avril à août, nichant en colonie dans les bruyères côtières, les côtes rocheuses et les îles, déposant ses œufs dans un creux du sol garni de végétaux, mousse ou branchettes. Deux œufs sont incubés d'habitude, en un mois environ. Les petits dépendent de leurs parents pour leur nourriture jusqu'à ce qu'ils aient leur plumage définitif, de quarante à cinquante jours après leur naissance. Le grand labbe est très agressif pendant qu'il niche ; il attaque les intrus, y compris l'homme, en fondant sur eux brusquement.

LABBE À LONGUE QUEUE ▼

NOM SCIENTIFIQUE	*Stercorarius longicaudus.*
FAMILLE	Stercorariidae.
LONGUEUR	55 cm.
HABITAT	Pélagique, reproduction dans la toundra arctique et les landes.
RÉPARTITION	Circumpolaire dans l'Arctique à la reproduction, hiverne dans l'hémisphère Sud.
DESCRIPTION	Mince et léger. En période de reproduction : dessus gris ; rémiges et calotte plus foncées ; tête et dessous blancs ; cou jaune ; longues plumes centrales sur la queue. Adultes non reproducteurs : calotte grise mouchetée ; dessous rayé de brun et de blanc. Absence de longues plumes centrales sur la queue.

Le labbe à longue queue est l'oiseau le plus pélagique de son genre : il passe la plus grande partie de l'année sur l'océan, en général à une quinzaine de kilomètres des côtes au moins. Habituellement solitaire, il peut aussi constituer de petits groupes, en particulier lorsque la nourriture est abondante. Il suit parfois de près les bateaux de pêche, à la recherche de déchets, et consomme aussi des bancs de petits poissons, de crustacés ou d'encornets, le plus souvent à la surface de l'eau. Très adroit, il peut parfois chasser les hirondelles de mer et autres petits oiseaux marins, les forçant à abandonner les poissons qu'ils ont pris, mais il le fait moins souvent que les autres labbes. Il revient à terre pour se reproduire, et son régime comme ses méthodes de chasse sont alors très variés. Outre sa chasse en mer, il dérobe de la nourriture aux phoques et consomme des petits rongeurs, comme des campagnols et, surtout, des lemmings. Ces derniers sont très importants dans son alimentation, et lorsque leur population est faible, le labbe à longue queue tend à moins se reproduire, il quitte les lieux de reproduction de la toundra arctique plus tôt que de coutume et ne se reproduit parfois pas du tout. Il niche dans un léger creux du sol, et les deux parents couvent deux œufs durant trois semaines environ. Les petits ont leur plumage de vingt-deux à vingt-sept jours après l'éclosion, mais demeurent avec leurs parents pendant encore une à trois semaines.

LABBE PARASITE ▲

NOM SCIENTIFIQUE	*Stercorarius parasiticus.*
FAMILLE	Stercorariidae.
LONGUEUR	46 cm.
HABITAT	Pélagique, mais se reproduit dans les bruyères côtières et la toundra.
RÉPARTITION	Territoire circumpolaire dans l'hémisphère Nord, de l'Arctique aux eaux plus tempérées. Hiverne aux extrémités de l'Amérique du Sud et de l'Afrique du Sud.
DESCRIPTION	Oiseau de taille moyenne semblable à la mouette. Ailes longues et pointues. Dessus marron ; tête plus foncée ; collier et dessous blancs ; cou jaunâtre. Souvent une rayure pectorale noire. Une autre forme plus foncée à la tête et le dessous noirs. Les deux formes ont une tache blanche sur le dessus des ailes et des plumes subcaudales dépassant du reste de la queue.

Le labbe de l'Arctique est particulièrement connu en Amérique du Nord sous son très ancien nom de « parasite », en référence aux deux façons dont il procède pour se procurer de la nourriture. En effet, non seulement il harcèle des oiseaux plus petits que lui, mouettes ou hirondelles de mer, pour leur dérober leurs prises (on appelle cette pratique kleptoparasitisme), mais, par ailleurs, il chasse car il est très bon prédateur de nature. Cet oiseau passe beaucoup de temps en mer, suivant les déplacements migratoires des mouettes et des hirondelles de mer afin de s'assurer une nourriture régulière ; il attaque également leurs colonies lors de la période de reproduction. Cependant, au cours de sa propre période de reproduction, le labbe parasite devient encore plus prédateur : il consomme alors des oiseaux et leurs œufs, des invertébrés et de petits mammifères, comme des rongeurs. Il niche dans un léger creux du sol parfois garni d'herbes et de mousse, et les deux parents assurent l'incubation de leurs deux œufs pendant quatre semaines environ. Les petits quittent le nid quelques jours après leur naissance, mais demeurent avec leurs parents plusieurs semaines après avoir acquis leur plumage, environ quatre semaines plus tard.

MOUETTES

Les mouettes appartiennent à la famille des Laridae, qui comprend également les sternes, les labbes et les becs-en-ciseaux. Elles forment le plus grand groupe d'oiseaux de mer après les échassiers, dans l'ordre des Charadriiformes. Elles sont largement répandues dans le monde entier, dans des habitats côtiers très variés, mais, les mouettes tridactyles mises à part, elles ne sont pas vraiment pélagiques et demeurent en général sur des eaux proches de la côte. Dans beaucoup de cas, elles ont colonisé des zones intérieures et sont devenues communes dans les campagnes cultivées ainsi que dans les villes, où leur nombre, le bruit qu'elles font et leur effronterie leur valent la réputation d'être nuisibles. Ce sont des oiseaux grégaires, qui se perchent et se nourrissent en groupes, qui nichent souvent en grandes colonies, fréquemment avec d'autres oiseaux plus petits, dont les œufs et les poussins sont parfois leurs proies. Beaucoup de mouettes sont omnivores ; elles recherchent des invertébrés aquatiques et terrestres, des poissons et des petits vertébrés comme des rongeurs, mais aussi des végétaux, graines et baies, ainsi que des charognes et des déchets dans les décharges urbaines. Parfois, lorsque la nourriture vient à manquer pendant la période de reproduction, certaines espèces deviennent cannibales, consommant des œufs et des poussins de leurs propres colonies.

Les mouettes nichent le plus souvent au sol ; elles placent leurs nids sur l'herbe, dans les roseaux ou les rochers, les mouettes tridactyles établissant le leur sur des falaises rocheuses. Ces oiseaux changent plusieurs fois de plumage avant d'atteindre leur maturité sexuelle, mais ils sont généralement gris ou blancs, souvent plus foncés sur la tête et les ailes, et connaissent parfois des changements saisonniers. Ils sont de taille moyenne à grande, ont un bec puissant, de courtes pattes et des pieds palmés.

Le **goéland cendré** *(Larus canus)* est très répandu dans l'hémisphère Nord : on le rencontre en Europe, en Asie, en Afrique du Nord et en Amérique du Nord, le long des côtes, des estuaires, des lacs intérieurs et des marais. Il s'éloigne rarement de la mer, bien que, par mauvais temps, il se réunisse en grand nombre sur le rivage, ou plus

Goéland cendré

à l'intérieur des terres pour chercher des invertébrés dans les champs fraîchement labourés. C'est un oiseau de taille moyenne, mesurant environ 40 cm de long, avec le dos gris, la tête et le dessous blancs. Ses pattes et son bec sont jaunes. Les jeunes sont marron avec des taches claires. Cette espèce se reproduit en général au printemps, avec de deux à cinq œufs incubés par les deux parents pendant trois ou quatre semaines. Les oisillons, qui reçoivent leurs soins encore plusieurs semaines, ne deviennent véritablement indépendants qu'à l'âge adulte. En raison du cannibalisme des parents ou des autres adultes, un seul poussin par couvée en moyenne parvient à l'âge adulte.

Le **goéland argenté** (*Larus argentatus*) se rencontre aussi dans l'hémisphère Nord, mais son aire de distribution est plus vaste que celle du goéland cendré auquel il ressemble beaucoup. Les adultes sont néanmoins plus grands (ils mesurent environ 60 cm de long), ont un bec recourbé plus puissant, marqué d'une tache rouge sur la mandibule inférieure, et des pattes roses. Cette espèce tend à nicher dans les zones côtières, mais aussi dans l'intérieur des terres tout au long de l'année, et en plus grand nombre durant l'hiver, lorsqu'elle recherche de la nourriture à proximité des villes. Le goéland argenté établit son nid au printemps sur les falaises herbeuses, les édifices ou dans les champs, avec de deux à quatre œufs pondus dans une coupe de végétaux. La **mouette tridactyle** (*Rissa tridactyla*), pélagique en hiver, niche, en période de reproduction, sur des falaises marines inaccessibles, ne s'aventurant jamais dans l'intérieur des terres. C'est un oiseau de taille moyenne (environ 40 cm de long), plus élancé que le goéland, avec le dos, l'extrémité des ailes et les pattes noirs, tandis que le dessous est blanc. Cette mouette passe le plus clair de son temps en mer, se nourrissant en particulier de poissons et d'invertébrés aquatiques. Son nid est installé au bord d'une falaise et formé d'un monticule cylindrique de boue et de végétaux, dans lequel sont pondus deux ou trois œufs. On trouve cette espèce en mer et sur les côtes dans l'hémisphère Nord ; au cours de l'hiver, elle migre vers des régions plus chaudes.

Mouette tridactyle

BEC-EN-CISEAUX NOIR

NOM SCIENTIFIQUE	*Rynchops niger*
FAMILLE	Rynchopidae.
LONGUEUR	46 cm.
HABITAT	Grèves côtières et estuaires, criques à marées, bras de mer, rivières et îles du large.
RÉPARTITION	Des côtes est des États-Unis et sud de la Californie au sud de l'Amérique du Sud.
DESCRIPTION	Semblable à la mouette, mais grosse tête et long bec rouge à l'extrémité noire, dont la mandibule inférieure est plus développée que la supérieure. Plumage brun foncé sur le dessus; calotte brune. Front, dessous et traînées sur le bord des ailes blancs.

Les trois espèces de becs-en-ciseaux – noir, d'Afrique et à collier – sont facilement reconnaissables : ce sont les seuls oiseaux dont la mandibule inférieure est plus longue de moitié que la supérieure, ce qui leur per-met de se nourrir d'une façon particulièrement originale. Ils volent bas au-dessus de l'eau, la mandibule inférieure partiellement immergée, recueillant ainsi leurs proies. Lorsqu'un poisson est repéré au contact, l'oiseau referme son bec et s'en empare. Le bec-en-ciseaux se rencontre sur la côte est de l'Amérique du Nord, ainsi que sur les côtes est et ouest de l'Amérique du Sud, les populations du nord de son territoire hivernant généralement vers le sud. On peut le trouver occasionnellement dans l'intérieur des terres, particulièrement pendant les intempéries de l'été, mais il est plus commun sur les grèves côtières et dans les baies. Il niche en colonies sur les rivages et sur les îles, parfois en compagnie d'autres oiseaux comme les sternes et les mouettes. Son nid est un simple trou pratiqué dans le sable, dans lequel sont pondus de trois à cinq œufs, qui éclosent au bout de trois semaines environ. Les deux parents les incubent, puis prennent soin des poussins jusqu'à ce qu'ils puissent avaler des poissons entiers. Les deux mandibules du bec des jeunes ont à peu près la même longueur, celle du dessous ne s'allongeant pas avant la fin de leur croissance.

BEC-EN-CISEAUX D'AFRIQUE

NOM SCIENTIFIQUE	*Rynchops flavirostris.*
FAMILLE	Rynchopidae.
LONGUEUR	40 cm.
HABITAT	Côtes, lacs et rivières.
RÉPARTITION	Afrique subsaharienne.
DESCRIPTION	Semblable à la mouette, mais grosse tête et long bec rouge, avec la mandibule inférieure plus longue que celle du dessus. Plumage marron foncé ou noir sur le dessus ; calotte noire. Front, dessous et bords des ailes blancs.

Comme ses congénères, le bec-en-ciseaux d'Afrique se nourrit en immergeant en partie sa mandibule inférieure à la surface de l'eau lorsqu'il vole ou qu'il glisse, afin d'attraper des petits poissons. Il passe beaucoup de temps perché, lissant ses plumes ou se baignant durant la journée, très actif du crépuscule à l'aube, lorsqu'il fait frais, bien que les adultes supportent des températures élevées sans avoir besoin d'ombre. En se nourrissant la nuit, il évite la concurrence d'autres oiseaux et surtout des mouettes, qui tenteraient de lui ravir ses prises. Les couples nichent souvent isolément, mais la reproduction se fait en général en petites colonies d'une vingtaine de couples, afin de pouvoir mieux se défendre contre les rapaces et autres prédateurs, qu'ils éloignent en les harcelant. Fait quelque peu curieux, ils appliquent cette même méthode de disuasion aux crocodiles ! Autre mode de défense, les adultes éloignent les prédateurs de leur progéniture en feignant d'être blessés, en boitillant et en laissant traîner leurs ailes sur le sol. La femelle pond deux ou trois œufs, l'incubation durant environ trois semaines. Pendant ce temps, les mâles tiennent les œufs au frais en mouillant leur ventre avant de s'installer sur le nid. Les poussins quittent ce dernier un ou deux jours après l'éclosion et sont élevés, nourris et tenus à l'abri par les deux parents pendant plusieurs semaines, avant d'être menés à l'eau.

STERNES

Les sternes appartiennent au groupe des Sternidae, communément considéré comme une sous-famille des Laridae (mouettes). Ces deux groupes sont étroitement apparentés, bien qu'ils présentent de nombreuses différences importantes. Les sternes sont beaucoup plus profilées et élégantes, avec leurs longues ailes étroites et leur longue queue, ce qui leur vaut la dénomination d'« hirondelles de mer ». Elles ont un plumage blanc brillant ou gris, et souvent une calotte noire en période de reproduction. On les rencontre dans le monde entier, et beaucoup d'espèces sont plus pélagiques que les mouettes, d'autres se reproduisant dans les régions tempérées de l'hémisphère Nord, pour hiverner ensuite vers les eaux côtières du Sud en migrations massives. À la différence des mouettes, les sternes se rencontrent rarement dans des habitats urbains et ne se déplacent pas souvent au sol, leurs pattes étant trop courtes. Bien que ces oiseaux ne nagent pas très bien, plusieurs espèces fréquentent des eaux intérieures comme les gravières, les réservoirs, les grands lacs et les rivières, en particulier les bancs de gravier ou de galets et les plages. D'autres sont considérées comme des « sternes de marais » et vivent la plupart du temps dans les terres marécageuses. Ces oiseaux sont fortement charpentés, avec des ailes courtes et très arrondies ; en conséquence, ils plongent pour se nourrir de petits poissons ou de crustacés comme des crevettes, ou encore attrapent des insectes à la surface de l'eau.

En période de reproduction, beaucoup de sternes nichent en grandes colonies sur le sol, en général en habitats ouverts tels que la toundra ou les plages. Leurs structures sociales sont complexes, ce qui transparaît dans les parades nuptiales aériennes fort élaborées, qui comprennent souvent une offrande de nourriture, les colonies défendant collectivement leurs lieux de nidification en cas de menace. Il arrive même parfois à ces oiseaux d'attaquer les humains imprudents qui s'en approcheraient de trop près.

Les nids des sternes sont de simples creux dans le sol ou encore des structures complexes composées de brindilles, d'herbes ou autres matériaux, comme des coquillages. Les sternes de marais nichent souvent dans les roseaux, alors que les autres le font sur des falaises ou, occasionnellement, dans les arbres. Les oiseaux nichant dans les régions tropicales ne produisent fréquemment qu'un œuf unique, alors que ceux vivant dans les régions plus septentrionales en pondent trois ou, plus rarement, quatre. Les deux parents assurent l'incubation, qui dure de trois à quatre semaines, puis s'occupent des poussins de façon plus ou moins équitable. La maturité sexuelle est atteinte aux alentours de trois ans, bien que certains jeunes non reproductifs reviennent parfois dans leur colonie d'origine avant ce délai. Les autres passent presque tout leur temps en vol avant d'être en mesure de se reproduire.

Sterne caspienne

Les sternes ont une longévité qui peut dépasser trente ans et se reproduisent jusqu'à vingt ans passés. La plus grande des sternes est la **sterne caspienne** *(Sterna caspia)*, qui mesure environ 56 cm de long. Son bec est puissant, et elle se montre plus prédatrice que les autres car elle s'empare aussi, en plongeant, de poissons et d'invertébrés. Elle dérobe également les prises d'autres oiseaux et s'attaque même aux poussins et aux œufs d'autres espèces. Elle est moins grégaire que beaucoup d'autres sternes, mais peut s'assembler en petites colonies, chaque couple nichant seul ou en compagnie de colonies de mouettes. Elle se reproduit sur les grands lacs ou les côtes d'Amérique du Nord, d'Eurasie, d'Afrique et d'Australie, hivernant en général vers le sud de son territoire septentrional. Son nid est un creux peu profond dans le sol, parfois dans les rochers, garni d'algues ou autres végétaux. Deux ou trois œufs y sont pondus, incubés pendant quelque trois semaines. Les oisillons ont leurs plumes trente ou quarante jours plus tard, mais sont encore nourris pendant sept mois environ, délai le plus long parmi les sternes.

La **sterne arctique** *(Sterna paradisaea)* est un oiseau beaucoup plus sociable qui niche en grandes colonies sur les côtes, très haut dans l'hémisphère Nord, avec une distribution circumpolaire dans les régions arctiques et subarctiques. On la rencontre aussi dans le sud de la Grande-Bretagne, le nord de la France et le sud du Massachusetts, aux États-Unis. Elle niche de préférence sur les sols sableux et rocheux, mais aussi dans la toundra. Deux ou trois œufs sont incubés dans un creux du sol pendant environ trois semaines, les petits ayant leur plumage définitif trois semaines plus tard. Après la reproduction, cet oiseau entreprend une longue migration de plus de 19 000 km, pour aller passer l'hiver dans les eaux de l'Antarctique; cette pratique lui permettait, suppose-t-on, de bénéficier de la lumière du jour plus longtemps qu'aucune autre espèce dans le monde. La sterne arctique est de taille moyenne et atteint à l'âge adulte 35 cm de longueur.

La **guifette noire** *(Chlidonias niger)*, qui mesure seulement 25 cm de long, est considérée comme une sterne de marais. Le plumage nuptial comporte une queue grise, de courtes pattes noires et un petit bec noir. Le reste du temps, cet oiseau est gris dans l'ensemble, à l'exception de la calotte. Lorsqu'elle niche, on rencontre cette espèce en Amérique du Nord, en Europe et en Asie, dans les marais, les prairies inondées et les lacs. Le nid est en général installé dans les roseaux près du bord de l'eau ou encore sur la végétation flottante. La couvée se compose de deux à quatre œufs. Les guifettes noires hivernent dans l'hémisphère Nord, le long des côtes nord de l'Amérique du Sud et de l'Afrique. Cette espèce ne plonge pas pour pêcher, mais parvient à saisir les poissons en vol à la surface de l'eau. Elle se nourrit surtout d'insectes, également attrapés en vol.

Sterne pierregarin

PETIT PINGOUIN ▼

NOM SCIENTIFIQUE	*Alca torda.*
FAMILLE	Alcidae.
LONGUEUR	43 cm.
HABITAT	Falaises rocheuses, sur la terre ferme ou dans des îles du large. Pélagique en hiver.
RÉPARTITION	Atlantique du Nord.
DESCRIPTION	Trapu ; cou épais ; grosse tête ; bec fort comprimé sur les côtés. Plumage noir dessus ; dessous et dessous des ailes blancs.

Pendant l'hiver, le petit pingouin est pélagique. Il vit sur l'océan, et on le rencontre rarement dans les eaux intérieures. Il vient cependant sur la côte au printemps et en été pour s'y reproduire, nichant sur les rivages rocheux en grandes colonies. La ponte intervient en mai ; la femelle produit un œuf unique, déposé dans une crevasse, parfois parmi des amas de galets. L'œuf est souvent laissé à nu sur le rocher, mais certains petits pingouins ramassent des galets, des lichens et autres végétaux pour garnir le nid. Bien que ces oiseaux forment des couples, beaucoup de femelles quittent leur compagnon avant de nidifier, pour s'accoupler avec d'autres mâles ; elles continuent à le faire pendant que leur partenaire couve. Le petit pingouin se nourrit surtout dans les bancs de poissons comme les harengs, les sprats et les jeunes morues, mais il consomme aussi des crustacés, qu'il saisit en plongeant sous l'eau. Il est très adroit, bon plongeur et utilise ses ailes comme des nageoires pour se mouvoir sous l'eau. Il peut ainsi atteindre des profondeurs de 25 à 30 m, et rester immergé 30 s environ.

MERGULE NAIN ▲

NOM SCIENTIFIQUE	*Alle alle.*
FAMILLE	Alcidae.
LONGUEUR	20 cm.
HABITAT	Côtes rocheuses, falaises intérieures et océan.
RÉPARTITION	Côtes arctiques circumpolaires. Hiverne dans l'Atlantique Nord.
DESCRIPTION	Petit et trapu ; pattes, queue, cou et bec courts. Noir sur le dessus ; blanc en dessous.

Le mergule nain, extrêmement abondant, est, en réalité, parmi les plus nombreux de tous les oiseaux. Pendant les mois d'été, il se reproduit dans des habitats rocheux de l'Arctique, en vastes colonies comptant des dizaines de milliers d'individus. Il nidifie sur les falaises rocheuses côtières ou de l'intérieur, dans un creux ou une crevasse dans les rochers, avec un œuf unique incubé pendant environ un mois. Il est pélagique durant l'hiver, mais évite les glaces de l'Antarctique et migre vers les eaux plus chaudes de l'Atlantique Nord et dans la mer du Nord. Si le mergule nain vit en haute mer, il peut aussi être observé depuis la côte, et on le rencontre aussi sur les plages ou même dans l'intérieur des terres par mauvais temps. Il vole en général au ras de l'eau, avec des battements d'ailes rapides et bruyants ; il poursuit ensuite sa proie en plongeant et en nageant sous l'eau, et utilise ses ailes comme des nageoires. Il peut demeurer immergé longtemps, se nourrissant de petits poissons et de zooplancton.

GUILLEMOT MARMETTE

NOM SCIENTIFIQUE	*Uria aalge.*
FAMILLE	Alcidae.
LONGUEUR	43 cm.
HABITAT	Falaises rocheuses sur la terre ferme et dans les îles du large. Pélagique l'hiver.
RÉPARTITION	Circumpolaire, Atlantique Nord et Pacifique Nord.
DESCRIPTION	Ressemble au pingouin ; dessus noir ; dessous blanc ; long bec étroit.

Commun dans son aire de répartition, le guillemot marmette (dit aussi « guillemot troïl ») est un oiseau de mer de taille moyenne, pélagique en hiver comme les espèces qui lui sont apparentées, mais rejoignant les côtes rocheuses et les falaises pour se reproduire au printemps et en été. Il s'établit alors en colonies denses comptant plusieurs milliers d'oiseaux, en général sur les parois de falaises verticales, ce qui rend plus difficiles les attaques des prédateurs. De mai à juillet, la femelle pond sur une corniche nue un œuf unique, en forme de poire, ce qui l'empêche de rouler et de tomber dans le vide. L'incubation dure environ trente jours ; deux ou trois semaines après l'éclosion, les oisillons quittent la falaise et plongent dans la mer sous la surveillance du mâle. Le jeune guillemot est à ce moment incapable de voler, car il n'a pas encore toutes ses plumes, ce qui advient au bout de six semaines. Lorsque les adultes ont quitté la colonie, ils connaissent une mue qui les empêche de voler pendant plusieurs semaines. Ils se dispersent ensuite durant l'hiver. Comme les autres pingouins, le guillemot marmette se nourrit en plongeant du bord de l'eau, et nage immergé à la recherche de petits poissons, de mollusques, de crustacés et autres invertébrés marins.

MACAREUX MOINE

NOM SCIENTIFIQUE	*Fratercula arctica.*
FAMILLE	Alcidae.
LONGUEUR	30 cm.
HABITAT	Côtes rocheuses. Hiverne loin en mer.
RÉPARTITION	Atlantique Nord, Groenland, Canada, Islande, Scandinavie, Russie, Irlande et nord-ouest de la France.
DESCRIPTION	Court et trapu ; dessus noir ; joues et dessous blancs. Large bec triangulaire orange vif, de même que les pattes ; tache bleue bordée de jaune en période de reproduction. Bec et face plus foncés en hiver.

Le macareux moine (ou « perroquet de mer ») passe les mois d'hiver en mer, où il plonge de haut ou du bord de l'eau pour nager immergé à la recherche de mollusques, de crustacés et de petits poissons, comme les anguilles de sable. Ces oiseaux avalent leur nourriture sous l'eau tant qu'ils n'ont pas de petits à nourrir, mais, quand c'est le cas, ils rapportent au nid de vingt à trente poissons à la fois dans leur bec. En période de reproduction, au printemps et en été, ils reviennent sur la côte et forment de grandes colonies sur les rochers. Ils se déplacent en posture dressée et se montrent curieux, voire familiers, ce qui les expose davantage aux attaques de grosses mouettes, de renards et même de l'homme. Le macareux moine niche dans une excavation creusée surtout par le mâle, la femelle y pondant un œuf unique. Les deux parents l'incubent pendant une quarantaine de jours. Ensuite, ils repartent en mer encore quarante jours, laissant leurs petits, âgés d'une semaine seulement, entrer dans l'eau pour se nourrir, en général juste avant qu'ils soient à même de voler.

MACAREUX HUPPÉ

NOM SCIENTIFIQUE	*Fratercula cirrhata.*
FAMILLE	Alcidae.
LONGUEUR	38 cm.
HABITAT	Niche sur les pentes herbeuses des côtes et sur les falaises rocheuses. Hiverne en mer.
RÉPARTITION	Nord du Pacifique, de la Californie à l'Alaska et du Japon au nord-est de l'Asie.
DESCRIPTION	Court et trapu. Brun-noir dans l'ensemble ; taches blanches sous les ailes ; face blanche ; plumes jaunes pendantes derrière les yeux. Grand « bec de perroquet » rouge, avec des marques jaunes ou verdâtres. Après la reproduction, les plumes tombent, le bec est plus terne et le ventre légèrement tacheté.

Comme les autres macareux, cet oiseau passe la plus grande partie de l'année en mer, ne venant à terre que pour nidifier en grandes colonies sur les crêtes herbeuses ou rocheuses, au printemps et en été. Les nids sont en forme de terriers, parmi les rochers ou sur les pentes herbeuses, et reçoivent un œuf unique. Les deux parents le couvent pendant quarante ou cinquante jours et nourrissent ensuite le poussin jusqu'à ce qu'il ait ses plumes définitives, de quarante-cinq à cinquante-cinq jours après. Celui-ci entre alors dans l'eau et ne revient à terre que deux ans plus tard, en général pour retrouver sa colonie d'origine. Les adultes tendent à se disperser quand ils sont en mer, mais on peut les rencontrer en groupes d'environ vingt individus. Le macareux huppé se nourrit principalement de petits poissons, mais aussi de crustacés, de mollusques et autres invertébrés marins. Pour les attraper, il nage sous l'eau, plongeant en général après avoir volé au ras de l'eau. Autrefois objet d'une chasse intensive pour sa chair, cet oiseau est aujourd'hui protégé dans la plus grande partie de son aire de répartition, et ses plus grands prédateurs sont les gros rapaces et les renards arctiques.

GANGA DE LICHTENSTEIN ▲

NOM SCIENTIFIQUE	*Pterocles lichtensteinii.*
FAMILLE	Pteroclididae.
LONGUEUR	24 cm.
HABITAT	Semi-désert, collines rocheuses et broussailles.
RÉPARTITION	Nord-est de l'Afrique et Asie de l'Est, Moyen-Orient, Pakistan et Afghanistan.
DESCRIPTION	Petit; longues ailes et queue courte. Plumage sable fortement strié de blanc et de noir; poitrine chamois avec bandes noires.

On s'est interrogé sur la classification des espèces de gangas, car ils semblent partager de nombreuses caractéristiques avec les Colombiformes – pigeons et colombes – et les Charadriiformes – oiseaux de mer tels que les pluviers. Parfois classés parmi l'un ou l'autre de ces groupes, ils sont aujourd'hui généralement placés dans leur ordre propre, celui des Ptéroclidiformes, dont on considère qu'il participe des deux autres. Bien qu'étant le plus petit de son genre dans son aire de répartition, ce ganga est une espèce typique, d'apparence semblable à celle de la perdrix. Il vit au sol sur les terrains arides, pierreux ou sablonneux. Son habitat lui impose de longs déplacements vers l'eau, habituellement en vols bruyants. Ces mouvements sont entrepris chaque matin, parfois de nouveau le soir, particulièrement vers les eaux chaudes. Lorsqu'ils nichent, les mâles conservent de l'eau dans leurs plumes pectorales pour leur progéniture. Les nids sont installés à même le sol, avec deux ou trois œufs pondus dans un creux à nu, incubés par les deux parents pendant quatre semaines environ. Après l'éclosion, les petits sont capables de se nourrir seuls presque immédiatement, avec des graines, des baies et des insectes.

GANGA CATA ▼

NOM SCIENTIFIQUE	*Pterocles alchata.*
FAMILLE	Pteroclididae.
LONGUEUR	32 cm.
HABITAT	Zones semi-désertiques, savanes, steppes arides, terrains sablonneux.
RÉPARTITION	Portugal, Espagne et Afrique du Nord, jusqu'à l'Asie centrale et le nord-est de l'Inde.
DESCRIPTION	Dessus sable avec stries noires et grises; dessous blanc; poitrine marron bordée de noir; bandes noires aux yeux. Plumes centrales de la queue effilées. En période de reproduction, le mâle a une coloration verdâtre et la poitrine plus rousse.

Comme les autres gangas, le ganga cata est bien camouflé par son plumage strié, et il est difficile de le repérer dans les rochers et la végétation; il a cependant le dessous blanc et le dessous des ailes marqué de noir et blanc, que l'on aperçoit aisément quand il vole. Sa queue le distingue également, avec ses deux plumes centrales allongées. Le syrrhapte paradoxal *(Syrrhaptes paradoxus),* de la même famille, a une queue semblable, mais diffère par ses longues primaires et sa tache noire ventrale. Le ganga cata préfère les habitats secs, parcourant chaque jour plusieurs kilomètres pour s'abreuver à des points d'eau. En période de reproduction, les mâles conservent de l'eau dans leurs plumes pectorales et ventrales, destinée à leurs petits encore dépendants. Cette espèce niche dans un creux du sol, produisant environ trois œufs, incubés surtout par le mâle. Cet oiseau grégaire niche habituellement en grandes colonies éparses; en hiver et au début du printemps, on voit des vols denses de plusieurs milliers d'individus s'assembler dans les champs de blé et d'orge, après les semis. Le ganga cata se nourrit essentiellement de graines, de feuilles et de jeunes pousses.

GANGA UNIBANDE

NOM SCIENTIFIQUE	*Pterocles orientalis.*
FAMILLE	Pteroclididae.
LONGUEUR	33 cm.
HABITAT	Steppes sèches, souvent près des champs de céréales.
RÉPARTITION	Sud-ouest de l'Europe et Afrique du Nord, Asie centrale, nord-est de l'Inde et Népal.
DESCRIPTION	Trapu ; mâle gris dessus, avec des marques rousses et chamois ; tête et cou gris ; gorge noisette avec des taches noires ; bande noire sur la poitrine ; dessous noir. La femelle est plus rayée et tachetée, jusque sur la tête et le cou.

Le ganga unibande compte parmi les plus grands individus de son aire de répartition. Sa tête et son ventre ronds lui confèrent un aspect trapu. Comme les autres gangas, c'est une espèce qui vit au sol et habite des régions sèches, mais qui évite malgré tout les déserts. On l'observe donc essentiellement en plaine, souvent près des champs cultivés de céréales, où il se nourrit des semences fraîchement plantées. Cependant, le défrichage pour la mise en culture intensive a entraîné une réduction de son habitat naturel et, en conséquence, un déclin de sa population. Il est également menacé par la chasse dans certaines parties de son territoire. Des vols de cet oiseau se dirigent chaque jour vers des étangs ou des cours d'eau pour s'y abreuver. En période de reproduction, les mâles conservent de l'eau dans leurs plumes ventrales spécialement adaptées et la rapportent au nid pour leurs petits. La nidification se fait au sol, avec une production de trois ou quatre œufs, pondus dans un creux nu. Ils sont incubés pendant trois ou quatre semaines par les deux parents, qui apportent à part égale les soins à leur progéniture.

PIGEON BISET ▲

NOM SCIENTIFIQUE	*Columba livia.*
FAMILLE	Columbidae.
LONGUEUR	33 cm.
HABITAT	Pentes rocheuses de montagnes, falaises côtières.
RÉPARTITION	Ouest de l'Europe, Afrique du Nord, de la Méditerranée et du Moyen-Orient à l'Inde.
DESCRIPTION	Dessus gris clair ; stries noires aux ailes ; croupion et dessous des ailes noirs. Tête et dessous gris-bleu ; cou irisé vert et violacé.

Le pigeon biset est l'ancêtre sauvage d'oiseaux domestiques tels que les pigeons de compétition et les pigeons voyageurs, des variétés qui sont souvent élevées pour l'agrément, et d'individus redevenus à demi sauvages, communs dans les habitats ruraux et urbains à travers le monde. À l'état sauvage, cet oiseau habite des lieux reculés, près de la mer sur les parois des falaises. C'est une espèce grégaire, perchant, nichant et se nourrissant en groupes importants. En période de reproduction, les deux sexes se montrent agressifs envers leurs congénères. L'accouplement intervient à tout moment de l'année, précédé d'une parade nuptiale des mâles, qui se pavanent, font bouffer les plumes de leur cou et laissent traîner leurs ailes sur le sol tout en roucoulant fortement. Ils choisissent l'emplacement du nid et assurent la plus grande part de sa construction, consistant souvent en une structure désordonnée de branchettes posée sur un rebord rocheux. La femelle y pond un ou deux œufs qu'elle incube pendant un peu moins de trois semaines. Les petits sont nourris avec une substance appelée «lait de pigeon», produite dans le jabot des deux parents. Les jeunes quittent le nid à quatre ou six semaines et une autre couvée intervient parfois avant qu'ils aient toutes leurs plumes. Les adultes se nourrissent surtout de graines, ainsi que d'autres végétaux.

PIGEON RAMIER ▲

NOM SCIENTIFIQUE	*Columba palumbus.*
FAMILLE	Columbidae.
LONGUEUR	41 cm.
HABITAT	Terres boisées, cultures, parcs et jardins urbains.
RÉPARTITION	Majeure partie de l'Europe, est de l'Asie centrale, Afrique du Nord.
DESCRIPTION	Grand pigeon robuste couleur gris-bleu; cou irisé vert et violacé; poitrine rougeâtre; stries blanches sur le cou et les ailes.

Bien que ces termes soient quelque peu interchangeables, l'appellation « colombe » s'applique aux plus petits oiseaux de cette famille, et celle de « pigeon » aux plus grands. Le pigeon ramier (dit aussi « palombe ») compte parmi les plus grands de son genre dans son aire de répartition; il est aussi le plus grand en Europe, avec une poitrine développée, un ventre arrondi et une longue queue. Il se tient souvent dans les zones boisées, mais est aussi très commun dans les parcs et jardins des villes, où l'on entend ses roucoulements. Il se nourrit habituellement à découvert de graines, de pousses d'herbe et d'invertébrés. Il peut se rassembler en grand nombre dans les champs, endommageant parfois les récoltes. Dans les zones urbaines, il visite souvent les mangeoires pour oiseaux. Son régime étant sec, le pigeon ramier boit beaucoup, et, comme d'autres pigeons et colombes, il ne rejette pas la tête en arrière pour avaler, mais utilise son bec comme une paille pour aspirer l'eau. La reproduction se fait à toute époque, avec deux ou trois couvées de deux œufs. Le pigeon ramier niche dans les arbres ou, occasionnellement, sur le toit des maisons, et construit une plate-forme de brindilles. Les deux parents assurent l'incubation et les soins aux petits.

TOURTERELLE DES BOIS ▼

NOM SCIENTIFIQUE	*Streptopelia turtur.*
FAMILLE	Columbidae.
LONGUEUR	28 cm.
HABITAT	Terrains boisés, cultures, parcs et jardins.
RÉPARTITION	Majeure partie de l'Europe, Asie centrale, Afrique du Nord.
DESCRIPTION	Petit oiseau couleur sable ou bronze sur le dessus, avec des taches noires. Tête grise; gorge rasée; ventre blanc. Rémiges noires; tache noir et blanc sur chaque côté du cou.

Petite colombe, la tourterelle des bois était autrefois très commune dans son aire de répartition, mais sa population a décliné fortement ces dernières années. En Grande-Bretagne, par exemple, où elle vient en été, elle est même considérée comme très vulnérable. En effet, on estime que sa population a diminué de 80 % depuis 1970, en raison tant du changement des méthodes de culture entraînant une diminution des herbes sauvages qu'elle consomme que de la chasse dont elle est victime lorsqu'elle migre vers la Méditerranée. Cette migration s'effectue vers l'Asie et l'Afrique du Nord, et les tourterelles des bois ne regagnent le nord de l'Europe qu'en avril, des couvées d'un ou deux œufs étant produites en mai ou en juin. L'arrivée de cette espèce est signalée par des appels roucoulés, et la reproduction débute par la parade nuptiale des mâles. Ils s'élèvent rapidement avec des battements d'ailes avant d'amorcer une descente en glissade circulaire. Après l'accouplement, les œufs sont pondus dans un nid de brindilles placé dans un arbre bas ou au sommet d'une haie. Les deux parents incubent pendant deux semaines, les petits ayant leur plumage trois semaines après l'éclosion.

TOURTERELLE TRISTE ▼

NOM SCIENTIFIQUE	*Zenaida macroura.*
FAMILLE	Columbidae.
LONGUEUR	30 cm.
HABITAT	Terrains boisés, prairies, cultures, parcs et jardins.
RÉPARTITION	De l'Alaska et du Canada à tous les États-Unis, Amérique centrale et du Sud.
DESCRIPTION	Profilée ; dessous rosâtre ; dessus gris-brun ; taches noires sur les ailes ; tache noire derrière les yeux. Longues plumes de queue à pointe blanche.

La tourterelle triste vit dans de nombreux habitats ouverts ou semi-ouverts. Bien qu'elle constitue l'un des gibiers les plus chassés en Amérique du Nord, elle reste la plus abondante des tourterelles dans son aire de répartition. Généralement sédentaires, les populations du nord ont tendance à se déplacer plus au sud pour éviter les hivers rigoureux du Canada et de l'Alaska. Cette espèce prolifique produit fréquemment deux ou trois couvées entre avril et septembre. Les deux parents s'occupent des œufs et des petits, de la nidification à l'incubation et à la nourriture. Ils construisent une plate-forme de brindilles dans un arbre ou un grand buisson, où sont la plupart du temps pondus deux œufs. L'incubation dure deux semaines environ, et les petits ont leur plumage encore deux semaines plus tard, mais reçoivent les soins des parents jusqu'à un mois. Comme les autres pigeons ou tourterelles, les parents nourrissent les petits avec une substance dite « lait de pigeon », sécrétée dans leur jabot. Les adultes consomment surtout des graines, des plantes sauvages et, occasionnellement, des invertébrés, comme des sauterelles, des araignées ou des escargots.

TOURTERELLE TURQUE ▲

NOM SCIENTIFIQUE	*Streptopelia decaocto.*
FAMILLE	Columbidae.
LONGUEUR	33 cm.
HABITAT	Terrains boisés, cultures, parcs et jardins.
RÉPARTITION	Grande partie de l'Europe, Asie centrale et du Sud, Extrême-Orient.
DESCRIPTION	Gris pâle dans l'ensemble ; rémiges et collier noirs. Longue queue noire et blanche sur le dessous.

Très semblable à la tourterelle des bois, la tourterelle turque (ou « tourterelle à collier ») s'en différencie par sa plus grande taille, son plumage plus uniforme et l'absence de taches sur les ailes caractérisant la précédente espèce. Elle est beaucoup plus répandue et plus largement distribuée. Fait surprenant, elle était encore récemment rare dans le nord et l'ouest de l'Europe, et était confinée dans des régions plus chaudes de l'Asie du Sud-Est. Mais à partir de la première moitié du XXᵉ siècle, elle est rapidement apparue à travers l'Europe, pour atteindre son territoire actuel dans les années 1960. C'est là l'une des distributions naturelles les plus rapides et les plus étendues chez les oiseaux. Depuis, la tourterelle turque a été introduite en Amérique du Nord, où elle s'est bien acclimatée et continue à se répandre. Sa faculté d'adaptation lui fait occuper des habitats variés, surtout dans des zones arborées et même en milieu urbain, où elle ne semble pas effrayée par la présence des hommes. On la rencontre toutefois le plus souvent dans les parcs et les jardins suburbains plutôt que dans le centre des villes. Elle a besoin d'arbres pour nicher, et elle construit une plate-forme de brindilles où sont pondus un ou deux œufs. La tourterelle turque se nourrit de graines, de baies et autres végétaux. Pendant l'hiver, des groupes nombreux se forment près des cultures, où les graines sont plus faciles à trouver.

GÉOPELIE DIAMANT ▲

NOM SCIENTIFIQUE	*Geopelia cuneata.*
FAMILLE	Columbidae.
LONGUEUR	20 cm.
HABITAT	Déserts et semi-déserts arides. Se tient en général proche des halliers et des broussailles.
RÉPARTITION	Grande partie de l'Australie, y compris l'intérieur des terres, absente au sud et à l'est.
DESCRIPTION	Petite colombe. Dessus gris-brun avec bords noirs; marques en forme de diamant sur les ailes. Tête, cou et poitrine gris-bleu; dessous pâle. Yeux rouge orangé cernés de rouge.

La géopélie diamant est l'une des plus petites espèces de colombes, et la plus petite en Australie, d'où elle est native. Mais elle est surtout remarquable par les mouchetures en forme de diamant sur les ailes, auxquelles elle doit son nom. On l'observe surtout par couples ou en petits groupes, en terrains découverts, bien qu'elle tende à se tenir près des buissons ou des halliers, non loin d'un point d'eau. Vivant en milieux arides, elle doit boire beaucoup et va s'abreuver tard dans l'après-midi ou dans la soirée, après s'être nourrie. Elle cherche sur le sol les graines d'herbes ou d'autres plantes, tout en abaissant et relevant sa queue relativement longue. La géopélie diamant produit plusieurs couvées chaque année. Avant l'accouplement, les mâles effectuent une parade nuptiale tout en courbettes et déploiement des ailes et des plumes caudales. Comme beaucoup de colombes et de pigeons, la femelle pond deux œufs dans un arbre, sur une plate-forme de brindilles; ils sont incubés pendant deux semaines environ par les deux parents. Les petits sont initialement nourris au « lait de pigeon », puis, pendant quelques jours, avec des graines régurgitées. Ils se développent rapidement et ont leur plumage en deux semaines environ. Domestiqués en Europe vers 1870, ces oiseaux se prêtent facilement à l'élevage en captivité et sont des oiseaux de volière très communs.

COLOMBINE PLUMIFÈRE

NOM SCIENTIFIQUE	*Geophaps plumifera.*
FAMILLE	Columbidae.
LONGUEUR	21 cm.
HABITAT	Déserts et semi-déserts arides.
RÉPARTITION	Parties du nord de l'Australie.
DESCRIPTION	Petit pigeon. Dessus rouge-brun; gorge noir et blanc; bande sur la poitrine; ventre blanc; rayure noire et grise sur le cou et les ailes. Huppe en pointe sur la tête; peau rouge dénudée autour des yeux.

La colombine plumifère est une espèce remarquable, que l'on peut identifier à sa taille, à son plumage et à sa huppe fine. Sa parente, la colombine longup *(Geophaps lophotes),* a une disposition des plumes de la tête semblable, mais elle est beaucoup plus grande, avec des ailes et une queue plus longues. La colombine plumifère a la queue et les ailes notablement plus courtes, ce qui lui donne plutôt l'apparence d'une perdrix. C'est le plus terrestre des pigeons. Elle vole rarement et préfère s'abriter dans les rochers ou le spinifex si elle est dérangée. Elle n'est cependant pas effrayée par l'homme, et l'on peut souvent l'approcher. On la rencontre dans les habitats arides, mais comme elle vole peu, elle demeure à proximité des points d'eau; comme les autres pigeons, elle peut boire sans relever la tête. Elle se nourrit surtout de graines, d'herbes et d'autres plantes, occasionnellement d'invertébrés, et l'on peut la voir rechercher ses aliments par couples ou en petits groupes d'environ douze individus. La reproduction s'effectue tout au long de l'année, mais en général à l'apparition des pluies de printemps; elle débute par une parade nuptiale du mâle, avec des courbettes et l'étalage de ses plumes. La nidification se fait au sol dans un léger creux parfois garni de tiges d'herbes. Deux œufs y sont couvés, incubés par les deux parents.

GOURA DE VICTORIA

NOM SCIENTIFIQUE	*Goura victoria.*
FAMILLE	Columbidae.
LONGUEUR	75 cm.
HABITAT	Sous-bois de forêts tropicales.
RÉPARTITION	Nord de la Nouvelle-Guinée et îles proches.
DESCRIPTION	Très grand pigeon presque entièrement gris-bleu; poitrine et bord des ailes rougeâtres; rayure bleu clair sur les ailes et le haut de la queue. Huppe en éventail; extrémités blanches.

Le goura de Victoria, le plus grand pigeon du monde, atteint la taille d'un gros poulet. On l'observe rarement, car il ne vit qu'en Nouvelle-Guinée et dans les îles avoisinantes, dans la jungle dense. Il devient aussi de plus en plus rare en raison de la chasse, de la destruction de son habitat et de son exportation illégale, bien qu'il soit protégé dans presque toute son aire de répartition. Il passe la plupart de son temps à terre, volant lourdement, mais il peut se réfugier dans les arbres s'il est menacé, et se perche et nidifie au-dessus du sol. En période de reproduction, le mâle parade devant la femelle, inclinant sa tête et déployant sa queue et sa huppe. Cette espèce construit un grand nid de brindilles et autres végétaux, dans lequel un seul œuf est pondu, généralement incubé par les deux parents, qui prennent soin conjointement de leurs poussins. Les premiers jours suivant l'éclosion, ceux-ci sont nourris avec du «lait de pigeon», accompagné ensuite de nourriture partiellement digérée et régurgitée. Les jeunes quittent le nid à trente-cinq ou quarante jours pour commencer à se nourrir au sol de fruits, de graines et d'invertébrés.

LORIQUET À TÊTE BLEUE

NOM SCIENTIFIQUE	*Trichoglossus haematodus.*
FAMILLE	Psittacidae.
LONGUEUR	25 cm.
HABITAT	Forêts d'eucalyptus, bois, parcs et jardins.
RÉPARTITION	Indonésie, Nouvelle-Guinée, îles Salomon. Nord de l'Australie, jusqu'à la péninsule du cap York, au sud sur la côte est et sud-est.
DESCRIPTION	Dessus vert, avec la tête et le ventre bleus; poitrine, collier et dessous des ailes de couleur variable, souvent nuancés de jaune et de rouge.

Petit perroquet, le loriquet à tête bleue est un oiseau remarquable par son plumage d'un gris brillant dans l'ensemble, mais présentant de nombreuses variations de couleur sur le cou et la poitrine, ce qui a permis d'identifier vingt sous-espèces. Il est aussi doté d'un organe vocal développé; ses groupes, très bruyants, émettent des cris perçants et jacassent lorsqu'ils se nourrissent. Cet oiseau est amateur de fruits, de graines et de fleurs, occasionnellement d'insectes, mais il préfère le nectar et le pollen. En effet, son physique est spécialement adapté à leur consommation, car il est doté d'une langue dont l'extrémité est semblable à une brosse, garnie de papilles auxquelles adhère le pollen. Il passe la plupart de son temps à se nourrir, très actif le matin et le soir, se perchant sur les arbres durant la nuit ainsi qu'aux heures chaudes de la journée. Grégaire, il cherche sa nourriture en groupes de vingt à trente individus, mais se perche par centaines, voire par milliers d'oiseaux.

Les couples sont monogames et unis pour la vie. Les nids sont établis dans des cavités d'arbres, souvent bien au-dessus du sol, et deux ou trois œufs y sont pondus. La femelle les incube durant vingt-cinq jours, le mâle lui apportant de quoi se nourrir. Les deux parents subviennent aux besoins de leur progéniture.

CACATOÈS ROSALBIN (GALAH) ▲

NOM SCIENTIFIQUE	*Eolophus roseicapillus.*
FAMILLE	Psittacidae.
LONGUEUR	35 cm.
HABITAT	Prairies, champs cultivés, bois, lisières de forêts.
RÉPARTITION	Grande partie de l'Australie, îles du large, absent de beaucoup de côtes.
DESCRIPTION	Tête, cou et dessous roses; calotte rose pâle; dos, ailes et queue gris.

Le cacatoès rosalbin, dit aussi «galah», est l'espèce de cacatoès la plus répandue en Australie, en groupes étendus dans des habitats divers. Il a besoin d'arbres pour nidifier, mais tend à se nourrir au sol en milieu ouvert, en général près de l'eau. Il devient de plus en plus commun près des habitations et passe le plus clair de son temps caché dans le feuillage des arbres et dans les buissons. Évitant la chaleur de la journée, il se nourrit, lorsqu'il fait plus frais, de graines, de racines, de bourgeons et d'insectes. Il montre une prédilection pour les graines des cultures céréalières, ce qui le rend nuisible pour l'agriculture dans certaines régions. Le cacatoès rosalbin peut se reproduire à diverses périodes de l'année, mais en général plus au nord de son territoire (de février à juillet) qu'au sud (de juillet à septembre). Ces oiseaux sont monogames, et les couples sont unis pour la vie, bien qu'ils recherchent un nouveau partenaire si l'un des deux vient à mourir. Ils nichent dans des creux d'arbres garnis de feuilles d'eucalyptus, avec une couvée de deux à quatre œufs, les deux parents assurant l'incubation et les soins aux petits. Quand les jeunes ont leur plumage, ils forment des groupes qui restent ensemble pendant les premières années de leur vie. Les cacatoès sont parfois classés dans leur propre famille, celle des Cacatuidae, le cacatoès rosalbin étant attribué à la sous-famille des Cacatuinae.

CACATOÈS À HUPPE JAUNE

NOM SCIENTIFIQUE	*Cacatua galerita*.
FAMILLE	Psittacidae.
LONGUEUR	45 cm.
HABITAT	Forêts, terrains boisés, habitats ouverts comme landes et terres cultivées. Aussi en zones rurales et urbaines.
RÉPARTITION	Indonésie, Nouvelle-Guinée et Australie (nord, est et sud-est). Introduit aussi dans le sud-ouest de l'Australie et en Nouvelle-Zélande.
DESCRIPTION	Plumage blanc dans l'ensemble ; huppe étroite, jaune et recourbée. Plumes des ailes et de la queue jaunes ; oreilles jaune pâle.

Le cacatoès à huppe jaune (dit aussi « cacatoès blanc ») est une espèce commune, remarquable par sa grande taille. Bruyant et abondant dans les zones urbaines, il est aussi très grégaire et se perche souvent en groupes de centaines d'individus, particulièrement bruyants le matin et le soir, aux moments où ils arrivent ou quittent leurs perchoirs, produisant un tapage de cris rauques et sonores. Lorsqu'ils cherchent leur nourriture pendant la journée, ces groupes se dispersent. Cet oiseau se nourrit surtout au sol, en quête de graines et d'insectes, mais aussi de noisettes, de fruits et de fleurs. Considéré comme nuisible en raison des dommages qu'il cause aux récoltes, il est aussi connu pour endommager les charpentes de bois des maisons ; aussi est-il permis de l'éliminer dans certaines régions. Cette pratique est surtout commune dans l'ouest de l'Australie, où l'espèce n'est pas considérée comme native de la région. Le cacatoès à huppe jaune niche au-dessus du sol, dans les creux des troncs d'arbres comme l'eucalyptus. La femelle pond deux ou trois œufs, incubés pendant trente jours environ par les deux parents. Après l'éclosion, les jeunes demeurent au nid jusqu'à ce qu'ils aient leur plumage définitif, quelque soixante-dix jours plus tard. Les cacatoès sont parfois classés dans une famille à part, celle des Cacatuidae, le cacatoès à huppe jaune étant par ailleurs attribué à la sous-famille des Cacatuinae.

CALOPSITTE ÉLÉGANTE

NOM SCIENTIFIQUE	*Nymphicus hollandicus.*
FAMILLE	Psittacidae.
LONGUEUR	30 cm.
HABITAT	Plaines arides, terrains boisés et fourrés, en général près de l'eau.
RÉPARTITION	Intérieur de l'Australie. Absente de la Tasmanie et de plusieurs zones côtières.
DESCRIPTION	Grise dans l'ensemble ; dessous plus clair, parfois teinté de brun. Rayures blanches sur les ailes ; tache rouge orangé sur les oreilles ; tête et huppe jaunes. Dessous des ailes noir chez le mâle, jaune chez la femelle.

La calopsitte élégante (dite aussi « nymphique ») est parfois classée dans la famille des Cacatuidae, à savoir celle du cacatoès auquel elle est étroitement apparentée, mais elle est surtout rangée dans sa propre sous-famille, celle des Nymphicinae. Elle diffère des autres cacatoès sur plusieurs points : elle est plus petite et est la seule de cette espèce à pouvoir se reproduire dès la première année de sa vie. La période de reproduction est variable suivant les conditions climatiques et coïncide souvent avec la saison des pluies. Les nids sont habituellement placés dans un creux d'eucalyptus, à proximité de l'eau. La couvée est de quatre à six œufs. L'incubation dure environ vingt jours, assurée par les deux parents, ainsi que le nourrissage des petits. Cette espèce tend à former des couples durables, souvent pour la vie ; des couples ou de petits groupes se nourrissent ensemble. Dans les zones agricoles où la nourriture est abondante, des groupes peuvent compter des centaines d'individus, et ils sont considérés comme un fléau par les cultivateurs. La calopsitte consomme des grains de céréales, des graines variées, des bourgeons et des baies. Au nord de son aire de distribution, cette espèce est très nomade ; elle se déplace en quête de nourriture, tandis que les populations du sud ont des habitudes migratoires plus stables.

GRAND ÉCLECTUS

NOM SCIENTIFIQUE	*Eclectus roratus.*
FAMILLE	Psittacidae.
LONGUEUR	35 cm.
HABITAT	Basses terres, forêts pluviales, mangroves.
RÉPARTITION	Nouvelle-Guinée et îles alentour. Petite population en Australie, sur la péninsule du cap York.
DESCRIPTION	Trapu ; queue large et courte. Les mâles sont verts, avec une tache rouge sur les flancs, le haut du bec jaune. La femelle est rouge, avec le dessous bleu ou pourpre.

Le grand éclectus présente le dimorphisme sexuel le plus évident dans le monde aviaire : alors qu'un très grand nombre d'oiseaux revêtent des livrées nuptiales particulières en période de reproduction, les genres de cette espèce ont des différences prononcées tout au long de l'année, les mâles étant essentiellement verts et les femelles rouges. On a donc pu penser un moment qu'il s'agissait d'espèces différentes. La reproduction s'effectue à tout moment de l'année, et si les conditions sont favorables, une seconde couvée peut intervenir sitôt que les petits ont leur plumage et quittent le nid. La femelle choisit l'emplacement du nid, habituellement un creux élevé dans un arbre ou à la lisière d'une forêt ; elle y pond et y incube deux œufs, pendant que le mâle la nourrit avec des aliments régurgités. Les petits naissent deux ou trois semaines plus tard et sont nourris par les deux parents. Le grand éclectus est très sociable ; il se perche en groupes importants, avant de se disperser pour chercher à manger dans les arbres, par couples ou en petits groupes. Toutefois, ces groupes se constituent en grand nombre lorsque la nourriture est abondante. Ils consomment divers fruits, des bourgeons, des graines et des fruits secs.

PERRUCHE OMNICOLORE

NOM SCIENTIFIQUE	*Platycercus eximius.*
FAMILLE	Psittacidae.
LONGUEUR	32 cm.
HABITAT	Forêts et terrains boisés, prairies, champs cultivés, bords de routes, parcs et jardins.
RÉPARTITION	Sud-ouest de l'Australie et de la Tasmanie. Introduite en Nouvelle-Zélande.
DESCRIPTION	Tête et haut de la poitrine écarlates ; joues blanches ; festons vert-jaune et noirs sur le dos ; dessous jaune et ailes bleues. Femelle légèrement plus claire ; tache verdâtre sur la nuque.

Espèce commune dans toute son aire de répartition, la perruche omnicolore est l'un des perroquets les plus colorés d'Australie. Elle préfère les habitats boisés, mais on la voit souvent dans les villes et leurs faubourgs, en général en couples ou en petits groupes familiaux, se rassemblant en plus grand nombre au cours de l'hiver. Elle peut se nourrir au sol ou dans les buissons et les arbres, où elle recherche des graines, des fruits secs, des fleurs, du nectar et divers fruits ; elle est parfois considérée comme nuisible par les agriculteurs, en raison des dommages qu'elle cause aux vergers et aux cultures. Ses pattes présentent deux orteils tournés vers l'avant et deux vers l'arrière ; comme les autres perroquets, elle est très adroite et parvient sans peine à attraper sa nourriture. Elle niche dans un creux, en général loin du sol, très haut dans un arbre, mais aussi, à l'occasion, dans une souche ou une haie. Après l'accouplement, la femelle pond généralement trois ou quatre œufs, mais elle peut en pondre jusqu'à neuf. Elle les incube seule pendant trois semaines environ, le mâle venant parfois la rejoindre dans le nid. Après l'éclosion, les petits sont nourris exclusivement par la femelle pendant les deux premières semaines. Le mâle se joint ensuite à elle pour prendre soin des jeunes, qui ont leur plumage quelques semaines plus tard. Au nord de son aire de répartition, la perruche omnicolore fait l'objet d'un croisement avec la perruche à tête pâle *(Platycercus adscitus)*, qui lui est étroitement apparentée.

PERRUCHE ONDULÉE ▲

NOM SCIENTIFIQUE	*Melopsittacus undulatus.*
FAMILLE	Psittacidae.
LONGUEUR	18 cm.
HABITAT	Désert, semi-désert, forêts et prairies.
RÉPARTITION	Grande partie de l'Australie. Généralement absente des côtes. Introduite avec succès dans plusieurs régions.
DESCRIPTION	Petite et profilée. Front et gorge jaunes ; rayures jaunes et noires sur les joues et la calotte, se développant sur le dos. Dessous et croupion vert pâle ; queue bleu-vert. Peau de la base du bec marron clair chez la femelle, bleue chez le mâle.

Espèce domestiquée familière, la perruche ondulée est l'oiseau d'agrément le plus connu dans le monde. De nombreuses tentatives ont été faites pour établir des populations sauvages en dehors de leur territoire naturel, notamment en Grande-Bretagne et aux États-Unis, le plus souvent sans succès. Toutefois, des populations sauvages existent en Europe, et cette espèce commence à s'établir en Amérique du Nord, notamment en Floride. On rencontre cet oiseau à l'état sauvage dans une vaste partie de l'Australie, où il vit en grands groupes nomades, constamment à la recherche de nourriture et d'eau. Des colonies de reproduction s'établissent quand les conditions sont favorables, en particulier après de fortes pluies, quand les graines d'herbes, leur nourriture favorite, sont les plus abondantes. La perruche ondulée niche dans des creux d'arbres ou sur des poteaux. Elle est monogame, mais les parents ne couvent pas tous deux les œufs. La femelle s'occupe d'une couvée de quatre à huit œufs, pendant que le mâle emploie tout son temps à la recherche de nourriture. Plusieurs couvées successives peuvent avoir lieu si les conditions le permettent. C'est un oiseau diurne, actif tout au long de la journée, bien que cherchant de l'ombre à la mi-journée ou lorsque la chaleur devient très élevée. Il regagne son perchoir à la tombée de la nuit.

PERROQUET GRIS

NOM SCIENTIFIQUE	*Psittacus erithacus.*
FAMILLE	Psittacidae.
LONGUEUR	33 cm.
HABITAT	Terrains boisés, forêt pluviale, savane.
RÉPARTITION	Afrique centrale, de la Guinée au Kenya, jusqu'à l'ouest de l'Angola.
DESCRIPTION	Gris dans l'ensemble ; peau blanche autour des yeux ; queue rouge vif.

Le perroquet gris (dit aussi « jaco ») est le plus grand perroquet d'Afrique. Il vit en grand nombre dans les denses forêts équatoriales, où l'on peut l'observer en groupes, en particulier lorsqu'il se perche. Durant la journée, il cherche sa nourriture au sommet des arbres, qu'il atteint plus en grimpant le long des branches qu'en volant. Il consomme des graines, des fruits et des baies, avec une prédilection pour la chair de noix de palme, qu'il mange en la maintenant entre ses pattes. Il se nourrit également au sol et, bien qu'il soit craintif de nature, il est devenu hardi dans les zones agricoles, où il est considéré comme nuisible, car il se montre très destructeur envers les cultures, notamment celle du maïs. Pendant que le groupe se nourrit, un oiseau, parfois plusieurs, joue le rôle de sentinelle, émettant un cri sonore et rauque pour annoncer l'approche d'un danger. Les perroquets gris, très bruyants en vol, font entendre le matin et le soir, avant et après le perchage, une grande variété de cris et de sifflements. En captivité, ils sont connus pour leur don d'imitation vocale. La période de reproduction est variable, mais coïncide avec la saison des pluies, la nourriture étant alors abondante. Les perroquets gris sont monogames et se reproduisent en colonies éparses ; ils placent leur nid dans le creux d'un tronc d'arbre, utilisant leur bec puissant pour agrandir les trous existants. La femelle y pond de deux à quatre œufs qu'elle incube seule, les deux parents prodiguant leurs soins aux petits. Ceux-ci quittent le nid deux ou trois mois plus tard, mais sont nourris et soignés pendant encore un mois.

PERRUCHE À COLLIER

NOM SCIENTIFIQUE	*Psittacula krameri*.
FAMILLE	Psittacidae.
LONGUEUR	40 cm.
HABITAT	Terrains boisés, mangroves, savanes, villes et villages.
RÉPARTITION	Du Sénégal à la Chine, à travers l'Asie.
DESCRIPTION	Vert dans l'ensemble, avec un bec recourbé rouge et une longue queue en pointe. Les mâles ont un collier noir et rougeâtre. Les oiseaux d'Afrique sont plus jaunâtres.

La perruche à collier occupe la plus vaste aire de répartition de tous les perroquets et se rencontre dans des habitats variés, des forêts tropicales aux zones urbaines. Natives d'Asie et d'Afrique, des populations sauvages se sont établies en partie en Europe, où elles fréquentent surtout les forêts à feuilles caduques, les vergers, les parcs et les jardins. Grégaire et très bruyante, cette espèce forme des groupes importants, en particulier sur les lieux de perchage comme les grands arbres, d'où elle fait entendre ses cris et ses sifflements. En vol, généralement rapide et élevé, ces oiseaux émettent des appels stridents presque discontinus et des jacassements assourdis quand ils se nourrissent. Ils consomment des graines, des fleurs et occasionnellement des insectes, qu'ils cherchent au sol ou dans les arbres et les broussailles. Cette espèce se nourrit aussi dans les champs de céréales, et elle est considérée comme nuisible par les agriculteurs. Les perruches à collier sont monogames ; pendant la période de reproduction, elles renforcent leurs liens en frottant réciproquement leurs becs. Le mâle parade en se pavanant, en levant une patte à plusieurs reprises et en régurgitant de la nourriture qu'il offre à la femelle. Les couples nidifient dans des creux d'arbres ou des cavités sur les édifices, parfois sur des escarpements rocheux, où ils installent une couvée de trois à six œufs. L'incubation, assurée surtout par la femelle, dure vingt-huit jours environ. Les petits naissent nus et commencent à avoir des plumes environ un mois plus tard, puis leur plumage complet un mois après. Ils demeurent dépendants de leurs parents plusieurs mois encore.

CONURE SOLEIL

NOM SCIENTIFIQUE	*Aratinga solstitialis.*
FAMILLE	Psittacidae.
LONGUEUR	30 cm.
HABITAT	Forêts, bosquets de palmiers, savanes.
RÉPARTITION	Amérique du Sud, nord-est du Brésil, Guinée et Venezuela.
DESCRIPTION	Plumage variable, en général jaune, orange et rouge ; ailes et queue vertes.

Le nom commun de cette espèce lui vient des couleurs vives – jaune, rouge et orange – de son plumage. De fait, c'est l'un des oiseaux les plus colorés parmi les petits perroquets d'Amérique du Sud. Malgré cet aspect voyant, il peut passer inaperçu quand il se perche à la cime des arbres, en particulier les jeunes, dont le plumage est presque entièrement vert. Lorsqu'ils sont en vol, en revanche, les groupes de conures soleil révèlent leur présence par des cris sonores, et continuent de jacasser, plus faiblement, quand ils se nourrissent. Très sociables, ils se perchent et se nourrissent par petits groupes, mais se rassemblent en plus grand nombre quand la nourriture est abondante. Ils se tiennent alors surtout dans les arbres, consommant des fruits, des graines et des fleurs ; ils descendent parfois aussi à terre, spécialement attirés par les fruits de cactus. Cette espèce atteint la maturité sexuelle à deux ans. La reproduction intervient en différentes périodes de l'année, mais commence habituellement au printemps. Ces oiseaux tendent à nidifier en colonies éparses et placent leur nid dans des trous de palmiers ou autres arbres. Les œufs sont au nombre de trois ou quatre, incubés par la femelle pendant vingt-trois jours environ. Les jeunes ont leur plumage environ cinquante jours plus tard, mais demeurent près de leurs parents quelque temps après avoir quitté le nid.

ARA HYACINTHE

NOM SCIENTIFIQUE	*Anodorhynchus hyacinthinus.*
FAMILLE	Psittacidae.
LONGUEUR	1 m.
HABITAT	Habitats boisés variés, des forêts denses aux bosquets de palmiers, marais de mangroves, prairies aux arbres clairsemés.
RÉPARTITION	Brésil, Bolivie et Paraguay.
DESCRIPTION	Grand perroquet bleu profond dans l'ensemble ; peau dénudée autour des yeux et de la mandibule inférieure. Grand bec très crochu ; longue queue effilée.

L'ara hyacinthe est le plus grand perroquet du monde : en effet, il peut atteindre 1 m de longueur, bien que la moitié de sa taille soit due à sa queue. Il vit dans une grande partie de l'intérieur du Brésil et des régions voisines, mais il est seulement commun localement, et sa population décroît en raison de la perte progressive de son habitat, causée par l'extension de l'agriculture, et de sa capture illégale comme oiseau d'agrément. L'exportation commerciale d'oiseaux vivants a été interdite au Brésil dans les années 1970, et l'ara hyacinthe est également protégé par la Convention sur le commerce international des espèces en danger (CITES), qui interdit son commerce dans le monde entier. Cependant, il existe encore un marché de ces oiseaux aux États-Unis, en Europe et de plus en plus en Extrême-Orient, si bien qu'ils sont toujours menacés. Dans les lieux où l'ara hyacinthe n'est pas dérangé, il se montre peu craintif et sédentaire, et se rassemble souvent près des fermes pour se nourrir de noix de palme ramollies par leur passage dans le tube digestif du bétail. Il consomme aussi divers fruits et occasionnellement des invertébrés. La reproduction intervient entre juillet et décembre. Le nid est placé dans le creux d'un arbre ou d'une falaise. La femelle pond d'ordinaire deux œufs, mais le plus souvent un seul poussin survit. L'incubation dure environ un mois, assurée par la femelle, le mâle se chargeant de la nourrir. Les jeunes ont leur plumage à trois mois environ, mais demeurent dépendants de leurs parents jusqu'à six mois.

ARA ROUGE

NOM SCIENTIFIQUE	*Ara macao.*
FAMILLE	Psittacidae.
LONGUEUR	90 cm.
HABITAT	Forêts pluviales, lisières de forêts et savanes.
RÉPARTITION	Sud du Mexique, Amérique centrale et du Sud.
DESCRIPTION	Tête, épaules et queue écarlates ; dos jaune ainsi que la moitié des ailes ; taches blanches autour des yeux. Grand bec, blanc vers le haut, noir en dessous.

L'ara rouge est très largement répandu en Amérique centrale et du Sud, mais sa population a été sérieusement réduite par la déforestation, l'exportation illégale et la chasse pour ses plumes et sa chair. Des efforts ont cependant été entrepris pour arrêter ce déclin par une protection légale, avec la mise hors la loi de son commerce et l'installation de nichoirs. Malgré ces mesures, cette espèce demeure fragile en raison de la longueur de son cycle de reproduction. Celle-ci n'intervient que tous les deux ans, et les jeunes demeurent dépendants de leurs parents pendant le même laps de temps. Les aras rouges forment des couples monogames généralement unis pour la vie. On peut les rencontrer en petits groupes, parfois en association avec d'autres espèces d'aras, et des couples peuvent passer la plupart de leur temps ensemble, sauf lors de la reproduction, la femelle assurant l'incubation pendant que le mâle part à la recherche de nourriture. Le nid est établi dans un arbre creux et reçoit habituellement deux œufs. Cet oiseau consomme des fruits, dont des fruits secs, des graines et, occasionnellement, du nectar et des fleurs. On a aussi pu en voir consommer de l'argile prélevée sur des falaises ou au bord des rivières, ce qui faciliterait la digestion des toxines ingérées en mangeant des fruits verts ou autres végétaux.

PIONE À TÊTE BLEUE

NOM SCIENTIFIQUE	*Pionus menstruus.*
FAMILLE	Psittacidae.
LONGUEUR	28 cm.
HABITAT	Forêts, terres cultivées, contreforts.
RÉPARTITION	Amérique centrale et du Sud tropicales, du Costa Rica au sud-est du Brésil.
DESCRIPTION	Vert dans l'ensemble ; plumes tachetées de rose sur la gorge ; dessous de la queue rouge. Tête, cou et haut de la poitrine bleu profond ; tache plus foncée sur les oreilles.

Très répandu et abondant dans son territoire, le pione à tête bleue (ou « perroquet à tête bleue ») est souvent rencontré seul ou en couple. Cependant, en dehors de la période de reproduction ou quand la nourriture est suffisante, il forme des groupes importants, en particulier dans les terres cultivées, où ces oiseaux se nourrissent de fruits ou de graines de maïs. Ils se réunissent avec d'autres perroquets pour se nourrir sur des sols riches en minéraux, afin, suppose-t-on, de neutraliser les toxines ingérées dans des végétaux qu'ils consomment. Le pione à tête bleue cherche au sommet des arbres des fruits, des graines, des fleurs et des fruits secs. En période de reproduction, les groupes se dispersent et chaque couple établit son nid dans un creux de tronc d'arbre, en général loin du sol. Trois ou quatre œufs y sont pondus, incubés surtout par la femelle pendant quelque vingt-huit jours. Après l'éclosion, les jeunes reçoivent les soins des deux parents et quittent le nid lorsqu'ils ont atteint huit semaines environ.

PAPEGEAI MAILLE

NOM SCIENTIFIQUE	*Deroptyus accipitrinus.*
FAMILLE	Psittacidae.
LONGUEUR	33 cm.
HABITAT	Basses terres, forêts pluviales.
RÉPARTITION	Partie nord de l'Amérique du Sud, de la Colombie à la Guyane, Venezuela et Brésil.
DESCRIPTION	Dessus gris ; rémiges primaires noires. Front et calotte chamois clair ; face marron avec marques blanches. Plumes de la nuque, de la poitrine et de l'abdomen rouge foncé ; bords bleus. Très large queue.

Le papegeai maillé est une espèce remarquable, surtout lorsqu'il adopte sa posture de parade, dressant les plumes de son cou pour former un grand éventail encadrant sa face. Il adopte aussi cette attitude lorsqu'il est effrayé ou excité, et lors de la reproduction, avec un accompagnement de vocalises sonores et de balancements à droite et à gauche. Ces perroquets se rencontrent en général en couples ou en petits groupes, perchés au sommet des arbres, où ils se nourrissent de graines, de fruits secs et de feuilles. Ils se perchent en hauteur dans la voûte des forêts pluviales. Ils produisent une couvée de deux ou trois œufs. L'incubation dure environ vingt-six jours, pendant lesquels la femelle quitte rarement le nid, le mâle pourvoyant à sa nourriture. Après l'éclosion, les deux parents prennent soin des petits. Bien que considéré comme commun dans son aire de répartition, cet oiseau voit sa population décliner, en raison de l'importante déforestation ; c'est ainsi que la sous-espèce *D.a. fuscifrons* a presque disparu à l'état sauvage.

NESTOR KÉA ▼

NOM SCIENTIFIQUE	*Nestor notabilis.*
FAMILLE	Psittacidae.
LONGUEUR	48 cm.
HABITAT	Vallées boisées, prairies, broussailles.
RÉPARTITION	Zones montagneuses du sud de l'Irlande, Nouvelle-Zélande.
DESCRIPTION	Brun olive dans l'ensemble ; dos et ailes verts ; croupion brun rougeâtre ; dessous des ailes orange. La mandibule supérieure du bec est élargie et incurvée.

Le nestor kéa est un grand perroquet trapu qui passe le plus clair de son temps à chercher sa nourriture au sol. Son régime, qui varie au fil des saisons, se compose de plantes vertes, de baies et autres fruits, d'invertébrés et de charognes. Le nestor kéa a la réputation d'attaquer les moutons, ce qui lui valut par le passé d'être l'objet d'une chasse impitoyable. Cependant, il s'en prend surtout aux animaux blessés ou mourants. Cet oiseau s'adapte bien : curieux et hardi, il se nourrit autour des bâtiments habités, devenant parfois nuisible. Il est connu pour briser ou dérober des objets divers, endommager les vêtements et autres effets, les essuie-glaces et les installations électriques des voitures. Il se reproduit à tout moment de l'année, excepté vers la fin de l'automne, mais habituellement de juillet à janvier. Son nid est placé dans un creux parmi les rochers ou les racines des arbres, ou encore dans les coupes en bois. Garni de mousse ou d'autres végétaux, il reçoit de deux à quatre œufs, incubés pendant trois ou quatre semaines. Les jeunes ont leur plumage environ treize semaines après leur naissance. Les nestors kéa sont des oiseaux grégaires, avec une structure sociale hiérarchisée, qui vivent en groupes familiaux jusqu'à leur maturité sexuelle. Celle-ci intervient à environ trois ans pour les femelles, vers quatre ou cinq ans pour les mâles, qui alors se dispersent. Ces derniers luttent pour établir leur suprématie dans un groupe, car seuls 10 % d'entre eux parviennent à s'accoupler.

Coucou gris ▲

NOM SCIENTIFIQUE	*Cuculus canorus.*
FAMILLE	Cuculidae.
LONGUEUR	35 cm.
HABITAT	Bordures de terrains boisés, cultures, marais et prairies.
RÉPARTITION	Grande partie de l'Europe et de l'Asie, Afrique du Nord. Hiverne en Afrique du Sud et aux Philippines.
DESCRIPTION	Gris dans l'ensemble; rayures horizontales noires sur le dessous blanc. Ailes pointues comme celles d'un faucon; queue longue et large. Femelles rarement brun-rouge.

Le cri particulier du coucou mâle, d'où cet oiseau tient son nom, a été longtemps considéré comme l'annonce du printemps, quand il revient d'Afrique, à la fin de mars ou au début d'avril, pour se reproduire durant l'été dans nos contrées. C'est probablement pour son comportement à cette occasion qu'il est le plus connu. C'est en effet un parasite des couvées, qui pond ses œufs dans les nids d'autres espèces, en général des petits chanteurs comme les pipits, les fauvettes ou les rousserolles. Le coucou gris produit une vingtaine d'œufs par saison, mais ne laisse qu'un œuf dans chaque nid occupé, choisissant une espèce particulière et déposant des œufs de même taille et de même couleur que ceux de l'hôte. Après l'éclosion, le poussin, nu et aveugle, pousse les autres œufs hors du nid. Si les petits de l'espèce parasitée naissent avant lui, il les expulse de la même façon. Le jeune coucou reçoit les soins de ses parents nourriciers, a une croissance plus rapide que les petits parasités et quitte le nid trois semaines après environ. Le coucou se nourrit d'invertébrés, en particulier de grandes chenilles.

Coucou-geai

NOM SCIENTIFIQUE	*Clamator glandarius.*
FAMILLE	Cuculidae.
LONGUEUR	40 cm.
HABITAT	Lisières de forêts, prairies, pentes rocheuses parsemées d'arbres.
RÉPARTITION	Sud-est de l'Europe et certaines zones d'Afrique.
DESCRIPTION	Huppe et calotte gris argenté; dos et ailes brun olive tachetés de blanc. Longue queue gris foncé, marquée de blanc; dessous blanc crémeux.

De même que le coucou gris, le coucou-geai manifeste un comportement parasite dans ses habitudes de reproduction : il dépose ses œufs dans les nids d'autres oiseaux, en particulier ceux des pies et autres membres de la famille des Corvidae. La femelle ne laisse en général qu'un seul œuf parmi la couvée de chacun de ses hôtes, mais, contrairement à celui du coucou gris, le petit de cette espèce ne pousse pas les œufs hors du nid : il s'installe au milieu des poussins qui éclosent, se camouflant en développant des plumes semblables aux leurs et en imitant leur cri. Le coucou-geai grandit rapidement et quitte le nid environ dix-huit jours plus tard pour chercher lui-même sa nourriture. Celle-ci, prise surtout au sol dans des lieux légèrement boisés, est composée d'insectes et de grosses chenilles velues, que la plupart des autres oiseaux délaissent. Les individus des zones septentrionales et méridionales extrêmes de leur aire de répartition migrent en général de l'Europe vers l'Afrique, puis de l'Afrique du Sud vers le nord, formant après la reproduction des groupes très étendus.

ANI À BEC LISSE

NOM SCIENTIFIQUE	*Crotophaga ani.*
FAMILLE	Cuculidae.
LONGUEUR	35 cm.
HABITAT	Prairies, broussailles, cultures, lieux légèrement boisés.
RÉPARTITION	Du sud de la Floride au nord de l'Argentine, à travers les Caraïbes et l'Amérique centrale.
DESCRIPTION	Grosse tête et gros bec ; queue longue et arrondie. Plumage noir.

L'ani à bec lisse appartient à la famille des coucous, mais s'en distingue par sa grosse tête et son bec fort. Il vole faiblement et se tient surtout à terre, où il recherche de grands invertébrés comme des sauterelles, des petits vertébrés comme des lézards, ainsi que des graines et des baies. On le rencontre fréquemment près des fermes, où il prélève des tiques sur le bétail. Ces oiseaux sont grégaires ; ils se nourrissant en général en petits groupes, assemblés parfois à des anis à bec cannelé *(Crotophaga sulcirostris)*, très semblables. Ils nichent aussi collectivement et ne parasitent pas les nids d'autres oiseaux, comme le font beaucoup de coucous de l'Ancien Monde. Leurs nids sont de grandes constructions en forme de coupe, placés dans les buissons épineux ou dans les arbres ; plusieurs femelles y pondent leurs œufs. La couvée est de trois à cinq œufs par femelle, mais il peut s'en trouver plus de trente dans un même nid ; des groupes de couples se partagent alors l'incubation et le nourrissage des petits.

GRAND GÉOCOUCOU ▲

NOM SCIENTIFIQUE	*Geococcyx californianus.*
FAMILLE	Cuculidae.
LONGUEUR	58 cm.
HABITAT	Prairies, broussailles et déserts.
RÉPARTITION	Sud-ouest des États-Unis et Mexique.
DESCRIPTION	Plumage chamois tacheté de blanc. Dessous blanc ; queue et pattes longues ; bande bleue derrière les yeux ; huppe hérissée.

Grand coucou, volant rarement et vivant surtout au sol, le grand géocoucou court très vite sur ses longues pattes, atteignant une vitesse de 25 km/h environ quand il cherche sa nourriture à découvert dans des habitats arides. Il consomme des petits rongeurs, des reptiles (lézards) et de grands invertébrés, dont des scorpions. Cet oiseau a une peau noire qui absorbe rapidement la chaleur et, quand il fait froid, on peut le voir tôt le matin se prélasser au soleil en écartant ses plumes. Le grand géocoucou vit durablement en couple et occupe toujours le même territoire, nidifiant parmi les cactus ou dans un buisson épineux, après avoir construit son nid en forme de coupe avec des brindilles. La femelle y pond de trois à six œufs, incubés par les deux parents pendant environ trois semaines. L'éclosion a lieu par intervalles, et, quand la nourriture est rare, les plus jeunes poussins meurent ou sont parfois mangés par leurs parents ou leurs frères et sœurs.

TOURACO GÉANT

NOM SCIENTIFIQUE	*Corythaeola cristata.*
FAMILLE	Musophagidae.
LONGUEUR	75 cm.
HABITAT	Forêts tropicales.
RÉPARTITION	Certaines zones de l'Afrique centrale et de l'Ouest.
DESCRIPTION	Grand oiseau à longue queue ; huppe érigée en permanence ; dessus bleu ; dessous rouge et jaune.

Le touraco géant (ou grand touraco bleu) est le plus grand de sa famille, un groupe d'oiseaux d'Afrique étroitement apparenté aux coucous. Il habite les forêts et vit surtout dans les arbres. Ses ailes courtes et arrondies limitant son vol, il se glisse ou grimpe de branche en branche. Il se nourrit surtout de fruits variés et d'invertébrés. En période de reproduction, le touraco géant construit une légère plateforme de brindilles et de feuilles à la fourche d'un arbre ou dans un buisson, en général loin du sol. La femelle y pond habituellement deux œufs, qu'elle incube seule pendant dix-huit jours environ, le mâle assurant sa nourriture. Les jeunes possèdent sur leurs ailes des excroissances rudimentaires qui les aident à grimper. Cette espèce est difficile à apercevoir dans son habitat dense, mais elle peut former de petits groupes, que l'on peut entendre émettre des cris plaintifs et des appels ressemblant à des aboiements.

HOAZIN HUPPÉ

NOM SCIENTIFIQUE	*Opisthocomus hoazin.*
FAMILLE	Opisthocomidae.
LONGUEUR	64 cm.
HABITAT	Lisières de forêts, fourrés près de marais, lacs et rivières.
RÉPARTITION	Nord de l'Amérique du Sud, Venezuela, Brésil et Bolivie.
DESCRIPTION	Oiseau grand et lourd ; large queue ; long cou ; huppe longue et hérissée. Plumage brun olive dessus avec des taches chamois ; gorge et poitrine chamois ; dessous brun.

Le hoazin huppé, oiseau à l'apparence remarquable, est considéré comme un survivant, témoin de son ascendance reptilienne car, comme les touracaos, les jeunes de cette espèce possèdent sur leurs ailes des excroissances rudimentaires leur permettant de grimper dans les arbres avant même de pouvoir voler, et qui disparaissent par la suite. Le hoazin huppé tend d'habitude à nicher au-dessus de l'eau, et il n'est pas rare que les jeunes y tombent, soit par accident, soit pour échapper à un danger ; mais ils sont capables de nager et de retourner au nid. En période de reproduction, cette espèce vit en petits groupes d'une dizaine d'individus (parfois beaucoup plus nombreux), leurs membres s'occupant tous de l'incubation et des soins à prodiguer aux jeunes. Cet oiseau se nourrit surtout de feuilles et de bourgeons de plantes des marais, et il est doté, pour faciliter leur digestion, d'un grand jabot. Celui-ci peut contenir une grande quantité de nourriture, au point de gêner le vol.

EFFRAIE DES CLOCHERS

NOM SCIENTIFIQUE	*Tyto alba.*
FAMILLE	Tytonidae.
LONGUEUR	38 cm.
HABITAT	Terrains boisés, prairies, terres cultivées, souvent près des habitations.
RÉPARTITION	Dans le monde entier, Europe, Afrique, sud de l'Asie de l'Est, Australie et continent américain.
DESCRIPTION	Oiseau blanc ; tête en forme de cœur ; dessous blanchâtre. Dessus brun orangé clair ; taches noires sur la tête et les épaules. Longues pattes.

L'effraie des clochers et ses proches parentes, l'effraie masquée ou la chouette hulotte, appartiennent à la famille des Tytonidae, l'une des deux familles de chouettes, l'autre étant celle des Strigidae, ou chouettes proprement dites. Les deux groupes partagent plusieurs caractéris-

tiques : ce sont des oiseaux surtout nocturnes, dotés d'une large face aux yeux placés en avant et d'un plumage doux et dense qui leur permet un vol silencieux. Bien que prédateurs, ils sont plus proches des engoulevents que des rapaces diurnes. L'effraie des clochers est une espèce très répandue. Son nom suggère qu'elle se perche et nidifie dans les clochers, mais elle utilise aussi d'autres édifices ou des creux dans les arbres et les falaises. Elle chasse la nuit ou à l'aube et au crépuscule, capturant de petits rongeurs, des chauves-souris ou des oiseaux, des reptiles, des amphibiens et de grands invertébrés. À la différence d'autres chouettes, elle ne saisit pas ses proies avec ses serres, mais les emporte dans son bec. En période de reproduction, la femelle pond de quatre à sept œufs qu'elle incube seule pendant un mois environ, le mâle assurant sa nourriture. Les deux parents prennent soin des petits après leur naissance.

PHODILE CALONG

NOM SCIENTIFIQUE	*Phodilus badius.*
FAMILLE	Tytonidae.
LONGUEUR	33 cm.
HABITAT	Forêts tropicales.
RÉPARTITION	Du nord de l'Inde à Bornéo, toute l'Asie du Sud-Est. Populations isolées dans l'Inde du Sud et au Sri Lanka.
DESCRIPTION	Dessus brun-rouge; face et dessous chamois ou blanchâtres, avec des taches noires sur le dessus et le dessous. Face en forme de cœur, avec des plumes rigides au-dessus des yeux.

Bien que le phodile calong appartienne à la famille des Tytonidae, le fait qu'il ait des plumes rigides en haut de la face, semblables aux touffes d'oreilles de beaucoup de chouettes proprement dites, pourrait représenter un maillon évolutif entre les deux groupes. C'est un habitant des forêts tropicales denses entièrement nocturne, se perchant le jour dans un creux d'arbre, ne sortant que la nuit pour chasser. Comme d'autres chouettes, il possède de grands yeux qui captent un maximum de lumière; dans l'obscurité totale, il se fie à son audition stéréophonique pour localiser sa proie. Il se nourrit principalement de grands insectes arboricoles, mais capture aussi des animaux plus importants, comme des petits oiseaux, des mammifères, des amphibiens et des reptiles. Cette espèce niche dans un creux nu d'arbre, y pondant de trois à cinq œufs, incubés par la femelle pendant que le mâle chasse pour lui procurer de la nourriture.

◀ GRAND DUC D'AMÉRIQUE

NOM SCIENTIFIQUE	*Bubo virginianus.*
FAMILLE	Strigidae.
LONGUEUR	58 cm.
HABITAT	Très varié : forêts, mangroves, montagnes, déserts, terres cultivées et banlieues des villes.
RÉPARTITION	Tout le continent américain, mais absent des denses forêts pluviales d'Amérique du Sud.
DESCRIPTION	Grande chouette; plumage allant du gris tacheté au marron; dessous plus clair strié de noir; touffes d'oreilles.

Le grand duc d'Amérique est une espèce commune de grande taille qui vit dans des habitats très variés du continent américain. Il peut être actif le jour, mais se montre principalement nocturne, chassant la nuit ses proies préférées, comme des petits rongeurs. Il consomme aussi des lapins, des moufettes et des oiseaux, ainsi que plusieurs espèces de chouettes et même de plus grands prédateurs. Il se nourrit aussi de proies plus petites (reptiles, amphibiens) et de grands invertébrés. Comme d'autres chouettes, il avale sa proie entière, régurgitant ensuite les matières indigestes comme la fourrure ou les os, sous forme de pelotes. La période de reproduction commence généralement au début du printemps, mâles et femelles s'appelant alors par des hululements. Les nids sont placés au bord des falaises, au sol ou parfois dans un nid abandonné par un prédateur. La femelle y pond environ trois œufs, couvés par les deux parents pendant quatre semaines. Après l'éclosion, les petits reçoivent les soins de leurs parents pendant deux mois.

GRAND DUC D'EUROPE

NOM SCIENTIFIQUE	*Bubo bubo.*
FAMILLE	Strigidae.
LONGUEUR	70 cm.
HABITAT	Forêts de montagne, pentes rocheuses, steppes.
RÉPARTITION	Parties de l'Afrique du Nord et de l'Europe, Asie (Sibérie et Chine).
DESCRIPTION	Grosse chouette au plumage brun foncé tacheté sur le dessus; dessous chamois rayé de noir. Grandes touffes sur les oreilles et grands yeux orange.

Cette espèce compte parmi les plus grandes chouettes. Elle peut saisir de grosses proies comme des lièvres, des renards, des perdrix et des canards, les capturant en vol ou au sol. Le grand duc d'Europe s'attaque aussi à d'autres chouettes et à de plus gros prédateurs. Parfaitement adaptable, il peut aussi subsister en consommant toute une variété de petits animaux, rongeurs, poissons, amphibiens, reptiles et invertébrés. Pendant la période de reproduction, le grand duc d'Europe niche sur des saillies de falaises, dans des creux ou des crevasses, utilisant parfois des nids abandonnés par de grands rapaces. À l'occasion, il niche à même le sol, parmi les rochers ou la végétation. Selon les disponibilités en nourriture, la femelle pond de deux à quatre œufs qu'elle incube seule, le mâle assurant pendant ce temps sa subsistance. Après l'éclosion, les poussins reçoivent les soins des deux parents pendant plusieurs mois, et quittent le nid à six semaines.

KÉTOUPA MALAIS

NOM SCIENTIFIQUE	*Ketupa ketupa/Bubo ketupa.*
FAMILLE	Strigidae.
LONGUEUR	45 cm.
HABITAT	Forêts denses près de l'eau.
RÉPARTITION	Asie du Sud-Est, de la Thaïlande à la Birmanie, Malaisie et Indonésie.
DESCRIPTION	Dessus brun foncé ; dessous brun orangé avec des taches noires. Yeux jaunes ; touffes d'oreilles ; larges pattes aux griffes incurvées.

Le kétoupa malais est un grand oiseau qui ressemble fort au grand duc d'Europe. Bien qu'il puisse consommer une large variété de petits animaux, tels que des rongeurs, des amphibiens, des reptiles et des invertébrés, il est spécialisé dans la chasse aux poissons, utilisant ses grandes serres et ses pattes couvertes d'écailles pour assurer ses prises. Il chasse la nuit, repérant les poissons ou les amphibiens depuis un perchoir situé au bord de l'eau, avant de s'élancer et de plonger, pattes écartées, pour saisir sa proie à la façon d'un balbuzard. Ses ailes sont dépourvues du plumage duveteux qui confère à la plupart des chouettes un vol silencieux. Cela est peut-être dû à ses habitudes de chasse aquatique ; de fait, il se fie davantage à sa vision qu'à son ouïe et n'alerte pas sa proie sous l'eau pendant qu'il vole.

Durant la journée, cette espèce se perche au sein de la végétation dense, souvent par couples. Son nid est placé dans le creux d'un arbre ou dans le nid abandonné d'un autre oiseau, et reçoit une couvée de deux ou trois œufs.

HARFANG DES NEIGES ▼

NOM SCIENTIFIQUE	*Nyctea scandiaca.*
FAMILLE	Strigidae.
LONGUEUR	65 cm.
HABITAT	Terrains boisés, toundras, marais côtiers.
RÉPARTITION	Circumpolaire dans l'hémisphère Nord.
DESCRIPTION	Grande chouette ; plumage dense blanc ; yeux jaunes. Les mâles peuvent être d'un blanc pur ; les femelles sont en général tachées ou striées de gris.

Avec son dense plumage blanc, le harfang des neiges est à la fois isolé et camouflé dans ses rudes habitats arctiques. Il vit toute l'année dans la toundra, où il se nourrit de rongeurs, de lièvres et d'oiseaux, guettant sa proie d'un point de vue peu élevé, comme une souche ou un affleurement rocheux, avant de s'élancer sur elle. Les lemmings constituent un élément très important de son alimentation, à tel point que, les années où ils sont en petit nombre, le harfang des neiges produit des couvées réduites ou ne se reproduit pas. Il est alors contraint de descendre plus au sud de son territoire, à la recherche d'une autre nourriture. Il niche au sol dans un léger creux et défend violemment son nid contre les intrus, même lorsqu'il s'agit de grands prédateurs comme des loups. La couvée se compose en général de cinq à huit œufs, mais, lorsque la nourriture est abondante, elle peut en compter jusqu'à quatorze, incubés par la femelle seule pendant trente-deux jours environ. Les deux parents s'occupent des petits après leur naissance. Ceux-ci quittent le nid trois semaines plus tard, mais ils ne sont pas en état de voler avant encore un mois.

Chouette lapone

Nom scientifique	*Strix nebulosa.*
Famille	Strigidae.
Longueur	68 cm.
Habitat	Forêts de conifères et d'arbres à feuilles caduques, marécages boisés et habitats ouverts.
Répartition	Nord de l'Europe, de l'Asie, de l'Amérique du Nord.
Description	Grande chouette grise dans l'ensemble, tachetée de brun. Face proéminente, marquée de cercles concentriques ; haut de la gorge blanc. Queue relativement longue ; bec et yeux jaunes.

La chouette lapone compte parmi les plus grandes chouettes. Relativement élancée, elle n'a pas la puissance du grand duc d'Amérique, le seul prédateur qui l'attaque et la tue. Elle fréquente les forêts du Nord et peut être nocturne, crépusculaire ou active le jour, particulièrement dans les parties les plus septentrionales de son aire de répartition. Elle se nourrit principalement de petits rongeurs et de musaraignes. Sa face plate lui vaut une excellente ouïe : elle peut ainsi repérer des proies sous une épaisse couche de neige. Elle chasse en général en terrain découvert, se perchant à la lisière d'un terrain boisé avant de plonger silencieusement sur sa proie. La reproduction intervient à la fin de l'hiver. Le couple niche dans un arbre creux ou dans le nid abandonné d'un rapace, y déposant de deux à cinq œufs, du printemps à la fin de l'été. La femelle les incube pendant quatre semaines environ ; après l'éclosion, les deux parents nourrissent leur progéniture.

CHOUETTE HULOTTE

NOM SCIENTIFIQUE	*Strix aluco.*
FAMILLE	Strigidae.
LONGUEUR	40 cm.
HABITAT	Régions boisées, terres cultivées, parcs et jardins.
RÉPARTITION	Majeure partie de l'Europe, de l'Asie à la Chine. Parties de l'Afrique du Nord.
DESCRIPTION	Chouette de taille moyenne ; assez dodue ; plumage marron tacheté de blanc ; face ronde.

La chouette hulotte est la chouette la plus nombreuse et la plus répandue en Europe, et la plus commune dans son aire de répartition. On la rencontre régulièrement dans les villes et leurs banlieues. Elle est surtout nocturne, se perchant durant la journée sur les branches d'un arbre ou dans un tronc creux, parfois dans l'anfractuosité d'un affleurement rocheux ou du mur d'un édifice. Elle niche aussi sur les mêmes lieux, utilisant des trous creusés par les pies ou des nids abandonnés d'oiseaux de proie, plus rarement dans des terriers. Sa couvée est de deux à cinq œufs, l'incubation étant assurée par la femelle pendant quatre semaines environ, le mâle pourvoyant à sa nourriture. Après l'éclosion, les deux parents s'occupent conjointement des petits ; ils peuvent être alors très agressifs, même envers l'homme. La chouette hulotte consomme surtout des rongeurs et des petits oiseaux. Comme c'est le cas pour d'autres chouettes, elle peut être attaquée et chassée par des oiseaux se perchant le jour. Son cri, communément traduit par un « hou hou » ou bien « hou houou », participe du cri rapide de la femelle et du hululement plus doux du mâle.

CHEVÊCHE DES TERRIERS ▼

NOM SCIENTIFIQUE	*Speotyto cunicularia/Athene cunicularia.*
FAMILLE	Strigidae.
LONGUEUR	25 cm.
HABITAT	Prairies, zones légèrement boisées.
RÉPARTITION	De l'ouest du Canada, des États-Unis et de l'Amérique centrale à la Terre de Feu. On rencontre également des populations en Floride et aux Caraïbes.
DESCRIPTION	Petite chouette ; longues pattes ; queue courte. Plumage marron dans l'ensemble, avec des marques et des taches blanches devenant chamois vers le ventre et sous la queue.

La chevêche des terriers est une espèce particulière : elle vit tout au long de l'année dans un terrier et passe le plus clair de son temps sous terre ou au sol, en petites colonies. Ces chouettes peuvent occuper les terriers de certains mammifères, comme les chiens de prairie, ou en construire elles-mêmes. Parfois, elles partagent ces terriers avec de grands rongeurs, des reptiles ou des tortues. La chevêche des terriers est surtout diurne, cherchant au niveau du sol des insectes, des amphibiens, des reptiles et des petits rongeurs. La nidification se fait dans le terrier, et cet emplacement est garni d'herbe et autres végétaux. Après l'accouplement, la femelle y pond de cinq à sept œufs, qu'elle incube pendant environ quatre semaines ; après l'éclosion, les petits reçoivent les soins de leurs deux parents. Les jeunes au nid éloignent les prédateurs en émettant des sifflements semblables à ceux des serpents.

CHEVÊCHETTE D'EUROPE ▲

NOM SCIENTIFIQUE	*Glaucidium passerinum.*
FAMILLE	Strigidae.
LONGUEUR	18 cm.
HABITAT	Surtout bois de conifères, souvent en montagne.
RÉPARTITION	Europe du Nord et centrale, jusqu'à la Sibérie.
DESCRIPTION	Très petite chouette ; marron foncé et taches blanches dessus ; rayures chamois et taches noires dessous. Épais sourcils blancs.

Il s'agit de l'une des plus petites chouettes du monde et de la plus petite en Europe. Généralement crépusculaire, elle est très active à l'aube et à la tombée de la nuit, mais peut également chasser durant la journée. Elle recherche des petits rongeurs, des reptiles et des insectes terrestres, fondant sur eux depuis un perchoir, mais attrape aussi des petits oiseaux en vol, habituellement des mésanges ou des petits passereaux. Elle est également capable de tuer des oiseaux de sa taille. En période de reproduction, la chevêchette d'Europe niche souvent dans les trous faits par les pies, surtout dans les conifères, mais elle peut aussi utiliser des nichoirs. La femelle incube seule de trois à huit œufs, pendant que le mâle lui apporte de quoi se nourrir. L'incubation dure environ trente jours, puis les deux parents s'occupent ensemble des petits. Ceux-ci quittent le nid trente jours plus tard, et sont encore nourris par les deux parents pendant six ou sept semaines, jusqu'à ce que la femelle se retire pour muer.

CHEVÊCHE D'ATHÉNA

NOM SCIENTIFIQUE	*Athene noctua.*
FAMILLE	Strigidae.
LONGUEUR	25 cm.
HABITAT	Habitats ouverts, lieux légèrement boisés, terrains rocheux et champs cultivés. Parfois aussi en zone urbaine.
RÉPARTITION	De l'ouest de l'Europe à la Chine, à travers l'Asie. Afrique du Nord.
DESCRIPTION	Petite et trapue ; plumage marron dessus, tacheté de blanc ; clair en dessous, avec des traînées noires. Face petite et blanchâtre.

Malgré sa petite taille, la chevêche d'Athéna n'est pas difficile à observer. Elle est fréquemment active le jour, et l'on peut la voir près des habitations, surtout dans les zones rurales, où elle se perche sur les haies, les poteaux télégraphiques ou dans les arbres, guettant ses proies. Elle se nourrit d'insectes et autres invertébrés, comme les vers de terre, mais peut saisir des proies plus grandes, comme des rongeurs et des petits oiseaux. Elle niche en des lieux variés – trous dans les arbres, saillies rocheuses ou d'édifices –, mais utilise aussi les nichoirs et des terriers de lapin. Cette espèce se reproduit au printemps, avec une couvée de trois ou cinq œufs, la femelle en assurant seule l'incubation. Le mâle lui procure de la nourriture pendant qu'elle est au nid et prend soin des petits après leur naissance. Si la nourriture est abondante, deux couvées peuvent intervenir dans l'année.

Hibou moyen duc

Nom scientifique	*Asio otus.*
Famille	Strigidae.
Longueur	38 cm.
Habitat	Forêts à feuilles caduques, landes et fourrés.
Répartition	Hémisphère Nord, Eurasie, Amérique du Nord, Japon.
Description	Plumage chamois marqué de plumes noires ; ventre plus clair. Longues touffes d'oreilles ; yeux orange entourés d'un disque facial orange doré.

Le hibou moyen duc possède deux touffes que l'on qualifie d'oreilles, mais celles-ci sont en réalité situées plus bas sur les côtés de la tête. Comme chez d'autres hiboux, ses conduits auditifs sont asymétriques, l'oreille gauche étant placée plus haut que la droite, ce qui lui procure une ouïe favorisant le repérage de ses proies – petits oiseaux, souris et campagnols – dans l'obscurité la plus complète. Cet oiseau étant nocturne mais discret, on l'observe difficilement de nuit. Il chasse la nuit, utilisant son ouïe efficace pour localiser ses proies en vol bas, et tue ses victimes d'un coup violent asséné derrière la tête. Ensuite, il les avale en général entières. En période de reproduction, il ne construit pas de nid, mais occupe celui d'autres oiseaux, comme les corbeaux, ou des nids d'écureuils. Il peut occasionnellement nicher dans un creux ou à la fourche d'un arbre, sur une falaise ou encore au sol. La couvée est de trois à cinq œufs, l'incubation assurée par la femelle dure quatre semaines. Celle-ci nourrit les petits avec la nourriture fournie par le mâle, qui ne s'éloigne jamais du nid. Lorsque la nourriture se fait rare, seul le plus fort des petits (en général le premier-né) est nourri, les autres étant destinés à mourir, souvent mangés par le survivant.

HIBOU DES MARAIS ▲

NOM SCIENTIFIQUE	*Asio flammeus.*
FAMILLE	Strigidae.
LONGUEUR	40 cm.
HABITAT	Prairies, marais, dunes et marécages.
RÉPARTITION	Amérique du Sud, Afrique du Nord, Eurasie.
DESCRIPTION	Ensemble marron tacheté ; quatre bandes marquées sur la queue ; touffes d'oreilles courtes ; yeux jaunes entourés de taches noires.

Le hibou des marais est semblable en apparence au hibou moyen duc, mais il est en général plus grand, et ses ailes sont plus longues et plus fines. Il en diffère en outre par ses habitudes généralement diurnes ; on peut en effet le voir chasser le jour, volant bas au-dessus des marais et des marécages à la recherche de petits mammifères comme les souris, les campagnols ou les lemmings, mais aussi d'oiseaux et d'amphibiens. On le voit également survoler la végétation ou planer pour repérer une proie. Il chasse parfois à partir de perchoirs. En période de reproduction, il niche au sol dans un léger creux garni d'herbe, habituellement sous le couvert de la végétation, comme un fourré, des herbes ou des roseaux. La couvée est de quatre à six œufs, la femelle s'en occupant seule, pendant que le mâle lui apporte de la nourriture. Les petits quittent le nid deux semaines environ après l'éclosion, mais ne volent pas avant une autre quinzaine de jours.

NINOXE BOUBOUK

NOM SCIENTIFIQUE	*Ninox novaeseelandiae.*
FAMILLE	Strigidae.
LONGUEUR	33 cm.
HABITAT	Habitats variés, de la forêt tropicale à la prairie, au désert, aux broussailles et aussi aux zones urbaines et suburbaines.
RÉPARTITION	Australie, Tasmanie et îles côtières. Nouvelle-Guinée.
DESCRIPTION	Dessus marron foncé ; dessous brun-rouge, rayé et tacheté de blanc. Grands yeux jaunes.

La ninoxe boubouk est le plus petit et le plus commun des hiboux d'Australie. Elle habite fréquemment les zones suburbaines. Surtout nocturne, on l'entend plus qu'on ne la voit, et son nom lui vient de son cri, « bou-bouk », assez semblable à celui du coucou. Bien qu'elle soit active surtout la nuit ou à l'aube et au crépuscule, on peut l'observer durant la journée, quand le temps est sombre. Elle se nourrit d'insectes, coléoptères ou phalènes, généralement attrapés en vol, et de petits rongeurs et de lézards qu'elle saisit au sol.

La ninoxe boubouk niche habituellement de septembre à février, dans un trou d'arbre, qui peut être laissé nu ou garni de végétaux. Deux ou trois œufs y sont pondus, incubés par la seule femelle, le mâle lui procurant de la nourriture. Après l'éclosion, les deux parents prodiguent leurs soins aux oisillons, qui quittent définitivement le nid à cinq ou six semaines.

GUACHARO DES CAVERNES

NOM SCIENTIFIQUE	*Steatornis caripensis.*
FAMILLE	Steatornithidae.
LONGUEUR	48 cm.
HABITAT	Cavernes et falaises en zones forestières et côtières.
RÉPARTITION	Nord de l'Amérique du Sud et Caraïbes.
DESCRIPTION	Semblable à un hibou ; face ronde ; grands yeux ; bec crochu. Brun rougeâtre dans l'ensemble, avec des taches blanches bordées de noir ; longue queue rayée.

Le guacharo des cavernes est étroitement apparenté aux engoulevents et aux podarges, mais, à la différence de ceux-ci, qui se nourrissent la nuit d'invertébrés et de petits vertébrés, c'est un oiseau qui consomme des fruits, le seul oiseau nocturne à avoir un tel comportement. Durant la journée, il demeure en grandes colonies dans des cavernes, n'en sortant que la nuit pour manger des fruits, qu'il cueille en vol sur les arbres et rapporte sur son perchoir. Sa préférence va aux fruits huileux, comme ceux des palmiers, qui lui procurent une mince couche de graisse. Cela lui vaut d'être l'objet d'une chasse active, car cette graisse est utilisée par les autochtones pour la cuisine et l'éclairage. Très bruyant, le guacharo émet une variété de cris perçants, ainsi que des sons aigus et des sortes de claquements faisant office d'échos sondeurs, à la façon des chauves-souris. Le guacharo niche dans les cavernes ; il y construit un nid composé de fientes, de fruits régurgités et de graines, dans lequel sont généralement pondus de deux à quatre œufs.

IBIJAU JAMAÏCAIN ▶

NOM SCIENTIFIQUE	*Nyctibius jamaicensis.*
FAMILLE	Nyctibiidae.
LONGUEUR	40 cm.
HABITAT	Forêts tropicales.
RÉPARTITION	Sud du Mexique et Caraïbes, Amérique centrale jusqu'au nord de l'Argentine.
DESCRIPTION	Grand et trapu ; plumage gris-brun. Le bec est court, mais possède une grande ouverture.

Les ibijaus sont très étroitement apparentés aux engoulevents (bien qu'un peu plus gros) et ont une apparence semblable, avec un plumage discret qui les camoufle durant la journée, quand ils sont inactifs. Cet oiseau passe les heures de la journée immobile dans les arbres, la tête souvent dressée à la verticale, les yeux clos et les plumes ébouriffées, se confondant ainsi avec les branches alentour. C'est également dans cette position qu'il incube son unique œuf, dans un creux nu sur une branche ou dans une souche. Il devient actif la nuit, plongeant de son perchoir pour saisir en vol de grands insectes volants. L'ibijau jamaïcain a un cri semblable à celui de l'ibijau gris *(N. griseus)*, mais peut aussi émettre une large variété de sifflements, de cris perçants et de sons retentissants.

PODARGE OREILLARD

NOM SCIENTIFIQUE	*Batrachostomus auritus.*
FAMILLE	Podargidae.
LONGUEUR	40 cm.
HABITAT	Forêts tropicales.
RÉPARTITION	Malaisie, Sumatra et Bornéo.
DESCRIPTION	Grand et trapu ; dessus brun-rouge marqué de taches blanches et de stries chamois ; collier blanc ; ventre chamois. Bouche large entourée de poils.

Le podarge oreillard est doté d'une bouche large, comparable à celle de la grenouille, qui lui permet de se nourrir de grands invertébrés comme les scorpions, les scolopendres et les escargots, mais aussi de reptiles, d'amphibiens, de petits oiseaux et de rongeurs. De même que ses proches parents les engoulevents, cet oiseau est nocturne, demeurant la journée dans les arbres, et actif la nuit pour chasser. Il est deux fois plus grand que les autres individus appartenant à son groupe, mais son vol n'est pas puissant ; cependant, il peut voler rapidement et silencieusement, plongeant d'un perchoir pour saisir sa proie au sol. En période de reproduction, cette espèce construit un nid de feuilles et de duvet à la fourche d'une branche d'arbre, où sont pondus jusqu'à trois œufs. Le mâle les couve durant la journée et la femelle la nuit. Le podarge oreillard n'est pas particulièrement commun, car il est très menacé par la destruction de son habitat. Mais il semble préférer les forêts secondaires, ce qui le rend moins vulnérable que d'autres espèces.

ENGOULEVENT D'EUROPE ▲

NOM SCIENTIFIQUE	*Caprimulgus europaeus.*
FAMILLE	Caprimulgidae.
LONGUEUR	28 cm.
HABITAT	Marais, landes, lieux boisés, clairières.
RÉPARTITION	Europe, Asie, Afrique.
DESCRIPTION	Longues ailes ; longue queue ; plumage gris-brun ; poils autour du bec ; raies blanches sous les yeux. Les mâles ont des taches blanches sur les ailes.

L'engoulevent est un oiseau nocturne que l'on aperçoit rarement, car il est bien camouflé par son pelage discret. Au moment de la reproduction, ses appels sont familiers pendant les mois d'été en Europe, où ces oiseaux arrivent d'Asie et d'Afrique. Autrefois très commun, l'engoulevent a gravement souffert de la destruction des landes dans une grande partie de son territoire de reproduction, mais une certaine reprise de sa population a été enregistrée, notamment dans le nord de l'Europe. En général, il se repose au sol durant la journée, parmi la litière de feuilles ou dans la végétation, mais il peut aussi se percher sur une branche. Il devient actif dès la nuit tombée, chassant les papillons, les scarabées et autres insectes volants qu'il attrape en vol. Il niche au sol ; deux œufs sont incubés par les deux parents pendant dix-huit jours. En plus de son camouflage, l'engoulevent se protège lorsqu'il est menacé en émettant des sifflements aigus qui parviennent souvent à éloigner les prédateurs.

ENGOULEVENT À BALANCIERS

NOM SCIENTIFIQUE	*Macrodipteryx longipennis.*
FAMILLE	Caprimulgidae.
LONGUEUR	23 cm.
HABITAT	Zones arides et rocheuses, savanes et broussailles.
RÉPARTITION	Afrique centrale, entre le Sénégal et l'Éthiopie.
DESCRIPTION	Petit engoulevent ; plumage brun tacheté. En période de reproduction, le mâle présente une longue plume ondulée sur chaque aile.

L'engoulevent à balanciers est l'une des espèces d'Afrique dont les mâles ont des plumes extrêmement longues pendant la période de reproduction. Celles-ci se développent chez la plupart des espèces sur la queue ou sur le bord des ailes, mais, chez l'engoulevent à balanciers, ces plumes font saillie à partir du centre de chacune des ailes. Elles peuvent atteindre 47 cm de longueur, et l'oiseau les érige quand il effectue sa parade nuptiale, afin d'attirer l'attention de la femelle qu'il convoite. Une fois passée la période de reproduction, il perd ses longues plumes.

Cette espèce niche à même le sol, et la femelle pond habituellement deux œufs. Cet oiseau est nocturne ; il demeure caché au cours de la journée dans un creux abrité et commence à chasser au crépuscule. Il se nourrit essentiellement de papillons, de scarabées et de divers insectes volants. On le voit parfois saisir des insectes chassés par les feux de forêt.

ENGOULEVENT DE NUTTALL

NOM SCIENTIFIQUE	*Phalaenoptilus nuttallii*.
FAMILLE	Caprimulgidae.
LONGUEUR	20 cm.
HABITAT	Broussailles, déserts et terrains boisés.
RÉPARTITION	Ouest des États-Unis. Hiverne au Mexique.
DESCRIPTION	Petit engoulevent ; plumage gris-brun ; petites taches blanches sur les ailes ; longs poils autour du bec.

C'est le plus petit membre de la famille des engoulevents d'Amérique du Nord, et il est remarquable parmi tous les oiseaux par ses capacités d'hivernage. Lorsque la nourriture est rare, au printemps, il trouve un abri, comme une crevasse dans les rochers. Il entre alors dans un état de torpeur, respiration et rythme cardiaque au ralenti, sa température interne s'abaissant de 40 °C à 20 °C. Il peut rester ainsi plusieurs jours, voire des semaines, jusqu'à ce que les conditions soient plus clémentes. À la saison chaude, il passe son temps au sol, se reposant le jour et effectuant de courts vols la nuit pour attraper des papillons et des coléoptères. Il niche aussi au sol, habituellement vers le mois de juin, la femelle pondant deux œufs sur la terre nue.

MARTINET NOIR

NOM SCIENTIFIQUE	*Apus apus.*
FAMILLE	Apodidae.
LONGUEUR	16 cm.
HABITAT	Toujours en vol, sauf quand il niche. Zones urbaines, falaises, prairies, souvent près de l'eau.
RÉPARTITION	De l'Europe à l'Asie, Inde et Chine. Hiverne en Afrique.
DESCRIPTION	Oiseau élancé; ailes longues et pointues; queue fourchue. Plumage noir dans l'ensemble; taches claires sur la gorge.

Le martinet noir est l'un des oiseaux les plus aériens. Il passe presque sa vie entière en vol, se nourrissant, dormant et même parfois s'accouplant ainsi; il ne se pose que pour nicher. Ses pattes ne sont pas spécialement adaptées au perchage, bien qu'il puisse grimper verticalement sur les arbres, les falaises ou les édifices. Il construit un nid en forme de coupe dans une crevasse ou sur un toit. Cette espèce tend à réutiliser ses nids, et si un couple s'attribue celui d'un autre, il en résulte de sévères affrontements. L'accouplement se produit dans le nid, où sont pondus deux ou trois œufs. Les deux parents les incubent tour à tour et prodiguent leurs soins à leur progéniture. On peut voir les martinets s'élever très haut dans le ciel ou planer bas au-dessus des toits ou de l'eau en grand nombre; ils attrapent des insectes et boivent en vol, frôlant la surface de l'eau de leur bec. Le martinet noir migre l'été de l'Afrique vers l'Europe, afin de s'y reproduire.

MARTINET ALPIN

NOM SCIENTIFIQUE	*Tachymarptis melba.*
FAMILLE	Apodidae.
LONGUEUR	23 cm.
HABITAT	Oiseau surtout aérien. Niche en régions collinaires ou montagneuses, sur les côtes et en zones urbaines.
RÉPARTITION	Sud de l'Europe, Moyen-Orient et Afrique du Nord. Hiverne en Afrique et en Inde.
DESCRIPTION	Grand martinet à très longues ailes. Dessus brun; collier noir; gorge, poitrine et ventre blancs.

Malgré son nom, le martinet alpin n'est pas confiné aux Alpes, mais occupe un vaste territoire aux habitats très variés, dans des régions collinaires et montagneuses. Il niche dans les rochers escarpés ou sur les parois des falaises côtières ou de l'intérieur; il utilise aussi les hauts édifices dans les villes. Comme d'autres martinets, il est très aérien et passe la plupart de son temps en vol, planant souvent très haut et se nourrissant en vol d'insectes. Cependant, à la différence du martinet noir, il se perche la nuit, se retirant au crépuscule dans des creux ou des interstices des toits, ou encore en hauteur, sur les surfaces verticales des grottes et sur les murs. Le martinet alpin se reproduit en colonies; il revient sur les mêmes lieux chaque année, retrouve et entretient les nids déjà édifiés avec des plumes et des végétaux, cimentés avec de la salive. Deux ou trois œufs y sont pondus et incubés par les deux parents.

MARTINET RAMONEUR ▼

NOM SCIENTIFIQUE	*Chaetura pelagica.*
FAMILLE	Apodidae.
LONGUEUR	13 cm.
HABITAT	Niche en zones urbaines. Se nourrit d'habitude en habitats ouverts.
RÉPARTITION	Est de l'Amérique du Nord. Migre au sud vers le bassin de l'Amazone.
DESCRIPTION	Petit martinet gris-brun; dessus plus foncé. Longues ailes fines; courte queue carrée.

Avant l'intense développement urbain de l'Amérique du Nord, cet oiseau se perchait et nichait dans les creux des arbres et des grottes. Mais, de nos jours, comme son nom l'indique, on le rencontre plus souvent dans les cheminées des maisons. C'est une espèce grégaire, et un grand nombre de ces oiseaux se perchent ensemble. Cela étant, en période de reproduction, un seul couple niche dans une cheminée, bien qu'il puisse à l'occasion en autoriser un autre à l'occuper avec lui. Le nid est constitué de brindilles ou autres végétaux comme la paille, cimentés par de la salive. La couvée se compose de un à cinq œufs, les deux parents assurant l'incubation pendant trois semaines environ. Comme d'autres martinets, cette espèce est très aérienne et, en dehors du perchage et de l'incubation, elle passe son temps en vol, se nourrissant d'insectes.

COLIBRIS

Les colibris (communément appelés « oiseaux-mouches ») appartiennent à la famille des Trochilidae et étaient traditionnellement placés dans l'ordre des Apodiformes, avec les martinets. Cependant, suivant de récentes taxinomies, ils sont aujourd'hui classés dans un nouvel ordre distinct, les Trochiliformes, comprenant les seuls colibris. On dénombre environ 340 espèces de ces derniers, tous uniquement rencontrés sur le continent américain. Beaucoup vivent en Amérique centrale et du Sud, mais on en trouve également trente espèces en Amérique du Nord, lorsqu'ils sont sédentaires ou durant la période de reproduction. Ils produisent un bourdonnement caractéristique, produit par leurs rapides battements d'ailes, pouvant aller de 80 à 200 par seconde.

Une telle rapidité leur procure une incroyable agilité et leur permet de voler à droite, à gauche, en haut, en bas et en arrière ; ils peuvent même faire du surplace. En revanche, ils peuvent difficilement se déplacer sur leurs pattes très petites, qu'ils utilisent presque exclusivement pour se percher. Ce sont de petits oiseaux et de fait leur famille inclut le plus petit oiseau du monde, le **colibri d'Hélène** *(Mellisuga helenae)*, qui ne mesure que 6 cm de long. En raison de l'énergie requise pour leur cadence de vol, qui leur est nécessaire pour se nour-

rir, ils doivent s'alimenter presque constamment. Ils parviennent ainsi à consommer les deux tiers de leur propre poids en une journée. Le nectar sucré et la sève constituent l'essentiel de leur régime alimentaire, mais ils consomment aussi en abondance du pollen et des insectes.

Plusieurs espèces ont un long bec, parfois incurvé vers le bas, et une langue tout aussi longue, dont les colibris se servent pour pénétrer dans les fleurs tubulaires à la recherche de nourriture. De cette manière, ils recueillent du pollen, qu'ils transmettent de fleur en fleur, contribuant ainsi à la reproduction de nombreuses plantes. Certaines fleurs en forme de trompe semblent être conformées pour accueillir les colibris et se reposer entièrement sur eux pour leur pollinisation. Les mâles de beaucoup d'espèces sont brillamment colorés, avec des plumages irisés qui leur permettent d'attirer les femelles. Celles-ci, qui incubent seules leurs œufs, sont généralement plus ternes, ce qui leur confère un camouflage efficace lorsqu'elles nichent.

Les nids de beaucoup d'espèces, en forme de cuvette, sont construits avec du lichen, de la mousse et de la toile d'araignée et placés à la fourche d'une branche. Certains colibris les suspendent sous les feuilles, parmi les racines ou dans des grottes. Une couvée com-

Colibri à bec en faucille

Colibri roux

prend en général un ou deux œufs, leur incubation durant entre quatorze et dix-neuf jours. Le mâle et la femelle délimitent et défendent un territoire alimentaire, et s'accouplent en terrain neutre, luttant souvent entre eux pour s'assurer une quantité suffisante de nourriture. Ces oiseaux, qui ne sont pourtant pas robustes, attaquent parfois d'autres espèces et même des prédateurs, comme les faucons et les corneilles. Les espèces dotées du plus long bec ne sont généralement pas sédentaires, car les fleurs dont elles peuvent se nourrir sont inaccessibles à d'autres oiseaux ou insectes.

Le **colibri porte-épée** (*Ensifera ensifera*) est une espèce atteignant 20 cm de long, dont la moitié est constituée par son bec, qui peut même être plus long que son corps. Il se nourrit de fleurs à corolle, dans les forêts montagneuses des Andes, du Venezuela à la Bolivie.

Le **colibri à bec en faucille** (*Eutoxeres aquila*), que l'on trouve aussi au nord-est de l'Amérique du Sud, a un bec plus court, très fortement incurvé vers le bas, qui lui permet de pénétrer dans des fleurs inaccessibles à d'autres oiseaux. En revanche, cette forme de bec rend plus difficile la prise de nourriture au sol et, contrairement à d'autres colibris, celui-ci a tendance à se poser sur les plantes pour mieux atteindre leurs fleurs.

Le plus grand des colibris, le **colibri géant** (*Patagonia gigas*), mesurant environ 23 cm de long, vole pour se nourrir, mais ses battements d'ailes sont plus lents. On le reconnaît aussi à son dessus d'un vert métallique et à son dessous rouge. Il vit dans les Andes, de l'Équateur au Chili, et dans les broussailles de l'ouest de l'Argentine. En hiver, il migre depuis les hautes altitudes où il se tient d'ordinaire. Beaucoup de colibris entreprennent de longues migrations malgré la petitesse de leurs ailes.

Ainsi, le **colibri roux** (*Selasphorus rufus*) se reproduit le long des côtes de l'Amérique du Nord jusqu'en Alaska et hiverne en Californie et autour du golfe du Mexique. Il mesure 10 cm de long. Le mâle est rougeâtre dans l'ensemble, avec la poitrine blanche, les ailes noires et la gorge rouge vif. La femelle est semblable, mais elle a le dessus verdâtre et la gorge tachetée.

Mais le plus familier des colibris d'Amérique du Nord demeure le **colibri à gorge rubis** (*Archilochus colubris*), que l'on rencontre dans l'Est durant une grande partie de l'année, bien qu'il hiverne en Amérique centrale. Il mesure à peine 9 cm de long. Le mâle de cette espèce présente une gorge rouge irisé, les deux sexes ayant le dessus vert et le dessous blanc.

Colibri à queue large

Coliou huppé ▲

Nom scientifique	Urocolius macrourus.
Famille	Coliidae.
Longueur	34 cm.
Habitat	Broussailles épineuses.
Répartition	Dans une bande de l'Afrique subsaharienne, du Sénégal à la Somalie, vers la Tanzanie au sud.
Description	Élancé; gris-brun; plumes centrales longues et étroites; huppe hérissée; nuque bleue.

Avec son petit corps, ses plumes grises et sa longue queue étroite, le coliou huppé a un peu l'apparence d'une souris, d'autant qu'il se déplace rapidement parmi les broussailles dans lesquelles il vit. Ses pattes ont une conformation très particulière, avec deux doigts pouvant se tourner vers l'avant ou vers l'arrière, ce qui lui assure une extrême agilité. Il peut ainsi se percher en se suspendant la tête en bas, et il court très bien sur le sol. Cet oiseau sociable vit en groupes de vingt à trente individus, qui se perchent, prennent des bains de poussière, se nourrissent ensemble et se lissent réciproquement les plumes. Le colibri huppé se nourrit de fruits, de fleurs, de bourgeons, de pousses et de feuilles, occasionnellement d'insectes. En période de reproduction, il construit un nid en forme de cuvette dans un buisson touffu, où sont en général pondus trois œufs, incubés pendant deux semaines environ.

Trogon couroucou

Nom scientifique	Trogon curucui.
Famille	Trogonidae.
Longueur	25 cm.
Habitat	Forêts pluviales tropicales, souvent près de l'eau.
Répartition	Nord-est de l'Amérique du Sud.
Description	Mâle vert irisé dessus; reflet bleuâtre sur la calotte, le cou et la queue; dessous rouge; tour des yeux orange. Femelle gris-bleu sur le dessus; haut de la poitrine blanc. Les deux sexes ont des plumes caudales rayées de noir et blanc.

Bien que brillamment coloré, le trogon se laisse difficilement apercevoir. De fait, il n'est pas commun et vit dans des forêts épaisses, en général près des rivières et des cours d'eau ou encore dans des lieux marécageux. Il est aussi très indolent, passant son temps perché et immobile dans les branches des arbres, ne s'élançant que pour attraper des insectes en vol, en faisant alors du surplace. Il consomme aussi des invertébrés, comme des escargots, ainsi que des végétaux, comme des fruits. Habituellement solitaire, il forme un couple au moment de la reproduction et niche alors dans une cavité. Il récupère parfois un nid de pie abandonné, mais il peut creuser lui-même un trou dans un matériau tendre, comme du bois pourri ou un nid de termites, les deux oiseaux du couple y travaillant à tour de rôle. La femelle pond de deux à cinq œufs, qu'elle incube ensuite pendant trois semaines environ.

TROGON NARINA

NOM SCIENTIFIQUE	*Apaloderma narina*.
FAMILLE	Trogonidae.
LONGUEUR	33 cm.
HABITAT	Forêts de basses terres, lisières de forêts.
RÉPARTITION	Afrique subsaharienne.
DESCRIPTION	Dessus vert métallique ; dessous cramoisi. Ailes grises, avec fines rayures noires et blanches sur les rémiges primaires. La femelle a la gorge et la poitrine cannelle.

Comme les autres trogons, le trogon narina est brillamment coloré, mais on a malgré tout du mal à l'apercevoir, car il passe son temps perché, immobile, dans les hautes branches, en position dressée. Quand il est dérangé, il se retourne afin de dissimuler son ventre cramoisi. En général solitaire, ou vivant en couple, il peut cependant s'associer à des groupes d'autres espèces. Il se nourrit surtout d'insectes, en particulier de chenilles, et saisit sa proie en plongeant d'une branche, avant de revenir la manger sur son perchoir. Il peut à l'occasion consommer des invertébrés près du sol. Outre les chenilles, il attrape des araignées, des papillons nocturnes, des scarabées et même de petits invertébrés, comme des lézards arboricoles. En période de reproduction, il niche dans un creux d'arbre ou de souche ; la femelle y pond de deux à quatre œufs, incubés pendant deux semaines par les deux parents, qui s'occupent ensuite ensemble de leur progéniture.

MARTIN-PÊCHEUR D'AMÉRIQUE ▼

NOM SCIENTIFIQUE	*Megaceryle alcyon.*
FAMILLE	Alcedinidae.
LONGUEUR	33 cm.
HABITAT	Rivières, étangs, cours d'eau et estuaires.
RÉPARTITION	Amérique du Nord. Hiverne au nord de l'Amérique du Sud.
DESCRIPTION	Tête, ailes et bande de poitrine bleu ardoise ; collier et dessous blancs. Les femelles ont une bande rouille sur le ventre. Les deux sexes ont une huppe hérissée.

Seul martin-pêcheur rencontré dans la plus grande partie de l'Amérique du Nord, cet oiseau commun vit dans des habitats variés de son aire de distribution. Il se nourrit surtout de poisson, mais aussi d'invertébrés aquatiques et même de vertébrés terrestres, y compris des petits mammifères et des reptiles. Le martin-pêcheur d'Amérique guette sa proie depuis son perchoir, d'où il plonge pour saisir un poisson ou tout autre animal. Parfois, il volette au-dessus de l'eau et plonge brusquement. En période de reproduction, il creuse un tunnel dans la berge d'une rivière pour y nicher, en général dans un sol sablonneux. Le mâle et la femelle participent ensemble à ce travail. Le couloir peut mesurer plus de 2 m de long et aboutit à une chambre de nidification, dans laquelle sont pondus six ou sept œufs. Les deux parents les incubent pendant vingt-quatre jours. Les petits naissent nus et aveugles et quittent le nid pour commencer à se nourrir au bout de quatre semaines. Après la reproduction, ces oiseaux deviennent solitaires et défendent leur territoire.

MARTIN-CHASSEUR À COLLIER BLANC

NOM SCIENTIFIQUE	*Todirhamphus chloris.*
FAMILLE	Alcedinidae.
LONGUEUR	28 cm.
HABITAT	Lisière de lieux boisés, forêts pluviales, mangroves, étangs, cours d'eau et zones côtières.
RÉPARTITION	De l'est de l'Afrique à l'Inde de l'Ouest, du sud-est de l'Asie au nord et à l'ouest de l'Australie.
DESCRIPTION	Plumage variable, mais en général dessus et calotte bleu verdâtre ; dessous, face et collier blancs ; bande noire sur les yeux et sur la mandibule supérieure.

Il existe plusieurs sous-espèces de martin-chasseur à collier blanc, réparties sur un vaste territoire géographique et dans une grande variété d'habitats. Le martin-chasseur à collier blanc chasse à partir d'un perchoir ou au-dessus de l'eau, plongeant pour attraper ses proies – poissons, crustacés ou même petits vertébrés, comme des reptiles et des amphibiens. Le poisson est en général avalé entier, alors que les crabes sont démembrés avant d'être consommés.

Ces oiseaux sont sédentaires et peuvent se montrer très agressifs, tant envers leur propre espèce qu'envers d'autres oiseaux, surtout en période de reproduction. À cette époque-là, les mâles paradent et offrent de la nourriture aux femelles. Le couple construit un nid en creusant un tunnel dans une berge de cours d'eau ou en utilisant un nid de termites dans un arbre, ou encore un nid de pie abandonné. La couvée se compose de deux à quatre œufs, et il peut y avoir deux couvées par saison. Les deux parents assurent l'incubation et les soins prodigués aux oisillons.

MARTIN-PÊCHEUR D'EUROPE

NOM SCIENTIFIQUE	*Alcedo atthis.*
FAMILLE	Alcedinidae.
LONGUEUR	18 cm.
HABITAT	Lacs, canaux et berges de cours d'eau, bordées de végétation surplombante. Parfois aussi sur les côtes, surtout en hiver.
RÉPARTITION	Europe, certaines zones d'Afrique du Nord, et jusqu'au sud-est de l'Asie.
DESCRIPTION	Dessus bleu irisé ; dessous orange vif ; marques orange autour des yeux ; touffes d'oreilles et gorge blanches ; long bec pointu.

Seul martin-pêcheur présent dans l'ouest de l'Europe, cet oiseau a le plumage le plus coloré de cette vaste zone. Il est cependant difficile à observer, car il se perche le plus souvent sur un point isolé au bord des rives d'un cours d'eau, guettant les proies à la surface. Il se nourrit principalement de poisson, d'insectes aquatiques et de crustacés, réalisant pour les attraper des plongeons spectaculaires. Sa victime saisie, il retourne se percher, et la fait pivoter pour l'ingérer la tête la première, évitant ainsi la rugosité des écailles. Il gobe aussi des insectes en vol. En période de reproduction, cet oiseau effectue des vols de parade, rasant l'eau avant de s'élever au-dessus des arbres et émet des sons en trilles pour capter l'attention d'une partenaire. Le couple niche ensuite dans de longs tunnels au bord de l'eau, creusés avec le bec et les pattes. La nichée comporte six ou sept œufs, incubés par les deux parents pendant environ trois semaines. Les petits naissent aveugles et nus, et ont leurs plumes un mois après l'éclosion. Ils sont nourris par leurs parents jusqu'à ce qu'ils soient aptes à pêcher par eux-mêmes.

MARTIN-CHASSEUR GÉANT ▲

NOM SCIENTIFIQUE	*Dacelo novaeguineae.*
FAMILLE	Alcedinidae.
LONGUEUR	45 cm.
HABITAT	Zones boisées et broussailles.
RÉPARTITION	Parties de l'ouest et du sud de l'Australie, introduit en Tasmanie.
DESCRIPTION	Trapu ; tête large ; bec en dague. Dessus gris-brun ; tête et dessous gris-blanc. Bande foncée sur les yeux ; queue rayée.

Le martin-chasseur géant (dit aussi «kookaburra») est le plus grand membre de la famille des martins-chasseurs. Il vit dans les arbres et les lieux boisés, assez loin de l'eau, et se signale par son chant, un appel sonore semblable à un rire de gorge humain, que l'on entend généralement le matin et le soir. Sédentaire, il vit en petits groupes familiaux formés d'un couple et de ses petits. Il niche dans un trou en haut d'un arbre, où la femelle pond dans une cavité nue de deux à quatre œufs, incubés pendant vingt-cinq jours. Cet oiseau se nourrit d'invertébrés tels qu'insectes, vers de terre et escargots, mais aussi de plus grosses proies – rongeurs, lézards et serpents qu'il tue en les frappant contre les branches, ou parfois en les laissant tomber de haut.

MARTIN-CHASSEUR PAILLETÉ

NOM SCIENTIFIQUE	*Dacelo tyro.*
FAMILLE	Alcedinidae.
LONGUEUR	32 cm.
HABITAT	Forêts tropicales, mangroves, marais et prairies ouvertes.
RÉPARTITION	Sud de la Nouvelle-Guinée et îles Aru.
DESCRIPTION	Oiseau trapu à tête large ; bec puissant. Ailes et queue bleu irisé ; tête pailletée de noir et blanc ; dessous blanc.

Le martin-chasseur pailleté a une apparence fort semblable à celle du martin-chasseur géant, plus célèbre que lui. Il en diffère néanmoins par la couleur bleu vif de ses ailes et de ses plumes caudales. Il fréquente les zones humides, mais c'est surtout un habitant des bois ou des arbres, qui se perche sur les branches basses des arbres ou des buissons, cherchant sa nourriture au niveau du sol, où il tente de débusquer ses proies, principalement des insectes, des araignées et des scarabées.

En période de reproduction, il établit son nid dans des termitières, très haut dans un arbre. Cette espèce produit une grande variété de sons, l'un d'eux évoquant un éclat de rire humain.

Martinet roux

Nom scientifique	*Baryphthengus martii.*
Famille	*Momotidae.*
Longueur	45 cm.
Habitat	Forêts tropicales.
Répartition	De l'Amérique centrale au nord-ouest de l'Amérique du Sud.
Description	Trapu ; longue queue ; grosse tête ; gros bec. Tête et dessous rouge orangé ; ailes et queue vertes ; bords bleus. Rayure noire sur les yeux.

Le martinet roux est le plus grand des motmots, une petite famille d'oiseaux aux couleurs vives des forêts tropicales d'Amérique centrale et du Sud, proches parents des martins-pêcheurs. Relativement inactif, il passe le plus clair de son temps dans les branches, attendant le passage d'une proie, s'élançant pour saisir des insectes en vol ou les attrapant sur la branche la plus proche. Il se nourrit aussi de petits invertébrés, tels que rongeurs et reptiles trouvés au sol, et peut suivre des colonnes de fourmis et se nourrir de petits animaux dérangés par leur passage. Il consomme aussi des fruits qu'il saisit en vol. Les proies plus grosses sont frappées contre une branche avant d'être consommées, parfois démembrées. Cette espèce est en général solitaire ; certains individus vivent en couples qui, en période de reproduction, nichent dans de profonds terriers creusés dans un sol meuble, ordinairement les berges d'une rivière ou parmi des racines d'arbre. Cet oiseau peut aussi utiliser ces terriers en dehors de la période de reproduction.

GUÊPIERS

Les guêpiers appartiennent à la famille des Meropidae, un groupe d'oiseaux très particuliers, caractérisés par un splendide plumage aux couleurs vives, des ailes et un corps fuselés, une queue étroite, souvent dotée de plumes centrales allongées. Ils sont aussi pourvus d'un long bec fort, légèrement incurvé vers le bas. La plupart vivent dans les régions tropicales ou subtropicales de l'Ancien Monde, dont un peu plus de la moitié en Afrique. Ils fréquentent les lieux découverts, comme des broussailles ou les savanes humides, certaines espèces se déplaçant de l'un à l'autre de ces habitats selon la saison. D'autres, comme le **guêpier à fraise** (*Nyctiornis amictus*), se rencontrent dans des forêts plus denses, notamment les forêts pluvieuses d'Asie du Sud-Est.

Le guêpier à fraise est un grand oiseau pouvant atteindre 30 cm de long, bien plus trapu que beaucoup d'espèces, avec une grosse tête et des ailes courtes et arrondies, traits typiques d'oiseaux forestiers, capables ainsi de voler facilement de branche en branche. De plus, la longue queue, commune à beaucoup d'espèces, lui fait défaut. Son plumage est vert dans l'ensemble, sa tête et sa gorge sont rousses, mais ces

Guêpier écarlate

caractères n'apparaissent pas chez les juvéniles. Autre trait spécifique, cet oiseau vit en solitaire ou en couples, ce qui le distingue des autres guêpiers, généralement sociables, qui s'accouplent, nichent et se nourrissent en colonies.

Ainsi que leur nom le laisse entendre, les guêpiers mangent des guêpes et des abeilles, le miel constituant la nourriture de la plupart des espèces. Mais ils consomment aussi d'autres insectes : criquets, sauterelles et termites ailés, pour la plupart saisis en vol, depuis leur perchoir (une branche morte par exemple) ; de nombreuses espèces d'Afrique se perchent aussi sur des animaux en train de se nourrir et même sur de gros oiseaux de prairie, comme les outardes ou les cigognes, et de là se jettent sur les insectes dérangés dans l'herbe. Ils peuvent encore tirer avantage des feux de brousse et capturer des insectes chassés par les flammes. De fait, le guêpier écarlate est surnommé le «cousin du feu». Il en existe deux populations distinctes, considérées comme des espèces différentes et appelées **guêpiers écarlates du Nord** (*Merops nubicus*) et **du Sud** (*Merops nubicoides*). Les

populations dites du Nord se trouvent en bandes, juste au sud du Sahara, tandis que celles du Sud vivent dans des régions intérieures du sud de l'Afrique. Les deux espèces ont un plumage rouge vif, avec un masque et une calotte sombres, les guêpiers du Nord se distinguant par leur gorge bleu turquoise.

Les guêpiers, relativement immunisés contre les piqûres des abeilles et des guêpes, demeurent cependant prudents avec leurs proies. Une fois attrapé, l'insecte est rapporté sur le perchoir, où il est frappé contre une branche ; s'il s'agit d'un insecte piqueur, il est frotté sur la branche pour être débarrassé de son aiguillon, avant d'être consommé. Les guêpiers, parfois considérés comme un fléau par les apiculteurs, sont aussi utiles comme prédateurs de nuisibles, comme les frelons, qui se nourrissent aussi d'abeilles. Le **guêpier à gorge blanche** *(Merops albicollis)* consomme des plantes, détachant des lambeaux d'écorce de palmier abandonnés par les écureuils et autres animaux se nourrissant dans la forêt. On le trouve en bandes dans toute l'Afrique subsaharienne, se nourrissant dans les buissons et les terrains découverts quand il niche,

avant de migrer plus au sud dans les clairières des forêts et les prairies humides en hiver. Mesurant environ 23 cm de long, il est doté d'une longue queue et se distingue par sa couleur : jaune-vert sur le dessus, noir et blanc sur la tête et la gorge. Le **guêpier d'Europe** *(Merops apiaster)* est aussi très reconnaissable : il mesure environ 28 cm de long, avec le dessus marron et jaune, les ailes vertes, la gorge jaune, des bandes noires sur les yeux et sur la gorge, le dessous bleuâtre. Il niche dans le sud de l'Europe, certaines zones d'Afrique du Nord et d'Asie de l'Ouest. C'est un oiseau fortement migrateur, qui prend ses quartiers d'hiver dans toute l'Afrique tropicale et le nord-ouest de l'Inde. On le rencontre parfois légèrement plus au nord de son territoire de reproduction ainsi qu'en Angleterre. Comme la plupart des guêpiers, cette espèce grégaire niche en abondantes colonies. Comme les autres membres de sa famille, il établit son nid dans des galeries que les deux parents creusent avec leurs pattes et leur bec dans du terrain sablonneux. La couvée comprend de deux à dix œufs, selon les espèces, incubés par les deux parents pendant trois semaines environ.

Guêpier d'Europe

HUPPE FASCIÉE

NOM SCIENTIFIQUE	*Upupa epops.*
FAMILLE	Upupidae.
LONGUEUR	28 cm.
HABITAT	Régions boisées et broussailles.
RÉPARTITION	Europe, Asie et Afrique, oiseaux du Nord hivernant au sud de leur aire de répartition.
DESCRIPTION	Marron rosé ou orange ; ailes et queue striées de noir et blanc ; huppe marquée de noir ; long bec incurvé vers le bas.

Très reconnaissable à ses ailes fortement rayées et à sa huppe en éventail, la huppe fasciée est parmi les oiseaux les plus faciles à observer en Europe, lorsque les individus venant d'Afrique migrent vers le nord. Sa huppe, habituellement tenue à plat, est dressée lors de la parade nuptiale, lorsque l'oiseau est excité ou qu'il se pose après un vol. La huppe fasciée vit surtout à terre, son long bec incurvé lui servant à attraper des vers et autres invertébrés ; elle peut aussi saisir de plus grandes proies, comme des petits lézards. En période de reproduction, elle niche dans un tronc d'arbre ou parfois dans le mur d'un édifice, garnissant le nid de plumes et de végétaux. De quatre à six œufs y sont pondus, incubés par la femelle seule pendant environ deux semaines, le mâle assurant sa nourriture. Cet oiseau est connu pour son odeur fétide, car il émet pour se défendre un fluide âcre, en particulier lors de la reproduction. Son cri est un « houp » grave et répété.

ROLLIER D'EUROPE ▲

NOM SCIENTIFIQUE	*Coracias garrulus.*
FAMILLE	Coraciidae.
LONGUEUR	30 cm.
HABITAT	Savane, zones boisées, terres cultivées, zones rocheuses. Souvent près de l'eau.
RÉPARTITION	Sud de l'Europe de l'Est, Asie et Afrique du Nord. Hiverne en Afrique du Sud.
DESCRIPTION	Robuste ; tête large ; bec solide. Plumage bleu dans l'ensemble ; dos et ailes noisette ; tache bleu vif sur les ailes ; rémiges noires.

D'apparence massive, le rollier d'Europe est aisément observable grâce à son plumage, particulièrement brillant en période de reproduction. On le rencontre dans plusieurs régions d'Europe, perché sur les fils téléphoniques ou les poteaux, en des lieux découverts d'où il peut facilement repérer ses proies, de grands insectes qu'il saisit au sol ou attrape en vol. Il se nourrit aussi de petits vertébrés comme des amphibiens, des reptiles ou de petits oiseaux, revenant le plus souvent à son perchoir pour les consommer.

Lors de la période de reproduction, les mâles effectuent des parades nuptiales se signalant notamment par des vols acrobatiques. Après l'accouplement, environ quatre œufs sont pondus dans le nid, généralement installé dans un trou de pie, un creux dans un talus, une falaise ou un édifice.

IRRISOR NAMAQUOIS

NOM SCIENTIFIQUE	*Rhinopomastus cyanomelas.*
FAMILLE	Phoeniculidae.
LONGUEUR	28 cm.
HABITAT	Régions boisées, savane légèrement boisée.
RÉPARTITION	De l'Afrique du Sud à l'Angola et au Kenya.
DESCRIPTION	Élancé ; longue queue ; plumage bleu vif irisé ; long bec fortement incurvé vers le bas.

L'irrisor namaquois appartient au groupe des « huppes fasciées des bois », ou encore « huppes au bec en cimeterre ». On le rencontre en général seul ou en couple, parfois en groupes d'environ cinq individus, ou encore en compagnie de son proche parent l'irrisor moqueur (*Phoeniculus purpureus*). C'est un oiseau très adroit que l'on peut voir descendre le long d'un arbre pour chercher sa nourriture, en fouillant les fissures de son long bec incurvé. Son alimentation comprend des insectes, leurs œufs et leurs larves, ainsi que, occasionnellement, du nectar. En période de reproduction, les couples nichent dans des trous de pie abandonnés ou dans des cavités naturelles, la couvée étant de deux à quatre œufs. La femelle assure l'incubation, qui dure environ deux semaines, le mâle lui fournissant sa nourriture. Les petits naissent nus et aveugles, mais ont leurs plumes à peine deux semaines plus tard. Comme d'autres huppes, les jeunes et les adultes émettent des sécrétions malodorantes, destinées à éloigner d'éventuels prédateurs.

CALAO BICORNE

NOM SCIENTIFIQUE	*Buceros bicornis.*
FAMILLE	Bucerotidae.
LONGUEUR	1,25 m
HABITAT	Forêts tropicales.
RÉPARTITION	Parties de l'Inde et de la Thaïlande, Malaisie et Sumatra.
DESCRIPTION	Grand oiseau ; énorme bec incurvé vers le bas ; casque osseux. Tête, cou, haut de la poitrine et arrière du dessous blanc crémeux. Le corps et les ailes sont plutôt noirs ; bandes blanches sur les ailes ; extrémités blanches. Bande noire sur la face et la queue.

Le calao bicorne compte parmi les plus grands oiseaux de ce groupe. En vol, ses larges ailes et sa longue queue lui donnent l'apparence d'un vautour. Il vole puissamment et longuement au-dessus de la voûte de la forêt, le plus souvent en couple ou en petits groupes, et piète dans les branches quand il se nourrit. Il a un régime varié, surtout composé de fruits et de graines, mais consomme aussi de grands insectes, des amphibiens, des reptiles et de petits mammifères. Outre son grand bec, son trait le plus remarquable est le casque osseux qui orne son front et son bec. On pense que cet appareil amplifie son cri, mais il sert aussi d'arme pour la défense de son territoire ou lors de la reproduction. Son comportement pendant cette période est, comme chez beaucoup de calaos, très intéressant. La femelle niche dans un grand creux de tronc d'arbre, où elle couve deux œufs. L'entrée du nid est cimentée par de la nourriture régurgitée, des fientes et de la boue, laissant libre un petit orifice par lequel le mâle la nourrit. La femelle peut ainsi demeurer enfermée pendant une centaine de jours, quittant le nid une semaine ou deux avant les petits, qui restent encore à l'intérieur, nourris par leurs deux parents.

Calao rhinocéros ▶

Nom scientifique	*Buceros rhinoceros.*
Famille	Bucerotidae.
Longueur	1,10 m.
Habitat	Forêts tropicales.
Répartition	Sud-est de l'Asie, des Philippines à Java et Bornéo.
Description	Grand ; bec puissant surmonté d'un casque orange incurvé vers le haut. Plumage noir dans l'ensemble ; croupion blanc ; queue blanche à large bande noire.

Cette espèce, l'un des plus grands calaos, doit son nom au casque orange incurvé vers le haut qu'elle porte sur la tête, à la manière d'une corne de rhinocéros. En dépit de sa taille, cet oiseau assez agile vole puissamment, avec des battements d'ailes amples et bruyants. Il émet des cris sonores, amplifiés, suppose-t-on, par son casque. On le rencontre en solitaire ou en petits groupes, dans les lieux où la nourriture est abondante, comme dans les grands arbres fruitiers. Il consomme aussi des insectes et de petits vertébrés, comme des amphibiens et des reptiles. À l'instar d'autres calaos arboricoles, il niche dans un grand creux d'arbre, dans lequel la femelle est enfermée, le mâle la nourrissant par un étroit orifice laissé libre. Il s'agit probablement d'une mesure de protection contre les prédateurs, en particulier les serpents, pour la femelle, ses œufs, puis les oisillons. La couvée est de deux œufs, mais en général un seul des petits survit. La femelle ne vole pas tant qu'elle couve ; elle subit une mue, puis quitte le nid une semaine environ avant les petits pour chercher de la nourriture avec le mâle.

Calao terrestre

Nom scientifique	*Bucorvus cafer.*
Famille	Bucorvidae.
Longueur	1,05 m.
Habitat	Prairies ouvertes, lieux légèrement boisés.
Répartition	Parties de l'Afrique subsaharienne.
Description	Grand calao ; noir dans l'ensemble ; rayure blanche sur l'aile visible en vol ; peau rouge dénudée autour des yeux ; caroncule sur la gorge, rouge chez les mâles, bleue chez les femelles. Grand bec incurvé vers le bas ; casque osseux assez petit.

Ce calao est l'une des deux espèces terrestres de son genre que l'on rencontre en Afrique. Comme son nom l'indique, il passe le plus clair de son temps au sol, mais peut aussi se percher sur les arbres. Il vit en petits groupes d'une dizaine d'individus et cherche sa nourriture dans les prairies, les broussailles ou les lieux boisés, consommant de grands insectes, des amphibiens et de petits mammifères. Comme d'autres calaos, il niche dans les creux des arbres, la femelle couvant ses œufs et le mâle lui apportant de la nourriture, mais ils ne construisent pas de nid proprement dit. La couvée comprend deux œufs, leur incubation durant un mois environ, mais il arrive souvent qu'un seul des petits survive, le second étant éliminé par le premier. Celui-ci demeure au nid pendant trois mois environ, puis est élevé par ses parents pendant encore neuf mois, et ne quitte pas le groupe familial avant sa maturité sexuelle, qu'il atteint deux ans plus tard. La population de ces oiseaux déclinant, des programmes de protection et d'assistance sont en cours, qui devraient pemettre d'assurer la survie de l'espèce.

◀ JACAMAR À LONGUE QUEUE

NOM SCIENTIFIQUE	*Galbula dea.*
FAMILLE	Galbulidae.
LONGUEUR	30 cm.
HABITAT	Forêts pluviales.
RÉPARTITION	Nord de l'Amérique centrale.
DESCRIPTION	Petit oiseau à longue queue ; bec pointu ; plumage vert foncé ; ailes irisées ; gorge blanche ; calotte marron.

Avec son bec pointu et ses ailes vert foncé irisées, le jacamar à longue queue évoque un grand colibri. Cependant, il ne se nourrit pas de nectar, mais presque exclusivement d'insectes volants. Il saisit ses proies en vol, passant le reste de son temps à les guetter depuis un perchoir situé en général haut dans la voûte des arbres. On peut aussi parfois le voir voler au-dessus de l'eau ou dans les clairières, en compagnie de groupes d'autres espèces. Il consomme des mouches, des scarabées, mais sa préférence va aux papillons nocturnes. Pendant la période de reproduction, le jacamar à longue queue niche dans un terrier d'environ 50 cm de long, creusé par le mâle et la femelle, généralement dans un talus de terre meuble, non loin de l'eau, entre les racines d'un arbre ou quelquefois dans un nid de termite. La femelle pond de deux à quatre œufs, incubés pendant environ trois semaines, habituellement par les deux parents pendant la journée, puis par la seule femelle la nuit.

GRAND INDICATEUR

NOM SCIENTIFIQUE	*Indicator indicator.*
FAMILLE	Indicatoridae.
LONGUEUR	20 cm.
HABITAT	Régions boisées et broussailles.
RÉPARTITION	Afrique subsaharienne.
DESCRIPTION	Oiseau élancé. Mâle : dessus gris ardoise ; taches aux oreilles et bord supérieur des ailes blancs ; dessous gris clair ; gorge noire. Femelle : dessus marron ; dessous jaunâtre.

Si le grand indicateur est un oiseau plutôt discret, il manifeste cependant un comportement assez inhabituel. Cette espèce est unique dans le monde aviaire par sa capacité d'absorption et de digestion de la cire des abeilles. Il se nourrit surtout d'insectes, mais aussi des nids d'abeilles, de leur cire et de leurs larves, bien qu'il ne consomme que très rarement du miel, des abeilles adultes ou leurs nymphes. Protégés des piqûres par leur peau épaisse, ces oiseaux sont toutefois incapables de briser les nids eux-mêmes : c'est pourquoi ils guident des animaux comme le ratel (appelé aussi « blaireau à miel »), ou même des hommes, vers ces nids, afin de recueillir les larves abandonnées après leur passage. Par ailleurs, ils se comportent en parasites, à la façon des coucous, et abandonnent leur unique œuf dans le nid d'un autre oiseau. Le grand indicateur préfère les nids des guêpiers ou des barbus, qui utilisent des terriers ou des cavités. À l'éclosion, le jeune indicateur détruit la couvée de son hôte.

CABÉZON TOUCAN

NOM SCIENTIFIQUE	*Semnornis ramphastinus.*
FAMILLE	Capitonidae.
LONGUEUR	20 cm.
HABITAT	Forêts pluvieuses de montagne.
RÉPARTITION	Ouest de la Colombie, Équateur.
DESCRIPTION	Massif ; grosse tête et bec puissant. Dessous brun olive ; dessous rouge orangé ; calotte noire ; tête grise ; touffes blanches derrière les yeux.

Oiseau très coloré, le cabézon toucan arbore un plumage qui ressemble à celui de certains toucans des montagnes. Étroitement apparenté aux pics, il possède la même conformation des pieds lui permettant de se mouvoir comme eux, de grimper aux arbres en s'aidant de la queue ou de sauter de branche en branche. Il consomme des fruits, des bourgeons et des insectes, ainsi parfois que de petits vertébrés, comme des lézards. On rencontre cette espèce en solitaire, en couple par petits groupes, parfois avec d'autres espèces, mais elle devient sédentaire à la période de reproduction. La nidification se fait dans des arbres creux ; le cabézon toucan creuse lui-même son trou à l'aide de son bec robuste. La femelle pond habituellement deux œufs, incubés par les deux parents. Les jeunes, nus et aveugles, reçoivent les soins de leurs parents pendant cinq semaines environ. Au début, ils sont nourris d'insectes, plus digestes que les fruits et autres végétaux.

TOUCAN TOCO

NOM SCIENTIFIQUE	*Ramphastos toco.*
FAMILLE	Ramphastidae.
LONGUEUR	60 cm.
HABITAT	Forêts pluviales, savane et aussi près des habitations.
RÉPARTITION	Venezuela et Brésil, nord de l'Argentine.
DESCRIPTION	Noir dans l'ensemble ; joue et gorge blanches ; tache jaune près des yeux, entourés d'une peau nue et jaune. Bec jaune orangé avec la base et l'extrémité noires.

Probablement le plus familier des toucans, le toco est aussi le plus grand et, comme tous les membres de sa famille, il est muni d'un énorme bec encombrant mais léger, dont il se sert avec une certaine habileté pour saisir des fruits ou autres aliments éloignés de sa portée ou pour piller les nids d'autres oiseaux. Outre les fruits, le toucan toco consomme des œufs d'oiseaux, des insectes et autres petits animaux, parmi lesquels des oisillons et des reptiles. Cet oiseau niche dans une cavité naturelle ou dans un arbre creux, parfois dans un nid de pie abandonné ; sa couvée est de deux œufs, incubés alternativement par les deux parents pendant seize jours environ. Les petits naissent nus et aveugles, ouvrent les yeux à deux semaines, développent leurs plumes un mois plus tard et quittent le nid deux ou trois semaines après.

TOUCAN MONTAGNARD

NOM SCIENTIFIQUE	*Andigena laminirostris.*
FAMILLE	Ramphastidae.
LONGUEUR	50 cm.
HABITAT	Forêts pluviales de montagne.
RÉPARTITION	Ouest de la Colombie, Équateur.
DESCRIPTION	Dessous gris-bleu; calotte noire; ailes brun olive; taches jaunes sur les flancs. Grand bec noir et rouge; plaques osseuses jaunes de chaque côté.

Bien que le bec de cette espèce, comme celui d'autres toucans des montagnes, soit plus petit que celui des Ramphastos, il est très apparent et pourvu de plaques osseuses sur les côtés dont on ignore l'utilité. Comme son nom le suggère, on rencontre ce toucan en haute montagne, notamment dans les forêts, où il se nourrit de fruits, d'insectes et de petits vertébrés trouvés dans les arbres.

De même que chez les autres toucans, les ailes du toucan montagnard sont relativement petites et arrondies; il ne vole donc pas bien, mais il a une forte prise, qui lui assure une certaine agilité lorsqu'il se déplace entre les branches à la recherche de nourriture. On le rencontre le plus souvent en couples ou en petits groupes, associé parfois à d'autres oiseaux des forêts pluviales. Il niche dans un trou de pie ou dans une cavité naturelle, produisant deux ou trois œufs que les deux parents incubent.

TOUCAN À BEC ROUGE ▼

NOM SCIENTIFIQUE	*Ramphastos tucanus.*
FAMILLE	Ramphastidae.
LONGUEUR	55 cm.
HABITAT	Forêts pluviales, souvent près de l'eau.
RÉPARTITION	Parties de la Colombie et du Venezuela. Nord du Brésil.
DESCRIPTION	Très grand toucan; noir dans l'ensemble; gorge blanche; croupion jaune; peau bleue autour des yeux. Bec massif, rouge sur les côtés, avec des marques noires, jaunes et bleues.

Le toucan à bec rouge est une grande espèce et, comme celui d'autres toucans, son vol est ondulé et glissant, entrecoupé de brefs battements d'ailes pour prendre de la hauteur. Il se déplace avec agilité entre les branches de la voûte de la forêt pluviale pour chercher de la nourriture. Il consomme surtout des fruits, mais aussi des insectes, des œufs et des oisillons d'autres espèces ainsi que des petits vertébrés, comme des lézards. Il saisit habituellement sa proie du bec et la laisse tomber dans son gosier, rejetant la tête en arrière pour l'avaler. Les toucans ont une langue fine qui peut atteindre la longueur du bec; elle est souvent dentelée, ce qui, pense-t-on, aide l'oiseau à manipuler ses aliments. Il peut aussi tenir avec une patte de grands morceaux de nourriture, qu'il déchire de son bec. Le toucan à bec rouge niche dans le creux naturel d'un arbre ou dans un nid de pie. La femelle pond de deux à quatre œufs, incubés par les deux parents.

PIC ÉPEICHE ▼

NOM SCIENTIFIQUE	*Dendrocopos major.*
FAMILLE	Picidae.
LONGUEUR	23 cm.
HABITAT	Zones boisées, parcs et jardins.
RÉPARTITION	Europe, nord de l'Asie, certaines zones du nord-ouest de l'Afrique.
DESCRIPTION	Plumage noir et blanc; épaules, joues, cou, poitrine blancs; ailes tachetées. Bas du ventre et croupion rouges. Le mâle a une tache rouge sur la nuque.

Le pic épeiche est le plus commun et le plus répandu des pics noir et blanc de nos contrées. Il se nourrit dans une grande variété d'habitats boisés, grimpant verticalement sur les arbres, tapotant l'écorce pour localiser les insectes et leurs larves, qu'il extrait de leur logement de sa longue langue gluante. Lorsque les insectes sont rares, il consomme des glands, des baies et des fruits secs. Comme beaucoup d'autres pics, cette espèce, pendant la période de reproduction, annonce sa présence par une sorte de roulement de tambour, produit par des coups répétés de son bec sur l'écorce des arbres, ainsi que par des vols de parade nuptiale destinés à attirer les femelles. Après l'accouplement, il pratique une cavité dans un arbre mort ou une souche pourrie, et y aménage une chambre de nidification. Le pic épeiche perce un nouveau trou chaque année, mais peut aussi réutiliser le même plusieurs fois. La couvée comprend en général de quatre à sept œufs, leur incubation étant assurée par les deux parents. Les petits naissent après deux semaines environ et ont leurs plumes trois semaines plus tard.

TORCOL FOURMILIER ▲

NOM SCIENTIFIQUE	*Jynx torquilla.*
FAMILLE	Picidae.
LONGUEUR	17 cm.
HABITAT	Zones boisées, landes et vergers.
RÉPARTITION	Europe, Asie et Afrique du Nord.
DESCRIPTION	Gris-brun dans l'ensemble, tacheté et strié de marron foncé et de chamois.

Le torcol fourmilier appartient à une petite sous-famille de pics, les Jynginae. Il peut mouvoir son cou, à la manière d'un serpent, comme moyen de défense contre les prédateurs. Lors de la parade nuptiale, il émet des sifflements et hérisse les plumes de sa calotte. Comme les autres pics, il est doté d'une grosse tête et d'une longue langue; les doigts de ses pattes sont opposés deux à deux, lui permettant de s'agripper aux troncs des arbres. Mais son bec est plus court que celui des pics proprement dits, et il ne possède pas de queue rigide pour l'aider à grimper. Aussi ne peut-il s'élever verticalement sur les troncs et les branches; il se perche et se nourrit le plus souvent au sol, consommant presque exclusivement des fourmis.

En période de reproduction, il ne creuse pas de trous pour nicher, mais utilise ceux que d'autres pics ont abandonnés, ou encore des cavités naturelles dans les arbres ou les murs. La couvée habituelle se compose de sept à dix œufs, l'incubation durant deux semaines environ. Les petits ont leur plumage définitif quelque trois semaines plus tard.

PIC VERT

NOM SCIENTIFIQUE	*Picus viridis.*
FAMILLE	Picidae.
LONGUEUR	33 cm.
HABITAT	Zones boisées, vergers, parcs et terres cultivées.
RÉPARTITION	Toute l'Europe, jusqu'au sud-ouest de l'Asie.
DESCRIPTION	Dessus vert foncé; dessous gris vert; calotte et nuque cramoisies; contour des yeux noir; moustache noire, rouge au centre chez le mâle. Rémiges primaires striées de noir et blanc.

Le pic vert appartient à la grande espèce des Picidae. On le rencontre dans des habitats très variés, généralement ouverts. Son plumage vert pourrait lui permettre de se camoufler dans le feuillage, mais ses marques cramoisies le trahissent lorsqu'il est perché. Il signale sa présence par un cri assez semblable à un éclat de rire, et l'on peut le repérer à son vol ondulé lorsqu'il traverse un espace découvert. Comme les autres pics, il grimpe sur le tronc des arbres pour se nourrir, mais il passe aussi beaucoup de temps au sol, parfois assez loin des arbres qu'il creuse et où il niche, à la recherche de fourmis, sa nourriture préférée. En période de reproduction, fin avril ou début mai, il tambourine sur le bois avec son bec et n'émet pas son cri aussi fréquemment que les autres pics. Après l'accouplement, il pratique un grand trou dans un arbre creux, parfois très près du sol. La femelle y pond de cinq à sept œufs sur les copeaux de bois et les couve pendant dix-huit jours environ. Les petits ont leurs plumes trois semaines environ après leur naissance, mais ne s'éloignent guère du nid.

PIC MACULÉ

NOM SCIENTIFIQUE	*Sphyrapicus varius.*
FAMILLE	Picidae.
LONGUEUR	21 cm.
HABITAT	Forêts de conifères et à feuilles caduques, bois.
RÉPARTITION	Amérique du Nord, mais très absent de l'ouest des États-Unis. Hiverne en Amérique centrale et dans les Caraïbes.
DESCRIPTION	Dos noir; ailes à rayures blanches; tête noire à bandes blanches; front et calotte rouges; haut du ventre et poitrine tachés de blanc; bas du ventre et croupion blancs; queue noire avec bande centrale blanche. Gorge rouge chez le mâle, blanche chez la femelle.

Le pic maculé est spécialisé dans la consommation de la sève des arbres, qu'il extrait en pratiquant une série de trous dans l'écorce, attendant ensuite que la sève s'écoule. Il se nourrit aussi d'insectes attirés par la sève et complète son régime alimentaire avec des fruits. Cette espèce est la seule parmi les pics d'Amérique du Nord à migrer régulièrement, sans doute parce qu'elle est dépendante de la sève, celle-ci étant disponible dans la majeure partie de son aire de répartition en période de reproduction, au printemps et en été. Comme d'autres pics, le pic maculé tambourine rapidement sur les arbres creux pour avertir de sa présence, mais également sur les édifices pour marquer son passage. Silencieux la plupart du temps, il émet lorsqu'il niche un cri semblable à un miaulement. Il nidifie dans les arbres, dans des creux qu'il pratique lui-même, où sont pondus six ou sept œufs, incubés pendant deux semaines. Après la reproduction, il migre vers le sud, et on le rencontre du sud-est des États-Unis, aux Caraïbes et à Panamá. Les femelles tendent à partir avant les mâles.

PIC FLAMBOYANT ▼

NOM SCIENTIFIQUE	*Colaptes auratus.*
FAMILLE	Picidae.
LONGUEUR	30 cm.
HABITAT	Lisière de forêts, lieux boisés, faubourgs des agglomérations.
RÉPARTITION	Partout en Amérique du Nord, jusqu'en Amérique centrale.
DESCRIPTION	Dessus marron avec des rayures sur le dos et les ailes ; dessous chamois avec des taches noires ; croupion blanc ; croissant noir à la base de la gorge. Le mâle a des moustaches noires. Dessous des ailes rouge chez les oiseaux de l'ouest, jaune chez ceux de l'est.

Commun dans toute l'Amérique du Nord, le pic flamboyant revêt deux colorations, l'une, plutôt jaunâtre, est commune dans l'Est et le Nord, l'autre, plutôt rougeâtre, dans l'Ouest. On voyait là autrefois deux espèces distinctes, mais de nos jours il est largement admis qu'elles n'en forment qu'une et qu'il se produit des hybridations lorsque les territoires de reproduction se chevauchent. Comme chez les autres pics, on peut voir cet oiseau grimper verticalement sur le tronc des arbres, percer des trous et en extraire des insectes et leurs larves, mais sa posture est plus dressée, et il a tendance à se percher plus souvent. Il passe aussi beaucoup de temps au sol à chercher des graines, des fruits et des insectes, ainsi que des fourmis, sa nourriture préférée. En période de reproduction, il creuse dans un arbre un trou où sont pondus jusqu'à douze œufs, incubés pendant deux semaines environ. Après avoir niché, de nombreux individus migrent vers le sud, en particulier les plus septentrionaux.

PIC CHEVELU ▲

NOM SCIENTIFIQUE	*Picoides villosus.*
FAMILLE	Picidae.
LONGUEUR	23 cm.
HABITAT	Forêts denses, lieux boisés, terres cultivées, parcs et jardins.
RÉPARTITION	Amérique du Nord, parties de l'Amérique centrale.
DESCRIPTION	Dessus noir. Le mâle a une tache noire derrière la tête.

Le pic chevelu est le plus répandu des pics d'Amérique du Nord. On le rencontre au Canada et aux États-Unis dans une large variété d'habitats, uniquement absent des zones froides, arides ou dépourvues d'arbres. Il est probablement le pic le plus familier, mais il se montre moins hardi que d'autres espèces. Il fréquente volontiers les mangeoires lorsque la nourriture est peu abondante dans la nature. Il se nourrit habituellement dans les arbres d'insectes attrapés dans l'écorce ou sur les feuilles, ou encore en les extrayant de leur cavité grâce à son bec et à sa langue développés. Il consomme aussi des fruits, des baies, des fruits secs et de la sève. En période de reproduction, cette espèce marque son territoire en produisant un rapide et bruyant tambourinage sur les troncs d'arbres et de brefs cris aigus. Le nid, placé dans la cavité d'un arbre, consiste en un trou creusé par le couple. La femelle y pond jusqu'à sept œufs, incubés pendant deux semaines.

Le pic chevelu est généralement sédentaire, bien que certains individus du Grand Nord migrent en hiver, et que ceux des régions d'altitude se déplacent vers des basses terres boisées. On relève de nombreuses variétés chez cette espèce dans son aire de répartition, et environ dix-huit sous-espèces ont pu être identifiées.

EURYLAIME PSITTACIN

NOM SCIENTIFIQUE	*Psarisomus dalhousiae*.
FAMILLE	Eurylaimidae.
LONGUEUR	25 cm.
HABITAT	Forêts tropicales et subtropicales.
RÉPARTITION	Est de l'Himalaya, Asie du Sud-Est, Bornéo et Sumatra.
DESCRIPTION	Petit et trapu, longue queue, grosse tête, bec fort et court. Plumage presque entièrement vert ; couronne noire ; face et gorge jaunâtres ; collier blanc.

L'eurylaime psittacin est le plus répandu des oiseaux de sa famille, et sa population est très éparse. Cependant, à l'inverse des autres espèces, généralement solitaires, celle-ci est très sociable, en particulier hors de la période de reproduction, et on peut l'observer en petites bandes dans son habitat forestier. Curieusement, malgré un organe vocal très primitif, les eurylaimes sont des oiseaux bruyants. De fait, l'eurylaime psittacin est un oiseau à large bec qui, grand ouvert, révèle un immense orifice buccal, très semblable à celui de la grenouille, qui lui permet d'ingérer de gros insectes, attrapés en vol ou dans les branches des arbres. En période de reproduction, l'eurylaime psittacin tisse un grand nid en forme de poire, constitué d'herbes et de brindilles, qu'il suspend à une branche ou à de la végétation grimpante. Les deux parents participent à la construction du nid et à l'incubation des deux ou trois œufs. Ils nourrissent ensemble les petits.

EURYLAIME VERT

NOM SCIENTIFIQUE	*Calyptomena viridis*.
FAMILLE	Eurylaimidae.
LONGUEUR	20 cm.
HABITAT	Forêts tropicales et subtropicales.
RÉPARTITION	Toute l'Asie du Sud-Est, de la Thaïlande à la Papouasie-Nouvelle-Guinée.
DESCRIPTION	Essentiellement vert, avec des rayures noires sur les ailes et aux extrémités ; petites taches noires sur les joues. Gros bec surmonté d'une courte crête de plumes. Queue courte et arrondie.

Comme tous les membres de sa famille, l'eurylaime vert a un plumage brillant, mais il est difficile à apercevoir, car il se camoufle sous le couvert des denses forêts pluvieuses, où il recherche dans les branches basses sa nourriture. Celle-ci se compose principalement d'insectes, mais également de fruits mous, comme des figues et autres végétaux, dont il dissémine les graines qu'il déplace et fait tomber. Bien que la destruction de son habitat donne quelques craintes quant à la survie de cet oiseau, on le trouve encore dans des zones boisées secondaires, où les arbres sont en phase de repousse après des opérations d'éclaircissement, signe qu'il a su s'adapter. Durant la période de reproduction, l'eurylaime vert pond de un à trois œufs, incubés par les deux parents. Le nid en forme de poire, constitué d'éléments de végétation, est suspendu à une branche fine.

GRIMPAR À BEC ROUGE

NOM SCIENTIFIQUE	*Campylorhamphus trochilirostris.*
FAMILLE	Dendrocolaptidae.
LONGUEUR	28 cm.
HABITAT	Forêts tropicales et marécages.
RÉPARTITION	Grande partie de l'Amérique du Sud (sauf Chili, Uruguay et sud de l'Argentine).
DESCRIPTION	Élancé, très long bec incurvé vers le bas. Plumage marron ou rougeâtre ; tête, cou et dessous marbrés de blanc.

Le grimpar à bec rouge est le plus connu et le plus répandu des grimpars. Il fait partie des martins-pêcheurs, un groupe d'oiseaux dotés de griffes acérées et d'une queue aux plumes raides qui leur permettent de grimper aisément sur les troncs d'arbres. Cette espèce doit son nom à son long bec incurvé, dont la longueur atteint le quart de sa taille et qui lui sert à fouiller dans les écailles de l'écorce des arbres, les fleurs et autres plantes, où il recherche les insectes dont il se nourrit. Relativement sociable, il s'observe fréquemment en vols mixtes, cherchant sa nourriture et bénéficiant de proies que d'autres ne peuvent atteindre. En période de reproduction, il niche dans des souches éventrées ou autres cavités des arbres, où il construit un nid en coupe, tapissé de mousse, de feuilles et de végétaux souples. La femelle pond généralement deux œufs, incubés pendant deux semaines environ.

FOURMILIER OCELLÉ

NOM SCIENTIFIQUE	*Phaenostictus mcleannani.*
FAMILLE	Thamnophilidae/Formicariidae.
LONGUEUR	20 cm.
HABITAT	Forêts pluvieuses.
RÉPARTITION	Sud de l'Amérique centrale, Colombie, Équateur.
DESCRIPTION	Grand fourmilier ; dos et ailes rouge-brun avec taches rondes ; calotte marron olive ; plumes de la queue plus sombres ; peau nue de couleur bleue autour des yeux. Gorge et collier noirs ; nuque et dessous rouge orangé.

Le plumage ocellé de cet oiseau pourrait facilement le trahir s'il ne se dissimulait dans les sous-bois épais, son habitat préféré. Remarquable fourmilier, il supplante des espèces plus petites en se plaçant en position dominante, en tête des fourmilières, ou encore en se perchant sur les branches, au-dessus d'elles, pour attraper les petits animaux dérangés par leur passage. Il se nourrit de divers insectes et invertébrés, mais ingère également de petits vertébrés, tels que des reptiles et des amphibiens.

GRAND BATARA

NOM SCIENTIFIQUE	*Taraba major.*
FAMILLE	Thamnophilidae/Formicariidae.
LONGUEUR	20 cm.
HABITAT	Forêts pluvieuses.
RÉPARTITION	Du Mexique au sud de l'Argentine.
DESCRIPTION	Trapu, tête large, bec crochu et yeux rouges. Le mâle est noir sur le dessus, avec une crête noire, des marques blanches sur la queue et les ailes, le dessous blanc. La femelle, sans crête, est marron sur le dessus, rousse au-dessous.

Comme la plupart des fourmiliers, on trouve cette espèce près du sol des forêts pluvieuses, recherchant sa nourriture dans les fourrés et les sous-bois. Le grand batara se nourrit d'insectes terrestres et volants, d'invertébrés, mais ne dédaigne pas non plus, de temps à autre, certains vertébrés comme des grenouilles et des petits lézards, qu'il tue en les frappant de son puissant bec recourbé. Malgré son nom, il ne recherche pas les fourmis, mais, comme d'autres oiseaux de son espèce, suit malgré tout les colonnes de fourmis afin d'attraper les animaux dérangés par leur passage. En période de reproduction, le couple construit un nid en coupe, généralement fixé par un bord à une branche. La couvée se compose d'ordinaire de deux œufs, incubés par les deux parents pendant deux semaines environ. Le jour, le couple se relaie pour couver pendant de courtes périodes ; la nuit, seule la femelle couve.

BATARA FASCIÉ

NOM SCIENTIFIQUE	*Cymbilaimus lineatus.*
FAMILLE	Thamnophilidae/Formicariidae.
LONGUEUR	17 cm.
HABITAT	Forêts pluvieuses.
RÉPARTITION	Amérique centrale, régions septentrionales de l'Amérique du Sud.
DESCRIPTION	Trapu, doté d'une tête large, d'un bec recourbé et d'yeux rouges. Le mâle est noir à rayures blanches sur le dessus, et à rayures noires et blanches sur le dessous. La femelle a des rayures marron et rousses.

Habituellement, le batara fascié ne se nourrit pas de fourmis, mais, comme les autres fourmiliers, suit leurs colonnes sur le sol des forêts pluvieuses, se nourrissant des insectes et autres petits animaux dérangés par leur passage. D'autres fois, cependant, cet oiseau chasse beaucoup plus haut dans les arbres, ordinairement à la lisière de forêts, dans les clairières ou le long de cours d'eau. Le batara fascié vit en couple pour la vie ; en période de reproduction, le mâle prend souvent l'initiative de la parade et réaffirme les liens du couple par l'offrande de nourriture à sa partenaire. Tous deux construisent ensuite le nid ensemble, une structure en forme de coupe placée à la fourche d'une branche ou dans un buisson. La ponte se compose généralement de deux œufs, couvés par les deux parents.

MOUCHEROLLE VERMILLON ▼

NOM SCIENTIFIQUE	*Pyrocephalus rubinus.*
FAMILLE	Tyrannidae.
LONGUEUR	15 cm.
HABITAT	Lieux boisés découverts en zones arides, près d'un point d'eau.
RÉPARTITION	Sud des États-Unis, Amérique centrale et du Sud, rarement plus au nord que l'est du Canada.
DESCRIPTION	Le mâle a la tête, la poitrine et le dessous vermillon, avec un masque, les ailes, la queue et le dos brun-noir. La femelle est gris-brun sur le dessus, avec un front blanchâtre, la poitrine blanche légèrement colorée de brun, la queue noire et le ventre rose pâle.

Le moucherolle vermillon est probablement le plus reconnaissable des tyrans martins-pêcheurs, grâce à son plumage aux couleurs vives. Il peut rester perché sur une branche en vue pendant de longs moments, réalisant de brefs vols pour capturer des insectes. Durant la période de reproduction, le mâle demeure perché la plupart du temps, mais fait parfois de bruyantes incursions au-dessus de l'arbre pour attirer l'attention de la femelle et pour la séduire, ou encore lui apporte de la nourriture. Après l'accouplement, la femelle pond deux œufs dans un nid assez grossier en forme de coupe, fait de feuilles et de brindilles. Les œufs sont incubés par la femelle pendant deux semaines environ, durant lesquelles le mâle défend le nid avec agressivité. Une fois les œufs éclos, les deux parents nourrissent les jeunes. On connaît douze sous-espèces de moucherolles vermillon : certains oiseaux d'Afrique du Sud ont un plumage entièrement sombre, avec quelques plumes rouges autour de la tête ou sous la queue.

MOUCHEROLLE COURONNÉ

NOM SCIENTIFIQUE	*Onychorhynchus coronatus.*
FAMILLE	Tyrannidae.
LONGUEUR	16 cm.
HABITAT	Forêts pluvieuses et zones boisées découvertes subtropicales.
RÉPARTITION	Du sud du Mexique à des zones du nord de l'Amérique du Sud.
DESCRIPTION	Plumage brun orangé uniforme, avec une huppe en éventail érectile, jaune chez la femelle, rouge vif chez le mâle, avec des taches et un bord bleus. Bec recourbé.

Le moucherolle couronné, dit aussi « tyran royal », est un petit oiseau assez effacé, se dérobant la plupart du temps au regard, perché, immobile de longs moments sous le couvert du feuillage bas des forêts tropicales et subtropicales, guettant le passage d'insectes pour se précipiter sur eux et les gober en vol. Le mâle et la femelle ont une spectaculaire huppe en éventail qui, d'ordinaire, est repliée à plat vers l'arrière de la tête, mais se dresse quand l'oiseau est excité. Il a aussi de longs poils pendants de chaque côté du bec, qui doivent l'aider à capturer des insectes, mais aussi servir de protection pour les yeux quand il chasse. Le moucherolle couronné n'est guère sociable et reste d'habitude seul ou en couple. En période de reproduction, cette espèce niche dans un nid en forme de coupe, suspendu à une branche, souvent au-dessus de l'eau.

TYRAN DES SAVANES ▼

NOM SCIENTIFIQUE	*Tyrannus savana.*
FAMILLE	Tyrannidae.
LONGUEUR	23 cm.
HABITAT	Prairies découvertes et broussailles.
RÉPARTITION	Amérique centrale et du Sud. S'aventure aux États-Unis, au centre et à l'est du Canada.
DESCRIPTION	Tête noire avec bandes jaunes sur la calotte ; dos gris et dessous blanc. Très longue queue fourchue, parfois plus longue chez le mâle.

Bien que le tyran des savanes soit typiquement un oiseau de l'Amérique du Sud tropicale et subtropicale, on le trouve régulièrement dans l'est de l'Amérique du Nord, où il s'égare probablement lors de sa migration vers l'Amérique du Sud, en période de reproduction. On le rencontre alors perché sur les haies ou les fils téléphoniques. En hiver, les individus se rassemblent en groupes immenses, surtout pour se percher et chercher de la nourriture. Celle-ci se compose d'insectes volants qu'ils attrapent en vol depuis leur perchoir ; mais ils consomment aussi des baies et des fruits. Durant la période de reproduction, le tyran des savanes construit un nid en coupe avec de l'herbe et des brindilles, où sont généralement pondus deux œufs. La femelle les couve pendant deux semaines environ, et les deux parents pourvoient à la nourriture des jeunes.

PIOUI DE L'OUEST

NOM SCIENTIFIQUE	*Contopus sordidulus.*
FAMILLE	Tyrannidae.
LONGUEUR	16 cm.
HABITAT	Zones boisées découvertes, parcs, vergers et forêts de montagne.
RÉPARTITION	Ouest du Canada et Amérique du Nord, Amérique centrale, hivernage du sud à l'ouest de l'Amérique du Sud.
DESCRIPTION	Moucherolle de taille moyenne, brun olivâtre dessus avec des rayures blanches ; dessous gris pâle, avec poudrage plus foncé sur la poitrine et les flancs.

D'apparence discrète, cet oiseau se signale par un appel sec et persistant (« pi-oui », d'où son nom). Il se perche généralement en position élevée, guettant le passage d'insectes qu'il attrape au vol ou en plongeant de son perchoir, avant d'y retourner pour consommer sa proie. Sa nourriture de prédilection se compose de papillons, de mouches et de moustiques, mais cette espèce apprécie également les baies, surtout durant les mois froids, quand les insectes sont rares. En période de reproduction, le pioui de l'Ouest construit un nid peu profond en forme de coupe ou de saucière, garni d'herbe, de mousse ou de lichen, fixé sur une branche horizontale. La femelle y pond trois ou quatre œufs, qu'elle incube seule pendant deux semaines environ. L'apparence de cet oiseau est assez semblable à celle du pioui de l'Est *(Contopus virens)*, au point qu'on les a longtemps confondus. Depuis, ces deux espèces ont été différenciées, et ne semblent pas se métisser lorsqu'elles cohabitent.

MOUCHEROLLE NOIR ▲

NOM SCIENTIFIQUE	*Sayornis nigricans.*
FAMILLE	Tyrannidae.
LONGUEUR	16 cm.
HABITAT	Zones découvertes près de l'eau, champs cultivés, ruisseaux, lacs, bords de falaises. Souvent près des maisons.
RÉPARTITION	Sud-ouest de l'Amérique du Nord, de l'Amérique centrale jusqu'à la Bolivie et nord-ouest de l'Argentine.
DESCRIPTION	Petit oiseau chanteur ; dessus et dessous noirs, avec le ventre et le dessous de la queue blancs. La partie blanche du ventre s'étend à la poitrine en un V inversé.

Comme le moucherolle phoebi, le moucherolle noir peut être aperçu au bord de l'eau, hochant la queue pendant qu'il chasse les insectes. Cette espèce capture aussi, à l'occasion, de petits poissons en eau peu profonde et peut même en nourrir ses petits. Le nid, presque toujours à proximité de l'eau, consiste en une coupe largement ouverte, formée de boue et de végétation sèche, souvent greffée sur le mur d'une maison ou sur un pont, ou camouflée au milieu des racines, sur une berge. Le mâle dirige la femelle vers un lieu potentiel de nidification, mais c'est elle qui construit le nid. La couvée se compose de deux à six œufs, incubés pendant deux à trois semaines. Une seconde couvée incite la première nichée à prendre son indépendance au bout de trois semaines. En dehors de la période de reproduction, le moucherolle noir est solitaire et sédentaire ; il demeure sur son territoire toute l'année, bien qu'il arrive que des jeunes non reproductifs s'en éloignent.

TYRAN TRITRI ▼

NOM SCIENTIFIQUE	*Tyrannus tyrannus.*
FAMILLE	Tyrannidae.
LONGUEUR	21 cm.
HABITAT	Lisière de forêts, clairières et abords de fermes, souvent près de l'eau.
RÉPARTITION	Très répandu dans tout le nord de l'Amérique du Nord, migre l'hiver jusqu'en Argentine.
DESCRIPTION	Grand tyran à tête noire ; dos et ailes gris ; bande gris pâle sur la poitrine. Calotte de plumes rouge dissimulée par une courte crête noire.

Tyran de grande taille, le tritri est le plus familier de sa famille ainsi que le plus répandu. On le trouve en abondance dans toute l'Amérique du Nord pendant la période de reproduction, durant laquelle il se montre très agressif et sédentaire. Pour défendre son territoire, il attaque les autres membres de son espèce et éloigne de son nid de plus gros oiseaux que lui, corbeaux, hérons ou oiseaux de proie, en les frappant en vol. Il construit un volumineux nid de brindilles, d'herbe et de paille, tapissé de plantes et de poils d'animaux, qu'il installe à la fourche d'une branche horizontale ou parfois dans une haie. La femelle pond de deux à cinq œufs, incubés deux à trois semaines. Les petits sont nourris par leurs deux parents pendant environ sept semaines. Le tyran tritri se nourrit d'insectes volants qu'il capture depuis son perchoir, mais il consomme aussi des graines et des baies, surtout à l'approche de l'hiver. À cette époque de l'année, il devient très sociable et se rassemble en groupes nombreux pour migrer.

MOUCHEROLLE MASQUÉ ▲

NOM SCIENTIFIQUE	*Pitangus sulphuratus.*
FAMILLE	Tyrannidae.
LONGUEUR	23 cm.
HABITAT	Terrains découverts, souvent près de l'eau.
RÉPARTITION	Du sud des États-Unis à l'Amérique centrale, jusqu'au sud de l'Argentine.
DESCRIPTION	Grand tyran ; dessus marron ; tête rayée noir et blanc ; gorge blanche et dessous jaune.

Le moucherolle masqué (dit aussi « tyran quiquivi ») est le plus grand et le plus commun des tyrans. C'est un gros oiseau au ventre jaune vif et à l'appel caractéristique (« qui-qui-viii »). Comme les autres moucherolles, il se nourrit d'insectes volants – papillons, mouches et guêpes –, mais sa taille et son bec lui permettent de capturer aussi des vertébrés (lézards, grenouilles, petits rongeurs et oisillons). Il lui arrive d'attraper aussi du poisson, plongeant en piqué depuis un perchoir au-dessus de l'eau ; il consomme parfois des baies et des graines. Cet oiseau vit d'ordinaire en couple, se montrant souvent agressif envers d'autres oiseaux, surtout pendant la période de reproduction, qui débute vers mars. Le moucherolle masqué construit alors un nid volumineux en forme de dôme, avec des brindilles et de la mousse, placé en haut d'un arbre. La femelle y pond de deux à cinq œufs.

MANAKIN RUBIS ▲

NOM SCIENTIFIQUE	*Machaeropterus regulus.*
FAMILLE	Pipridae.
LONGUEUR	10 cm.
HABITAT	Forêts pluvieuses et forêts secondaires.
RÉPARTITION	Zones du nord de l'Amérique du Sud.
DESCRIPTION	Très petit ; dessus vert olive ; dessous rayé rouge et blanc. Le mâle a une huppe écarlate.

Ce petit oiseau est moins commun que ses proches parents, en partie à cause de sa taille, mais aussi parce que ses couleurs sont moins brillantes que celles des autres manakins. Cependant, pendant la période de reproduction, de grands groupes de mâles se rassemblent dans les clairières pour réaliser leur parade nuptiale et attirer ainsi une partenaire. On sait peu de choses sur les habitudes de nidification de cette espèce, mais on pense qu'après l'accouplement la femelle construit le nid, incube les œufs et élève seule les petits. Le nid, en forme de coupe ou de hamac de végétation tissée, est placé à la fourche d'une branche ou dans un buisson, ou encore suspendu entre deux branches. La couvée typique se compose de un ou deux œufs, couvés pendant deux à trois semaines, les jeunes quittant le nid deux semaines après l'éclosion des œufs. Le manakin rubis habite le couvert bas des forêts tropicales, où il cherche de petits insectes, des graines et des baies.

MANAKIN À LONGUE QUEUE

NOM SCIENTIFIQUE	*Chiroxiphia caudata.*
FAMILLE	Pipridae.
LONGUEUR	15 cm.
HABITAT	Forêts pluvieuses et plaines boisées.
RÉPARTITION	Régions de l'est de l'Amérique du Sud.
DESCRIPTION	Le mâle a le corps bleu, les ailes pratiquement noires, la tête noire, une huppe d'un rouge brillant et une longue queue bleue. La femelle est gris terne, sombre sur le bord des ailes et plus pâle sur le ventre, avec la gorge et la poitrine orange.

Le manakin à longue queue doit son nom à son originale queue fourchue. C'est une espèce relativement commune des forêts tropicales et subtropicales du Brésil, du Paraguay et de l'Argentine. Pendant la période de reproduction, on peut voir se rassembler plus de cinquante mâles sur une même arène nuptiale, pour faire leur cour en réalisant des danses et attirer ainsi une partenaire. Chaque oiseau choisit une petite arène dans une clairière, où il se place sur une branche basse ou un buisson en bordure, lançant des appels et produisant certains sons à l'aide de ses ailes. La femelle accorde sa préférence à un mâle mais, après l'accouplement, elle construit le nid, incube les œufs et élève seule les oisillons. Le nid présente la forme d'une coupe tissée avec soin ; il est le plus souvent fixé à une branche au-dessus de l'eau, et deux œufs y sont pondus. Le manakin à longue queue se nourrit essentiellement d'insectes, de baies et de petits fruits.

MANAKIN FILIFÈRE

NOM SCIENTIFIQUE	*Pipra filicauda.*
FAMILLE	Pipridae.
LONGUEUR	13 cm.
HABITAT	Forêts pluvieuses et plaines boisées, souvent près de l'eau.
RÉPARTITION	Pérou, Équateur, Colombie, Venezuela, Brésil.
DESCRIPTION	Mâle : plumage du dessus noir ; huppe rouge ; face et dessus jaunes ; longue queue noire de fines plumes ; iris blanc. Femelle : verte ; plus sombre sur les ailes et le bout de la queue ; ventre jaune.

Bien que le mâle adulte de cette espèce soit bien visible, grâce au plumage brillant de sa tête et de son ventre, ainsi qu'à ses longues plumes fines, c'est un oiseau qu'il est difficile de découvrir au sein de la végétation dense, son habitat préféré. On rencontre le manakin filifère dans les forêts ouvertes et à l'orée des forêts, mais il se tient surtout dans le sous-bois touffu, près du sol. Il se perche parfois en hauteur, au faîte de la végétation des forêts pluvieuses, en particulier lorsque les arbres portent des fruits. Il se nourrit d'une grande variété de fruits, mais, omnivore de même que les autres manakins, il consomme aussi des insectes. On a plus de chances d'apercevoir cet oiseau en période de reproduction, lorsque d'importants groupes de mâles se concentrent sur des arènes pour leurs parades nuptiales, afin d'attirer une partenaire grâce à leurs danses de cour. Ils se tiennent éloignés les uns des autres, chaque mâle choisissant un certain nombre de perchoirs sur des branches basses ou un buisson. La parade consiste en différents sauts, vols courts, ronflements de plumes et érection des filaments de la queue.

Araponga à gorge nue

NOM SCIENTIFIQUE	*Procnias nudicollis.*
FAMILLE	Cotingidae.
LONGUEUR	26 cm.
HABITAT	Forêts tropicales de montagne.
RÉPARTITION	Régions de l'est de l'Amérique du Sud.
DESCRIPTION	Mâle au plumage entièrement blanc, avec de la peau nue bleue sur la face et la gorge. La femelle est gris terne sur le dessus, avec la tête sombre et le dessous strié de jaune.

L'araponga à gorge nue se rencontre de l'est du Brésil aux régions adjacentes du Paraguay et du nord de l'Argentine, où il habite les forêts pluvieuses pendant la période de reproduction, migrant plus au sud en hiver. Il est difficile à observer, car il est assez sédentaire et se dissimule dans le feuillage. Cependant, il se signale par un cri métallique, une sorte de son de cloche très identifiable, parmi les plus forts produits par des oiseaux. Les femelles sont la plupart du temps silencieuses, tandis que les mâles font surtout usage de leur voix en période de reproduction, pour attirer une partenaire. Cela se produit depuis une position bien en vue, la tête inclinée vers l'arrière et le bec grand ouvert. Lorsqu'une femelle est à proximité d'un mâle, il continue sa parade en sautant de perchoir en perchoir, sa queue ouverte en éventail. Après l'accouplement, la femelle édifie seule un nid en coupe, placé à la fourche d'une branche, où elle pond et couve un œuf unique.

COQ-DE-ROCHE PÉRUVIEN ▼

NOM SCIENTIFIQUE	*Rupicola peruviana.*
FAMILLE	Cotingidae.
LONGUEUR	30 cm.
HABITAT	Forêts et gorges boisées, souvent près des ruisseaux.
RÉPARTITION	Colombie, Équateur, Venezuela, Bolivie et Pérou.
DESCRIPTION	Mâle presque entièrement rouge, d'une couleur éclatante ; ailes et queue noires ; dessus des ailes gris pâle ; grosse huppe du dessus de la tête au bec. Femelle plus terne, brun rougeâtre ; petite huppe.

Le coq-de-roche péruvien peuple les forêts subtropicales monta-gneuses de l'est de l'Amérique du Sud, souvent près des affleurements rocheux et des zones émergées des cours d'eau, où il recherche des fruits, des insectes et parfois de petits invertébrés. La femelle, plus facile à observer, est assez terne, mais le mâle de cette espèce a un plumage d'un rouge écarlate. De ce fait, il est très visible, notamment en période de reproduction, quand se rassemblent plus de cinquante individus sur une arène ou sur un terrain commun de parade. Ils se posent sur des branches ou des rochers, appellent bruyamment les femelles et déploient leur huppe. Après l'accouplement, la femelle construit un nid de boue, fixé à une falaise ou dans une grotte, où elle incube seule deux œufs. Cependant, des femelles peuvent parfois nidifier à proxi-mité immédiate les unes des autres, en des lieux appropriés. Le trait dominant de cette espèce est son attachement à son habitat, mais, en raison de la vivacité de leur plumage, les mâles sont très vulnérables face aux prédateurs, aux autres oiseaux ou aux serpents.

CORACINE NOIRE

NOM SCIENTIFIQUE	*Querula purpurata.*
FAMILLE	Cotingidae.
LONGUEUR	28 cm.
HABITAT	Forêts pluvieuses.
RÉPARTITION	Costa Rica, Panamá et régions du nord de l'Amérique du Sud.
DESCRIPTION	Oiseau noir à longues ailes rondes et grand bec. Le mâle adulte a une touffe de plumes pourpres sur la gorge.

Malgré son nom, la coracine noire est assez éloignée des véritables cor-beaux, mais appartient à la famille des cotingas, un groupe très primi-tif d'oiseaux percheurs, chez lequel beaucoup de mâles ont un plu-mage aux couleurs vives. Dans le cas de cette espèce, le mâle et la femelle sont presque entièrement noirs, mais le premier porte une touffe de plumes rouges ou pourpres sur la gorge, qui s'ébouriffe lors de la parade nuptiale. On rencontre ces oiseaux dans les forêts tropi-cales et subtropicales, où ils se tiennent aux étages supérieurs de la forêt, perchés haut sur les branches, ce qui rend leur observation diffi-cile. Les coracines noires sont probablement les plus sociables des cotingas : elles vivent en petits groupes familiaux et s'associent parfois en groupes mixtes, en particulier lorsqu'elles cherchent leur nourri-ture. Cet oiseau se nourrit surtout de fruits, mais consomme aussi des insectes. En période de reproduction, la femelle pond un œuf dans un nid en coupe, perché en haut d'un arbre. Bien qu'elle soit seule à cou-ver, l'ensemble du groupe aide à élever le jeune.

BRÈVE DU BENGALE

NOM SCIENTIFIQUE	*Pitta brachyura.*
FAMILLE	Pittidae.
LONGUEUR	20 cm.
HABITAT	Forêts tropicales et subtropicales, broussailles.
RÉPARTITION	Sous-continent indien. Certains oiseaux migrent l'hiver au Sri Lanka.
DESCRIPTION	Oiseau trapu à tête, yeux et becs de grande taille. Plumage vert dessus, avec des marques bleues sur les ailes ; tête noir et blanc ; dessous jaune et orange.

Comme les autres pittidés, celui-ci vit au sol, sur lequel il court et saute rapidement dans les sous-bois et les broussailles qui forment son habitat ; mais il se perche aussi sur les branches pour chanter. Il vole très bien, et certaines populations nordiques migrent très bas vers le sud de l'Inde et le Sri Lanka. La brève du Bengale fouille dans la litière de feuilles, où elle recherche des fruits, des graines, des insectes, des invertébrés et de petits vertébrés, utilisant son bec fort pour retourner les débris ou pour creuser le sol. Elle prend aussi des escargots dans son bec et les casse sur une bûche ou une pierre afin de les extraire de leur coquille. Pendant la période de reproduction, la brève du Bengale édifie un grand nid de forme sphérique, constitué de brindilles et autres éléments de végétation, tapissé de mousse. Le nid est généralement placé dans un lieu abrité, parmi des bûches, des racines d'arbres ou des pierres. La nichée peut compter jusqu'à trois œufs.

BRÈVE GÉANTE ▼

NOM SCIENTIFIQUE	*Pitta caerulea.*
FAMILLE	Pittidae.
LONGUEUR	30 cm.
HABITAT	Forêts pluvieuses et plaines boisées secondaires.
RÉPARTITION	Péninsule de Malaisie, Sumatra et Bornéo.
DESCRIPTION	Grande brève trapue, à grosse tête et queue courte. Le mâle est bleu sur le dessus et sur la queue, chamois sur le dessous. Cercles noirs en collier et autour des yeux. La femelle a un plumage marron sur le dos et les ailes.

La brève géante est la plus répandue des brèves, mais, comme ses proches parentes, elle est craintive et discrète ; de fait, on l'entend plus qu'on ne l'aperçoit. Depuis son perchoir, le plus souvent au crépuscule ou au clair de lune, elle produit un sifflement en trille. Cet oiseau sédentaire vit d'ordinaire seul ou en couple. Ses appels sont souvent repris par des oiseaux dans les territoires adjacents. Il peuple les forêts à végétation épaisse, où il passe beaucoup de temps au sol, recherchant dans la litière de feuilles des invertébrés tels que vers, escargots, insectes et araignées, mais aussi de petits lézards et des serpents. Pendant la période de reproduction, la brève géante construit un nid rond en brindilles et racines, tapissé de mousse, où la femelle dépose généralement deux œufs. Le nid peut être placé dans un buisson, parmi des branches à terre, des racines d'arbre ou des cailloux.

BRÈVE AZURINE ▲

NOM SCIENTIFIQUE	*Pitta guajana.*
FAMILLE	Pittidae.
LONGUEUR	23 cm.
HABITAT	Forêts pluvieuses et plaines boisées secondaires.
RÉPARTITION	Sud-est asiatique, de la Thaïlande à la Papouasie-Nouvelle-Guinée.
DESCRIPTION	Oiseau trapu ; dessus marron avec strie blanche sur les ailes ; rayures jaunes et noires dessous ; queue bleue ; gorge blanche ; tête jaune avec calotte noire et strie noire aux yeux. La femelle est plus terne.

La brève azurine se rencontre seule ou en couple. Cet oiseau est réservé, et souvent seul son chant, un appel sifflé, permet de l'identifier. Cependant, lorsqu'il est à la recherche de nourriture, on le voit faire irruption pour traverser un sentier ou une clairière. Cette espèce vit au sol et ne s'envole que pour fuir le danger, préférant les forêts ombragées, se déplaçant pour fouiller du bec les feuilles ou les branches tombées à terre. La brève azurine consomme des insectes, des invertébrés – araignées et escargots – et quelques petits vertébrés tels que des lézards. On la trouve aussi parfois perchée sur les branches basses des buissons et des arbres. Pendant la période de reproduction, la brève azurine édifie un nid sphérique avec des brindilles dans un buisson ou parmi des racines d'arbre, où la femelle pond généralement deux œufs.

PHILEPITTE SOUIMANGA

NOM SCIENTIFIQUE	*Neodrepanis coruscans.*
FAMILLE	Philepittidae.
LONGUEUR	10 cm.
HABITAT	Forêts pluvieuses denses.
RÉPARTITION	Est de Madagascar.
DESCRIPTION	Très petit oiseau à bec incurvé vers le bas. En période de reproduction, le mâle a le dessous jaune, le dessus bleu irisé et une caroncule gris-bleu autour des yeux. Femelle vert olive, tachetée de blanc et de vert; dessous jaunâtre.

Ce minuscule oiseau est également appelé «faux souimanga caronculé» en raison de la caroncule qu'il a aux yeux, très proéminente en période de reproduction. Le mâle mue deux fois par an et arbore alors un plumage bleu irisé sur le dessus; le reste du temps, il est terne, tout comme sa femelle. Le nid sphérique ou piriforme est probalement édifié par la seule femelle. Celle-ci constitue d'abord une boule qu'elle suspend au bout d'une branche, dans laquelle elle percera ensuite une entrée sur le côté. La femelle y pond trois œufs assez allongés. Cette espèce cherche de quoi se nourrir à tous les étages de la forêt, pompant le nectar des fleurs avec son long bec incurvé et consommant des insectes comme les termites.

◄ XÉNIQUE GRIMPEUR

NOM SCIENTIFIQUE	*Acanthisitta chloris.*
FAMILLE	Acanthisittidae.
LONGUEUR	8 cm.
HABITAT	Forêts.
RÉPARTITION	Nouvelle-Zélande.
DESCRIPTION	Très petit; dessus marron doré, avec taches noires sur les ailes, courtes et arrondies. Grosse tête, sourcils et dessous blancs.

Le xénique grimpeur (ou «titipounamu») fait partie des roitelets de Nouvelle-Zélande, dont on estime qu'une seule espèce a survécu, le xénique des rochers *(Xenicus gilviventris)*. Plus petit oiseau de Nouvelle-Zélande, il se nourrit de minuscules insectes qu'il trouve dans les lichens, la mousse et l'écorce des arbres. Il sautille du bas vers le haut d'un arbre, puis saute à la base d'un autre, ailes ouvertes, pour répéter le processus. On le trouve le plus souvent en couple, maintenant le contact par de courts appels stridents. En période de reproduction, cette espèce niche dans le trou d'un arbre, où il édifie une petite structure de végétaux en dôme, colmatée par de la toile d'araignée et garnie de mousse et de plumes. La femelle pond jusqu'à quatre œufs, nourrie par le mâle pendant qu'elle couve. Le mâle participe activement à la construction du nid et à l'incubation; après l'éclosion, les deux parents nourrissent leur couvée. À l'occasion, les petits d'une première couvée aident à nourrir ceux de la seconde.

MÉNURE SUPERBE

NOM SCIENTIFIQUE	*Menura novaehollandiae.*
FAMILLE	Menuridae.
LONGUEUR	De 80 à 90 cm. Mâle plus grand que la femelle.
HABITAT	Forêts d'eucalyptus.
RÉPARTITION	Sud-est de l'Australie, y compris régions de la Tasmanie.
DESCRIPTION	Dessus brun ; ailes rousses ; dessous grisâtre. Le mâle adulte a une queue ornée de longues plumes incurvées ressemblant à une lyre quand elle est dressée. La femelle a aussi une longue queue, mais sans les plumes caractéristiques du mâle.

N'étant pourtant qu'un de ses parents éloignés, le ménure superbe, communément appelé « oiseau-lyre », ressemble à un faisan avec sa queue et ses longues pattes, son corps mince et sa petite tête. Cet oiseau vit au sol des forêts humides d'eucalyptus. C'est un solitaire, bien que mâle, femelle et jeunes cherchent parfois leur nourriture ensemble. Ils fouillent de leurs pattes la litière de feuilles et le sol, consommant des insectes, des araignées, des vers et autres invertébrés, ainsi parfois que des graines. Le ménure superbe se reproduit d'avril à octobre, période pendant laquelle le mâle s'assure un territoire autour duquel il édifie des monticules de végétation, et où il se tient pour attirer une femelle. La parade nuptiale comporte de nombreux chants et danses. Le ménure superbe rabat alors sa queue sur le dos, la déploie et l'agite faiblement, en tournant sur lui-même. Un mâle peut s'accoupler avec plusieurs femelles, qui édifieront un nid dans de grandes structures en dôme, au milieu de la végétation. Un œuf unique est pondu, incubé pendant sept semaines environ. Le ménure superbe est bien connu pour ses vocalises composées de sons naturels et mécaniques. Il peut aussi émettre des sifflements, des notes caquetées et des cris puissants.

ALOUETTE DES CHAMPS

NOM SCIENTIFIQUE	*Alauda arvensis.*
FAMILLE	Alaudidae.
LONGUEUR	18 cm.
HABITAT	Champs ouverts, en particulier les pâturages.
RÉPARTITION	De l'ouest de l'Europe à l'Eurasie. Afrique du Nord.
DESCRIPTION	Plumage à rayures marron et blanches sur la tête, la gorge, le dos, les ailes et la queue ; dessous plus clair. Le mâle a une petite huppe marron.

Beaucoup plus commune autrefois, l'alouette des champs demeure malgré tout très répandue. On la trouve dans une grande variété d'habitats ouverts, les champs cultivés, les marais et les landes, préférant les terres à végétation basse ou les céréales non parvenues à maturité. Elle passe la plupart de son temps au sol, mais y demeure camouflée grâce à son plumage, et ne signale sa présence que par son gazouillis léger. Cet oiseau peut appeler du sol, mais il est plus connu pour ses vocalises aériennes, en vol vertical haut dans le ciel, le plus souvent au début de la période de reproduction, d'avril à août. Le nid, en forme de coupelle, est placé au sol dans une crevasse profonde, bien caché par la végétation. La femelle pond de trois à cinq œufs, qu'elle incube seule pendant onze jours environ. Les deux parents nourrissent leurs petits, qui quittent le nid dix jours plus tard, restant dépendants de leurs parents encore une ou deux semaines, avant une nouvelle reproduction. Les couples les plus féconds peuvent avoir jusqu'à quatre nichées par saison. En hiver, les alouettes des champs se rassemblent en vastes groupes, en particulier dans les chaumes des champs moissonnés. Cette espèce se nourrit d'insectes, de graines et autres végétaux.

COCHEVIS HUPPÉ

NOM SCIENTIFIQUE	*Galerida cristata.*
FAMILLE	Alaudidae.
LONGUEUR	20 cm.
HABITAT	Terrains découverts, prairies, champs cultivés.
RÉPARTITION	Afrique du Nord, Europe, du Moyen-Orient à l'Inde, Chine et Corée.
DESCRIPTION	Grosse alouette au plumage brun rayé ; dessous plus clair ; tête ornée d'une huppe en crête pointue, visible même au repos.

Le cochevis huppé ressemble beaucoup à l'alouette des champs, et ses mœurs sont semblables ; il s'en distingue par sa taille légèrement plus importante ainsi que par sa huppe en pointe, dressée lors de la parade nuptiale mais visible même quand elle est rabattue. C'est un oiseau commun, qui se reproduit dans les régions les plus tempérées d'Eurasie et dans certaines zones d'Afrique. Il ne s'agit cependant pas d'un oiseau migrateur, et sa sédentarité se manifeste par exemple par le fait que, s'il niche dans le nord de la France, il est pourtant fort rare de le rencontrer à peine plus à l'ouest, en Grande-Bretagne. Le cochevis huppé aime les terrains secs et découverts, à végétation basse, mais on le trouve aussi près des zones boisées de façon clairsemée. Bien qu'il passe le plus clair de son temps au sol, il se perche parfois sur des branches basses ou dans un buisson. Comme les autres alouettes, il édifie à terre un nid en coupe, où il pond deux ou trois œufs. Cette espèce recherche au sol sa nourriture, essentiellement composée de graines, mais aussi d'invertébrés, surtout des blattes, en période de reproduction. Le cochevis huppé produit un son fort et musical.

ALOUETTE HAUSSE-COL

NOM SCIENTIFIQUE	*Eremophila alpestris.*
FAMILLE	Alaudidae.
LONGUEUR	18 cm.
HABITAT	Champs cultivés, terrains découverts, régions côtières, montagne.
RÉPARTITION	Se reproduit en Arctique, Eurasie et presque toute l'Amérique du Nord, hiverne au sud de ces régions. Populations sédentaires isolées dans les Andes.
DESCRIPTION	Dessus légèrement rayé gris ou sable ; dessous blanc ; face blanche ou jaune avec large tache noire sur les yeux et la gorge. Petites plumes retroussées sur la tête en période de reproduction.

L'alouette hausse-col est une espèce très répandue. C'est la seule alouette réellement originaire d'Amérique du Nord, l'alouette des champs y ayant été introduite dans certaines régions. Cet oiseau vit sur les terrains découverts, dans des habitats très variés. Cependant, en hiver, on le trouve aussi en petits groupes dans les régions côtières. Contrairement à ses proches parents, il préfère les sols nus et pierreux aux prairies herbeuses. Comme les autres alouettes, le hausse-col cherche sa nourriture au sol, en particulier des graines d'herbes sauvages, mais aussi, en période de reproduction surtout, des insectes, dont il nourrit ses petits. Le nid, une coupe tapissée d'herbes tendres, est construit au sol dans une cavité. La femelle y pond de deux à cinq œufs. Le chant de cette espèce consiste en notes musicales aiguës.

HIRONDELLE RUSTIQUE

NOM SCIENTIFIQUE	*Hirundo rustica.*
FAMILLE	Hirundinidae.
LONGUEUR	20 cm.
HABITAT	Terrains découverts au bord de l'eau.
RÉPARTITION	Dans tout l'hémisphère Nord. Migre au sud l'hiver.
DESCRIPTION	Dos noir brillant; dessous pâle; gorge rousse. Le bout des longues plumes de la queue fourchue porte des marques. La femelle est plus terne, avec le dessous plus pâle et la queue moins longue.

L'hirondelle a une apparence et un comportement différents de la plupart des autres oiseaux, à l'exception des martinets (Apodidae) qui ne sont pas proches parents mais ont évolué de façon semblable. L'hirondelle rustique passe beaucoup de temps dans les airs, où on la distingue à son vol puissant, sa queue fourchue et sa façon de gober les insectes. Son vol, bien que gracieux, se caractérise par de brusques changements de direction et de hauteur. À la différence des martinets, incapables de se percher, l'hirondelle est souvent aperçue sur les fils téléphoniques; elle se pose rarement au sol, mais elle y passe néanmoins pour ramasser les matériaux de construction du nid. Les deux sexes contribuent à sa fabrication, utilisant de la boue, de la paille et des plumes pour édifier une structure en cuvette, fixée généralement au mur d'un bâtiment ou d'une grotte. La couvée se compose de quatre à six œufs, que seule la femelle incube pendant quatorze ou quinze jours. Après l'éclosion, les jeunes sont nourris par les deux parents. Ils sont capables de voler au bout de trois semaines environ et continuent ensuite d'être nourris en vol. Les hirondelles sont des oiseaux très grégaires, qui s'assemblent souvent par centaines, sauf en période de reproduction.

HIRONDELLE BICOLORE

NOM SCIENTIFIQUE	*Tachycineta bicolor.*
FAMILLE	Hirundinidae.
LONGUEUR	15 cm.
HABITAT	Prairies et champs découverts, généralement près de l'eau.
RÉPARTITION	Amérique du Nord, migrant jusqu'à la Colombie durant l'hiver.
DESCRIPTION	Dessus bleu métallique ; dessous blanc ; longue queue fourchue et ailes larges.

Comme les autres hirondelles, l'hirondelle bicolore se nourrit en vol de petits insectes. Mais elle consomme aussi des graines et des baies et, fait intéressant, elle est l'une des rares espèces d'oiseaux pouvant digérer les baies du myrte, tout comme la paruline à croupion jaune (ou sylvette, sous-espèce *Dendroica coronata*). Généralement très sociable, l'hirondelle bicolore s'observe en groupes très nombreux, en particulier lors des migrations ; cependant, elle peut être très sédentaire durant la période de reproduction. Cette espèce édifie avec des végétaux un nid en coupe qu'elle installe dans un creux (trou d'arbre ou nid abandonné de martin-pêcheur), mais elle accepte aussi les nichoirs artificiels. Le mâle et la femelle participent à la construction du nid, où sont pondus de quatre à six œufs, incubés par la seule femelle pendant quatorze ou quinze jours. Après l'éclosion, les petits demeurent au nid de seize à trente jours, et la plupart deviennent ensuite indépendants des parents.

HIRONDELLE DE FENÊTRE

NOM SCIENTIFIQUE	*Delichon urbica.*
FAMILLE	Hirundinidae.
LONGUEUR	12 cm.
HABITAT	Prairies près de l'eau, parcs et lisières de forêts.
RÉPARTITION	Presque toute l'Europe et le nord de l'Asie, hivernage en Afrique, Inde et Afrique du Sud.
DESCRIPTION	Dessus bleu-noir irisé; dessous blanc. Les ailes pointues sont brun foncé; la queue est fourchue.

L'hirondelle de fenêtre est un voilier puissant et agile qui passe le plus clair de son temps dans les airs, survolant les prés, les champs et la lisière des bois pour capturer des insectes, souvent à proximité de l'eau. Elle arrive sur son aire d'habitat au printemps pour se reproduire et migrer l'hiver en Afrique, au nord de l'Inde et dans certaines parties de l'Asie. Elle niche généralement en colonies, et, bien que certains oiseaux vivent sur les falaises, elle s'est très bien adaptée à l'environnement humain et installe souvent son nid à l'abri sous les auvents des maisons de campagne. Le nid en forme de coupe est fait de boue, prélevée au bord des mares ou des étangs. Il est fréquemment utilisé plusieurs années de suite par les parents ou leur progéniture. La couvée se compose habituellement de trois à cinq œufs, incubés alternativement par les deux parents pendant deux semaines environ. Les deux adultes nourrissent les petits, qui s'émancipent au bout de trois à quatre semaines. L'hirondelle de fenêtre, voilier acrobatique nichant dans des bâtiments abrités, craint peu de prédateurs. Mais elle est souvent chassée hors du nid par le moineau domestique, ce qui a sans doute contribué à la diminution du nombre d'hirondelles de fenêtre ces derniers temps.

HIRONDELLE DE RIVAGE

NOM SCIENTIFIQUE	*Riparia riparia.*
FAMILLE	Hirundinidae.
LONGUEUR	12 cm.
HABITAT	Prairies, bords de ruisseaux sableux, de lacs et carrières.
RÉPARTITION	Toute l'Amérique du Nord, Moyen-Orient et Eurasie, hiverne en Amérique centrale et du Sud, régions de l'Inde et Asie du Sud-Ouest.
DESCRIPTION	Petit oiseau ; dessus gris-brun sombre ; plus pâle dessous ; bande pectorale sombre.

L'hirondelle de rivage est la plus petite espèce de martinets et d'hirondelles, et aussi l'une des plus répandues. Voilier puissant et agile, elle se déplace en vastes migrations entre ses aires de reproduction et d'hivernage. Elle niche dans les terrains sableux ou les bords de cours d'eau, creusant un tunnel à l'aide de ses pattes et de son bec. Elle est volontiers grégaire tout au long de l'année, surtout en période de reproduction, nichant alors en colonies de centaines de couples sur le même site, notamment lorsque la reproduction y a été fructueuse. Il est à noter que les femelles nichant pour la première fois ne reviennent pas toujours sur le site où elles sont nées. Une couvée peut comporter plus de cinq œufs, incubés pendant près de deux semaines par les deux parents. L'hirondelle de rivage revient au site de reproduction dès le mois d'avril ou mai, et il n'est pas rare qu'elle se reproduise deux fois durant la saison. Parfois, une femelle laisse son compagnon élever seul les petits et part s'accoupler avec un autre mâle, en particulier si la couvée issue du premier accouplement n'a pas survécu. L'hirondelle de rivage capture des insectes en vol, souvent au ras de l'eau, et se perche sur les fils téléphoniques.

HIRONDELLE POURPRÉE ▼

NOM SCIENTIFIQUE	*Progne subis.*
FAMILLE	Hirundinidae.
LONGUEUR	20 cm.
HABITAT	Urbain, champs et zones désertiques, souvent terrains boisés et forêts pluvieuses.
RÉPARTITION	Sud du Canada jusqu'au Mexique. Hiverne en Amérique du Sud.
DESCRIPTION	Grand oiseau. Le mâle est entièrement bleu-noir, la femelle bleu-noir avec collier et dessous gris.

L'hirondelle pourprée est le plus gros membre de sa famille en Amérique du Nord. On la trouve dans des habitats très variés, y compris dans les zones urbaines et leur périphérie. En fait, à l'est de son aire d'habitat, elle ne s'installe plus que dans des nichoirs artificiels ; ailleurs, elle utilise des cavités naturelles dans des arbres, de gros cactus, des falaises ou, assez fréquemment, dans des nids abandonnés par les martins-pêcheurs. Elle niche souvent en colonies, préférant aux sites naturels les lieux où ont été installés de nombreux nichoirs. L'hirondelle pourprée est monogame, et les couples coopèrent au choix du site et à la construction du nid, composé de boue et de végétaux ; ensuite, la femelle couve seule jusqu'à sept œufs, pendant environ deux semaines. Les deux parents nourrissent les jeunes jusqu'à ce qu'ils prennent leur envol et continuent à assurer leur subsistance pendant encore deux semaines. Comme ses proches parents, l'hirondelle pourprée est un insectivore aérien qui gobe ses proies en vol. Elle boit aussi en vol, frôlant la surface de l'eau et en remplissant son bec au passage.

BERGERONNETTE DES RUISSEAUX

NOM SCIENTIFIQUE	*Motacilla cinerea.*
FAMILLE	Motacillidae.
LONGUEUR	18 cm.
HABITAT	Ruisseaux caillouteux, torrents, marais, rivières et étangs.
RÉPARTITION	Europe, zones nord et est de l'Afrique, Asie.
DESCRIPTION	Dessus gris cendré ; poitrine jaune soufre ; longues plumes rectrices ; croupion jaune verdâtre. Le mâle a une bavette noire qui devient blanche en hiver ; la femelle est plus pâle sur le dessus et n'a pas de bavette noire.

Les bergeronnettes ont pour caractéristique d'agiter constamment leur queue de haut en bas. Cette espèce est presque entièrement grise, avec le dessous jaune. On la trouve fréquemment près des eaux courantes, notamment pendant la période de reproduction. Elle tend à passer l'hiver dans les régions plus chaudes du sud, près des marais et, de plus en plus souvent, le long des canaux, dans les parcs et les jardins des villes et de leur périphérie. Cette espèce est relativement commune, mais les hivers très froids l'affectent beaucoup. Elle se nourrit principalement de petits invertébrés, explorant les roches et la végétation des rives pour capturer des insectes à la surface d'une rivière ou d'une mare, cherchant parfois dans les eaux peu profondes de petits escargots aquatiques ou même des têtards. En période de reproduction, la bergeronnette des ruisseaux niche dans les trous des murs, des ponts ou des berges, et construit un nid en coupe peu profond où la femelle pond de quatre à six œufs. La couvée est incubée uniquement par la femelle pendant deux semaines environ ; mais, après l'éclosion, les deux parents prennent soin des jeunes.

PIPIT FARLOUSE ▼

NOM SCIENTIFIQUE	*Anthus pratensis.*
FAMILLE	Motacillidae.
LONGUEUR	15 cm.
HABITAT	Terrains découverts, toundras, landes, champs et marais côtiers.
RÉPARTITION	Du Groenland à toute l'Europe, à l'Afrique du Nord et l'Asie centrale.
DESCRIPTION	Petit oiseau brun, à poitrine tachetée de marron; marques sombres sur le dos et les ailes.

Le pipit farlouse ressemble beaucoup, par son plumage rayé, à une petite grive ou à une alouette, mais il appartient à la même famille que les bergeronnettes, et c'est en fait la plus petite espèce de pipits. Il préfère les prés humides et ouverts, nichant sur les hautes terres de landes et les marais côtiers; en hiver, il est plus commun dans les champs cultivés et les jardins urbains. En période de reproduction, le mâle exécute une parade particulière, se laissant tomber verticalement de son perchoir, avant de planer tout en produisant un cri fort et strident se terminant en trille. Cette espèce s'installe au sol dans un nid d'herbes en coupe, bien dissimulé dans la végétation. La femelle y pond et incube de trois à cinq œufs, qui éclosent environ deux semaines plus tard. Les deux adultes nourrissent leurs oisillons d'insectes, d'araignées et de vers. L'oiseau adulte consomme aussi des graines. Le pipit farlouse est l'une des espèces régulièrement parasitées par le coucou.

BERGERONNETTE GRISE ▲

NOM SCIENTIFIQUE	*Motacilla alba yarrellii.*
FAMILLE	Motacillidae.
LONGUEUR	18 cm.
HABITAT	Berges de ruisseaux, lacs, champs, côtes, parcs et jardins.
RÉPARTITION	Eurasie. Migre vers l'Afrique du Nord, l'Inde et l'Asie du Sud-Est.
DESCRIPTION	Gris, noir et blanc à longue queue. Le mâle à une calotte, la gorge, la poitrine et le dessous noirs; le tour des yeux, les joues et le ventre blancs. La femelle a le dos gris, la poitrine et la calotte moins sombres que le mâle.

La bergeronnette grise est un oiseau commun et très répandu de l'Islande à toute l'Europe, en Asie et jusqu'en Afrique du Nord. Elle vit dans des habitats très divers, champs, prairies et parcs, mais montre une nette préférence pour la proximité de l'eau, où elle se nourrit d'insectes et autres invertébrés, perchée ou frappant le sol de sa longue queue qu'elle agite. Elle se reproduit d'ordinaire entre avril et août, nichant dans des trous de bâtiments, au milieu de la végétation ou des cailloux, utilisant parfois le nid abandonné d'autres oiseaux, y compris ceux des hirondelles. Son propre nid est fait de brindilles, de feuilles et d'herbes, tissé avec des plumes et des poils. La femelle pond de trois à cinq œufs, qu'elle incube de onze à quinze jours. Après l'éclosion, les deux parents prennent soin des petits pendant quelques semaines, même après qu'ils ont quitté le nid. Durant les mois d'hiver, de grands groupes de bergeronnettes grises peuvent se rassembler pour se percher ensemble sur les arbres ou les toits.

BULBUL ORPHÉE ▼

NOM SCIENTIFIQUE	*Pycnonotus zeylanicus.*
FAMILLE	Pycnonotidae.
LONGUEUR	28 cm.
HABITAT	Lieux boisés et lisières de forêts.
RÉPARTITION	Bornéo, Sumatra, Java et péninsule de Malaisie.
DESCRIPTION	Le grand bulbul a la tête claire et une forte moustache noire. Calotte et oreilles orange ; dos, ailes et queue brun olive ; joues et gorge blanches ; dessous gris.

Le bulbul orphée est le plus grand membre de sa famille ; c'est aussi une espèce commune des régions où il vit. Cependant, cet oiseau, populaire en raison de son chant mélodieux, est en butte à une intense contrebande. On le trouve dans les forêts secondaires et à la lisière de forêts pluvieuses, où il se nourrit de fruits et d'invertébrés qu'il débusque au sol près des ruisseaux ; il attrape aussi des insectes en vol, en rasant la surface de l'eau. Sa nourriture préférée se compose de blattes, d'escargots, de libellules et de sauterelles. Cette espèce vit en groupes d'environ huit membres, qui s'accouplent toute l'année. On pense que les groupes familiaux coopèrent, les oiseaux qui ne se reproduisent pas aidant à nourrir la progéniture des autres couples. Leur nid est placé sur des branches basses ou dans des buissons ; la couvée se compose de deux ou trois œufs, pondus dans un nid en coupe, fait de racines, de feuilles et de brindilles. Les deux adultes nourrissent les petits, nés après seize jours d'incubation.

ÉCHENILLEUR À MASQUE NOIR ▲

NOM SCIENTIFIQUE	*Coracina novaehollandiae.*
FAMILLE	Campephagidae.
LONGUEUR	33 cm.
HABITAT	Forêts et zones boisées découvertes.
RÉPARTITION	Presque toute l'Australie, migre parfois en Nouvelle-Guinée.
DESCRIPTION	Face noire ; dessus gris ; dessous légèrement plus pâle. Extrémité des ailes d'un gris plus foncé ; extrémité de la queue blanche.

Cette espèce ressemble au coucou, mais ne lui est apparentée que de façon lointaine. De fait, si le corps de cet oiseau est semblable à celui du coucou, son bec légèrement crochu le rapproche plutôt de la grive. On le reconnaît à sa façon caractéristique de battre des ailes avant d'atterrir. L'échenilleur à masque noir est commun, habitant volontiers les lieux boisés, bien qu'il soit totalement absent des forêts pluvieuses. Il peut aussi être familier des banlieues des agglomérations, où on l'observe souvent perché sur les fils téléphoniques ou les toits. En dehors de la période de reproduction, cet oiseau s'agrège à de grands groupes ; si seuls quelques-uns migrent, la plupart adoptent un mode de vie nomade. L'échenilleur à masque noir se reproduit d'avril à février. Les deux partenaires construisent leur nid avec des branchages et de l'écorce, qu'ils garnissent ensuite de toiles d'araignée. Une couvée normale compte trois œufs. Après l'éclosion, les deux parents s'occupent des oisillons jusqu'à ce qu'ils quittent le nid, quelque trois semaines plus tard. Si la reproduction s'est bien passée, l'échenilleur à masque noir s'accouplera avec la même partenaire l'année suivante, sur le même territoire. Il se nourrit d'insectes et autres invertébrés, qui peuvent être attrapés en vol, capturés dans le feuillage ou au sol. Il consomme également des fruits et des graines.

IRÈNE VIERGE

NOM SCIENTIFIQUE	*Pycnonotus jocosus.*
FAMILLE	Pycnonotidae.
LONGUEUR	20 cm.
HABITAT	Forêts découvertes, taillis et jardins.
RÉPARTITION	Chine, Assam, Népal, Inde. Introduit en Amérique du Nord et en Australie.
DESCRIPTION	Oiseau huppé à tête noire ; joues blanches ; tache rouge derrière les yeux ; gorge et poitrine blanches ; ventre chamois. Le dos et la longue queue sont chamois.

L'irène vierge est un oiseau actif et très facile à observer : on le trouve en petits groupes bruyants, qui émettent des notes courtes et fortes, mais aussi des sons mélodieux. Il passe beaucoup de son temps dans la végé-tation, mais on l'aperçoit aussi dans les jardins des banlieues, souvent perché sur les poteaux et les fils téléphoniques. Cette espèce est omni-vore et consomme volontiers des fruits (en particulier les baies de dif-férents arbustes), des fleurs, des bourgeons et des invertébrés. Cependant, les jeunes sont nourris avec de gros insectes comme des chenilles, ne consommant des végétaux qu'à mesure qu'ils grandissent. La période de reproduction se situe de janvier à août, et chaque saison peut compter jusqu'à trois couvées. Celles-ci se composent de deux ou trois œufs, parfois cinq. Le nid, de la forme d'une coupe peu profonde, est fait avec des végétaux, tapissé de toiles d'araignée et placé sur un arbre ou dans un buisson. Les oisillons naissent aveugles et nus et sont nourris par les deux parents pendant deux semaines environ, jusqu'à ce qu'ils quittent le nid, revenant s'y nourrir jusqu'à leur totale indépendance.

IRÈNE-FÉE

NOM SCIENTIFIQUE	*Irena puella.*
FAMILLE	Irenidae.
LONGUEUR	27 cm.
HABITAT	Forêts tropicales denses.
RÉPARTITION	Sud de l'Inde ; du Népal à l'Asie du Sud-Est.
DESCRIPTION	Mâle noir brillant, avec sur le dos du bleu vif s'étendant aux ailes et à la queue. Femelle semblable mais plus terne. Yeux rouges chez les deux sexes.

Les irènes et les verdins sont proches parents des ioras, mais leur classification reste incertaine, et quelques études suggèrent des liens plus étroits avec les pies-grièches. Il n'existe que deux espèces d'irènes :

l'irène-fée, qui vit dans les régions humides de l'Inde, l'Himalaya, l'Asie du Sud-Est et de l'Est, jusqu'à Bornéo et Palawan, et l'irène à ventre bleu *(Irena cyanogaster)*, endémique dans la majeure partie des Philippines. L'irène-fée, de taille moyenne, vit dans les arbres des forêts pluvieuses, où elle recherche dans le feuillage des fruits (en particulier les figues), des fleurs (nectar), des insectes et des araignées. Elle vit en couple ou en petits groupes, mais peut se rassembler en plus grand nombre quand les fleurs et les fruits sont abondants. Pendant la période de reproduction, cette espèce édifie un nid grossier en coupe, fait de brindilles et tapissé de mousse et de radicelles, généralement placé assez bas, à la fourche d'une branche d'arbre. La femelle construit le nid et incube de deux à quatre œufs ; les deux parents prennent soin de leur progéniture.

PETIT IORA ▲

NOM SCIENTIFIQUE	*Aegithina tiphia.*
FAMILLE	Irenidae.
LONGUEUR	14 cm.
HABITAT	Forêts, zones boisées clairsemées et champs cultivés.
RÉPARTITION	Inde et Sri Lanka, de l'Asie du Sud-Est à Java et Bornéo.
DESCRIPTION	Dessus olive ou vert-jaune ; ailes et queue noires ; stries blanches sur les ailes ; dessous jaune. En plumage nuptial, le mâle a la tête et le cou jaunes.

On rencontre surtout le petit iora dans les habitats forestiers, mais aussi dans les lieux boisés et les jardins de ses régions habituelles. C'est un petit oiseau qui se tient plus volontiers à la partie supérieure des frondaisons ou sur les branches hautes des grands arbres des jardins, et on le distingue difficilement. On l'aperçoit surtout en période de reproduction, lorsqu'il construit son nid beaucoup plus bas. Celui-ci a la forme d'une coupe profonde ; il est fait d'herbes et de poils d'animaux, souvent fixé à la fourche d'une branche avec de la toile d'araignée. La couvée est de deux œufs à quatre œufs, et les deux parents nourrissent les oisillons. Le petit iora réalise des vols nuptiaux acrobatiques, s'élançant de son perchoir pour exécuter des pirouettes, les plumes ébouriffées, ouvrant la queue en éventail avant d'atterrir. Pendant cette performance, l'oiseau émet un long sifflement aigu ou un pépiement continu. Le petit iora cherche sa nourriture dans les hauteurs des arbres, surtout des insectes et des araignées, se déplaçant souvent par deux, ou s'associant à d'autres espèces.

VERDIN À VENTRE ORANGE

NOM SCIENTIFIQUE	*Chloropsis hardwickii.*
FAMILLE	Irenidae.
LONGUEUR	20 cm.
HABITAT	Forêts de montagne.
RÉPARTITION	Est de l'Himalaya et sud de la Chine, jusqu'à la Malaisie.
DESCRIPTION	Oiseau très élancé ; dessus vert avec plumes des ailes rectrices bleues ; face et gorge sombres ; ventre jaune ou orange. Le mâle a la queue bleue.

Proches parents des ioras, les verdins sont, comme eux, des oiseaux des hautes frondaisons des forêts pluvieuses. Malgré leur plumage coloré, on les distingue très mal du sol. Le verdin à ventre orange est une espèce active, qui se déplace rapidement dans les hauts feuillages, par paires ou en groupes mixtes, à la recherche de sa nourriture. Il chasse les insectes et les araignées, qu'il attrape dans les feuillages, mais consomme aussi différents fruits, utilisant sa langue en brosse pour prélever le nectar des fleurs, un comportement caractéristique qui contribue à la pollinisation de nombreuses espèces de plantes. Pendant la période de reproduction, le verdin à ventre orange construit un nid en coupe, placé à la fourche d'une branche haute, tapissé de mousse, de poils d'animaux et de toiles d'araignée. Il est surtout l'œuvre de la femelle, qui incube seule sa couvée de deux ou trois œufs et prend soin des oisillons dès qu'ils sont nés.

PIES-GRIÈCHES

Les pies-grièches sont parfois désignées par le surnom d'« oiseaux bouchers », en raison de leur habitude d'empaler leurs proies sur des épines ou des pointes de fil de fer barbelé. Cependant, elles ne s'apparentent pas de près aux « oiseaux bouchers » d'Australie, qui présentent des traits semblables ; par ailleurs, certaines pies-grièches n'ont pas ce comportement. La classification des pies-grièches est sujette à controverse, et ce groupe est souvent divisé en trois familles distinctes : les pies-grièches proprement dites (famille des Laniidae), celles de la famille des Prionopidae et des Malaconotidae (les gonoleks, les tchagras, les boubous, les bagadais, les batisses et les pies-grièches à caroncule). Certains parmi ces derniers groupes ont le statut de famille à part entière. Les véritables pies-grièches sont répandues en Europe, en Asie et en Afrique, et il n'y en a que peu d'espèces en Amérique du Nord. Ce sont des oiseaux prédateurs de taille moyenne, au bec crochu, qui se nourrissent de gros invertébrés et de petits vertébrés tels que souris, lézards et oisillons. Beaucoup ont un plumage noir, blanc et gris, avec un masque noir aux yeux ; certains ont la tête et les ailes d'un brun rougeâtre. On rencontre la pie-grièche dans les terrains découverts, surtout les prairies, les lieux boisés clairsemés et les broussailles, où, depuis un perchoir, elle guette sa proie au sol. Beaucoup d'espèces embrochent leur prise sur une épine ou une brindille pour la consommer plus tard.

La **pie-grièche migratrice** (*Lanius ludovicainus*) est une espèce d'Amérique du Nord qui vit du sud du Canada au Mexique. Sa tête est relativement forte ; le dessus est gris foncé, le dessous blanc, la face, la queue et les rectrices primaires noires. Sa taille totale peut atteindre 22 cm. En période de reproduction, elle niche dans un arbre ou un buisson épais où sont pondus jusqu'à six œufs, incubés guère plus de deux semaines.

La **pie-grièche écorcheur** (*Lanius collurio*), autre espèce bien connue, est répandue dans presque tout l'ouest de l'Europe, mais sa population est en déclin dans presque tout son habitat. En hiver, on la trouve en Afrique et dans le nord de l'Inde. Le mâle a la tête grise avec un masque noir, la gorge blanche, le dessous gris-brun, le dos et les ailes rougeâtres. La femelle a la face blanche avec une calotte et un masque bruns, et le dessous pâle à stries sombres. Cette espèce peut atteindre 18 cm. En période de reproduction, elle construit un nid de brindilles et de végétaux, placé dans un arbre ou un buisson dense. La couvée se compose de cinq ou six œufs, incubés de quinze à dix-sept jours. Après l'éclosion, les jeunes restent au nid vingt jours environ et sont souvent nourris par les parents jusqu'à ce qu'ils soient indépendants.

Bien que classée parmi les véritables pies-grièches, la **corvinelle-pie** (*Corvinella melanoleuca*) est monotypique, car elle est le seul membre

Gonolek rouge et noir

de son genre ; elle représente un lien entre la pie-grièche authentique et ses dérivés. De façon inhabituelle, c'est une espèce sociable que l'on rencontre en groupes bruyants de dix individus ou plus, dans des régions de l'est et du sud de l'Afrique. Elles se tiennent dans des lieux boisés clairsemés et des broussailles, où elles débusquent de petits reptiles et des invertébrés, gobent des insectes en vol ou les dénichent dans le feuillage, ou encore se jettent de leur perchoir sur une proie au sol. Cette espèce est uniformément noire, avec une apparence ébouriffée, des taches blanches sur le dos et les ailes, un croupion gris. Elle peut atteindre 18 cm, queue comprise. Pendant la période de reproduction, elle construit un nid grossier en coupe, fait de brindilles, d'herbes et autres végétaux, où sont pondus jusqu'à six œufs, incubés par la femelle pendant un peu moins de deux semaines. Les jeunes quittent le nid environ deux semaines plus tard, mais peuvent être incapables de voler pendant plusieurs jours. Les deux adultes prennent soin de leurs oisillons, avec l'aide des autres membres du groupe, et la progéniture d'une première couvée contribue à nourrir la seconde. Cette pie-grièche est également sociable et vit en groupes de même importance, qui se nourrissent, se reproduisent et se perchent ensemble.

Le **bagadais casqué** (*Prionops plumatus*) se rencontre dans les prairies ouvertes, les broussailles et les zones boisées de l'Afrique subsaha-rienne. Il a une haute huppe blanche qui s'étend, plus courte, au-dessus de son bec, et une petite caroncule jaune autour de chaque œil ; le bout des ailes est blanc et il a une calotte grise ; le reste du plumage est noir et blanc. Il peut atteindre 20 cm de long. Comme les autres pies-grièches, il fouille au sol dans la litière de feuilles ou gobe les insectes en vol ; sa nourriture se compose d'une multitude d'invertébrés, y compris les termites et les araignées, et parfois de petits lézards. Lors de la période de reproduction, il édifie un nid de brindilles, d'écorce et autres végétaux sur une branche horizontale ou à une fourche, où sont pondus neuf œufs. Ceux-ci sont fréquemment incubés par les membres du groupe, qui se chargent aussi de la nourriture des oisillons.

Le **gonolek rouge et noir** (*Laniarius atrococcineus*) est typiquement une pie-grièche de buissons. En effet, il vit dans les zones boisées clairsemées et les broussailles des parties du sud de l'Afrique. Il a un bec recourbé et se nourrit comme les autres pies-grièches. Il attrape ses proies en se laissant tomber de son perchoir, gobe des insectes en vol ou les trouve au sol. Il prend surtout des invertébrés, mais aussi des petits reptiles. Comme ses proches parents, il a le dessous rouge vif, qui contraste avec le plumage noir du dessus. Ses ailes portent de grandes stries blanches. Un adulte atteint généralement 23 cm.

Pie-grièche écorcheur

◀ JASEUR BORÉAL

NOM SCIENTIFIQUE	*Bombycilla garrulus.*
FAMILLE	Bombycillidae.
LONGUEUR	18 cm.
HABITAT	Forêts de conifères. Hiverne souvent dans les jardins et les parcs.
RÉPARTITION	Forêts d'Europe et d'Asie, commun en Amérique du Nord, hiverne souvent au sud de son habitat.
DESCRIPTION	Taille moyenne; oiseau chanteur à huppe; uniformément gris-brun avec bord des ailes blanc et jaune; bout de la queue jaune; croupion rougeâtre. Gorge et masque noirs. Les extrémités des rectrices portent des plaquettes cireuses rouges.

Le jaseur boréal est un oiseau très sociable, que l'on peut souvent observer en petites colonies, même en période de reproduction. Il dispose d'une vaste gamme de vocalises et de comportements, qui lui permettent de communiquer avec d'autres oiseaux de son espèce, en particulier pendant la parade nuptiale. Celle-ci inclut une danse, des offrandes de nourriture et de petits objets, tels que des cailloux. Après l'accouplement, le jaseur boréal construit un nid en coupe, placé en hauteur dans un conifère, d'ordinaire près du tronc, où la femelle pond de quatre à six œufs, incubés pendant deux semaines environ. Les jaseurs se nourrissent surtout de baies et sont les seuls oiseaux de l'hémisphère Nord à consommer en majorité des fruits, bien qu'il leur arrive de manger des insectes. Le jaseur boréal n'occupe pas un territoire régulier et, outre sa migration vers le sud en hiver, il se déplace toute l'année à la recherche de nourriture.

JASEUR D'AMÉRIQUE

NOM SCIENTIFIQUE	*Bombycilla cedrorum.*
FAMILLE	Bombycillidae.
LONGUEUR	15 cm.
HABITAT	Champs et bois, fermes, parcs et jardins.
RÉPARTITION	Tout le nord de l'Amérique du Nord. Migre l'hiver en Amérique du Sud.
DESCRIPTION	Oiseau chanteur de taille moyenne, presque entièrement gris-brun, ventre et extrémité de la queue jaunes. Tête huppée, masque noir à bords blancs, tache noire au menton.

Le jaseur d'Amérique, comme tous les membres de sa famille, est un oiseau très sociable, vivant en groupes nombreux la plupart de l'année, à l'exception de la période de reproduction, où on le trouve davantage en couples. Il niche volontiers dans les lieux boisés clairsemés, les champs arborés et les buissons, les jardins à la périphérie des agglomérations, où il construit un nid grossier de brindilles, de mousse et d'herbes, placé sur une branche horizontale. La femelle produit généralement de trois à six œufs, qu'elle incube de douze à quatorze jours. De dix-sept à dix-neuf jours après l'éclosion, les jeunes sont prêts à s'émanciper. L'hiver, le jaseur d'Amérique a un mode de vie nomade pour rechercher sa nourriture, qui se compose surtout de baies; il est l'un des rares oiseaux des régions tempérées capables de survivre plusieurs mois en se nourrissant exclusivement de baies. Cependant, cet oiseau est connu pour être vulnérable à l'intoxication par l'alcool et peut mourir après avoir ingéré des fruits fermentés. Il mange aussi des insectes qu'il capture en vol, surtout pendant les mois chauds.

PHAINOPÉPLA LUISANT

NOM SCIENTIFIQUE	*Phainopepla nitens.*
FAMILLE	Bombycillidae.
LONGUEUR	20 cm.
HABITAT	Déserts, broussailles et zones boisées clairsemées.
RÉPARTITION	Sud-ouest des États-Unis et Mexique.
DESCRIPTION	Le mâle est noir brillant, la femelle gris brunâtre. Les deux sexes ont le dessous des ailes noir, la tête huppée, les yeux rouges.

Le phainopépla est considéré comme un gobe-mouches (son autre nom est le gobe-mouches noir), un petit groupe d'oiseaux apparentés aux jaseurs, lesquels font partie de la famille des Bombycillidae. Cependant, il est souvent placé dans sa propre famille, les Ptilogonatidae. Comme les jaseurs, cet oiseau se nourrit en majeure partie de baies et autres fruits, et le phainopépla en particulier de baies de gui. Les baies transitent entières par le système digestif de l'oiseau, qui contribue ainsi à la propagation de cette plante. De plus, cette espèce se nourrit aussi d'insectes, souvent capturés en vol. Le phainopépla est grégaire et vit en petits groupes nomades ; mais il peut se rassembler par centaines là où les baies sont abondantes. La période de reproduction se situe au tout début du printemps ; cette espèce édifie un nid de brindilles et d'herbes, placé sur un arbre ou dans un buisson. La femelle pond deux ou trois œufs, incubés par les deux parents pendant deux semaines environ. Après l'éclosion, les jeunes sont nourris par leurs parents pendant une vingtaine de jours, avant qu'ils ne quittent le nid. Quand le temps se réchauffe, les adultes peuvent se déplacer vers des régions plus humides, pour s'accoupler une deuxième fois.

CINCLE PLONGEUR ▲

NOM SCIENTIFIQUE	*Cinclus cinclus.*
FAMILLE	Cinclidae.
LONGUEUR	18 cm.
HABITAT	Régions de montagne, avec eaux claires et courantes.
RÉPARTITION	Europe, nord-ouest de l'Afrique, Asie centrale.
DESCRIPTION	Tête et nuque brun café ; plastron blanc bordé de plumage marron foncé ; reste du plumage gris-noir.

Le cincle (ou « merle d'eau ») est le seul passereau véritablement aquatique. On le trouve au bord des ruisseaux et des torrents, au milieu des collines et des montagnes, où il se nourrit de larves d'insectes et autres invertébrés aquatiques, comme les escargots, mais aussi les têtards et les petits poissons. Il chasse aussi sur les berges, parmi la végétation, où encore dans l'eau en plongeant depuis une grosse pierre et en pataugeant dans le courant ; on le voit aussi marcher au fond de l'eau en battant des ailes. Le cincle plongeur est parfaitement adapté à son style de vie : son plumage est très fourni et il a une glande au niveau du croupion qui produit des sécrétions lui assurant une parfaite imperméabilité à l'eau. Il est aussi doté d'une « troisième paupière », qui lui permet de voir sous l'eau. À l'air libre, il bat fréquemment des paupières, balançant la tête de façon caractéristique. La période de reproduction débute à la fin de l'hiver, quand les couples édifient des nids sphériques dans des trous ou les cavités des berges. La femelle y pond et incube de trois à six œufs. L'éclosion se produit deux semaines plus tard, et les jeunes restent au nid pendant trois semaines encore ; ils se mettent à chasser sous l'eau quelques jours après s'être émancipés.

TROGLODYTE MIGNON

NOM SCIENTIFIQUE	*Troglodytes troglodytes.*
FAMILLE	Troglodytidae.
LONGUEUR	10 cm.
HABITAT	Forêts découvertes, bords de torrents, prairies et jardins.
RÉPARTITION	Majeure partie de l'Europe, Afrique du Nord et régions tempérées d'Asie, Amérique du Nord.
DESCRIPTION	Oiseau minuscule à grosse tête et queue courte. Plumage brun rougeâtre à stries sombres ; dessous et sourcils plus clairs.

Le troglodyte mignon est le seul de son espèce à vivre hors du continent américain. C'est l'un des plus petits oiseaux d'Europe, mais il est assez rondelet. Il passe la majeure partie de son temps caché dans la végétation épaisse, où il est très actif, et ce n'est que dans les lieux découverts ou clairsemés qu'on peut l'apercevoir, agitant sa queue dressée à la verticale. Il explore le sol ainsi que les trous et les creux des arbres de son bec long et fin, à la recherche de petits insectes et d'araignées, qui constituent l'essentiel de son alimentation. Durant la période de reproduction, le troglodyte mignon utilise souvent les nichoirs artificiels. Mais, d'ordinaire, le mâle construit plusieurs nids sphériques sommaires, faits de feuilles, d'herbes et de mousse, dans les creux des murs, des rives ou des arbres. La femelle en choisit un et le termine avec des plumes, avant d'y pondre une dizaine d'œufs qu'elle incube seule. Pendant ce temps, le mâle peut s'accoupler avec une ou plusieurs autres femelles ; il nourrira ensuite toutes ses nichées. En dépit de sa petite taille, le troglodyte mignon se signale par une voix puissante, et ses trilles dénotent souvent sa présence, alors qu'il est soigneusement dissimulé sous le couvert.

TROGLODYTE À MIROIR

NOM SCIENTIFIQUE	*Donacobius atricapillus.*
FAMILLE	Troglodytidae.
LONGUEUR	23 cm.
HABITAT	Zones marécageuses, marais et prairies humides.
RÉPARTITION	Est de Panamá et nord de l'Argentine.
DESCRIPTION	Gros oiseau chanteur; huppe noire; queue marron foncé. Dessous jaune orangé; yeux orange.

Les troglodytes à miroir sont généralement considérés comme les plus grands membres de la famille des roitelets, mais leurs pattes, leur queue et leur bec, particulièrement longs, les font davantage ressembler aux membres de la famille des merles (Turdidae). En réalité, on les a long-temps appelés «moqueurs à tête noire» et classés parmi les Mimidae, et ce jusqu'aux années 1980. Plus récemment, une étude portant sur l'ADN a suggéré une possible parenté avec les mimes d'Europe, mais le troglodyte à miroir est probablement monotypique, car il est le seul spécimen de son genre. Ces oiseaux sont assez communs et tendent à vivre en couples, habitant toute l'année sur les mêmes territoires, où on les observe facilement lorsqu'ils sont perchés, serrés les uns contre les autres sur des branches en vue. Ils chantent alors de façon bruyante, tout en hochant la tête et en agitant leurs ailes ouvertes. Ces comporte-ments sont destinés à éloigner les intrus, mais font également partie des parades nuptiales, pendant la période de reproduction. Cette espèce construit des nids en forme de larges coupes, placés dans les roseaux ou au milieu des herbes.

ACCENTEUR MOUCHET ▲

NOM SCIENTIFIQUE	*Prunella modularis.*
FAMILLE	Prunellidae.
LONGUEUR	15 cm.
HABITAT	Zones boisées, haies, buissons, parcs et jardins.
RÉPARTITION	Toute l'Europe, parties du Moyen-Orient.
DESCRIPTION	Plumage gris-brun à stries noirâtres. Tête, gorge et poitrine grises ; tache marron sur le côté de l'œil et au-dessus du bec.

Bien que cet oiseau soit souvent qualifié de « moineau des haies », en raison de son apparence, il n'est pas apparenté à la famille des tisserins (Ploceidae). Il s'agit bien d'un accenteur, groupe de petits oiseaux vivant au sol dans les hautes terres et incluant l'accenteur alpin *(Prunella collaris).* Cependant, l'accenteur mouchet préfère les haies, les jardins et l'orée des bois. Il piète au sol ou sur les branches basses des arbustes à la recherche d'invertébrés, surtout des chenilles, des blattes, des vers et des araignées. L'hiver, lorsque les insectes sont moins abondants, l'accenteur mouchet ajoute à son alimentation des graines et des baies. Pendant la période de reproduction, c'est la femelle seule qui construit le nid, généralement en coupe, qu'elle place dans un buisson ou une haie, mais il lui arrive aussi de récupérer le nid abandonné d'un autre oiseau. La couvée se compose le plus souvent de quatre à six œufs, incubés par la seule femelle, pendant deux semaines environ ; après l'éclosion, les oisillons sont nourris par les deux parents jusqu'à ce qu'ils quittent le nid, quelque douze jours plus tard.

MOQUEUR DE LA CAROLINE

NOM SCIENTIFIQUE	*Dumetella carolinensis.*
FAMILLE	Mimidae.
LONGUEUR	23 cm.
HABITAT	Lieux boisés, fermes, buissons et zones résidentielles.
RÉPARTITION	Sud du Canada, Amérique du Nord. Migre vers certaines zones des Caraïbes et d'Amérique centrale.
DESCRIPTION	Plumage grisâtre ; huppe noire et parties noisette sur sa longue queue.

De même que les autres moqueurs, dont cette espèce est proche parente, le chant du moqueur de la Caroline imite très bien celui d'autres oiseaux, ainsi que des sons divers. Cependant, son chant semblable à un miaulement, qui lui est propre et n'est pas une imitation, lui vaut aussi le surnom de « moqueur chat ». Le moqueur de la Caroline est plus aisé à entendre qu'à observer, car il se dissimule dans les fourrés épais en bordure des champs, le long des routes ou des ruisseaux, ou encore dans les lieux boisés, où il recherche des insectes au sol, bien qu'il consomme aussi des graines et des baies. Il construit un nid volumineux en coupe, garni de radicelles et de poils, qu'il place sur une branche basse ou dans un buisson. La femelle peut pondre de deux à cinq œufs, qu'elle incube pendant près de deux semaines. Le vacher à tête brune pond souvent ses œufs dans le nid de l'accenteur de la Caroline, mais celui-ci, s'apercevant de leur différence par rapport à ses propres œufs, les en retire. Il arrive cependant, de façon assez exceptionnelle, que l'accenteur de la Caroline, induit en erreur, les traite comme ses propres œufs, voire élimine les siens !

MOQUEUR ROUX ▼

NOM SCIENTIFIQUE	*Toxostoma rufum.*
FAMILLE	Mimidae.
LONGUEUR	28 cm.
HABITAT	Lieux boisés, broussailles, haies et jardins.
RÉPARTITION	Sud du Canada, centre et est de l'Amérique du Nord.
DESCRIPTION	Dessus brun rougeâtre ; deux rayures sur les ailes ; plumes de la queue blanches ; yeux jaunes. Poitrine blanche et marron.

Oiseau chanteur très répandu, le moqueur roux est néanmoins un membre très craintif de la famille des moqueurs. Et, bien qu'on le trouve au voisinage des habitations, il préfère se tenir à l'abri dans des lieux reculés, les haies et les taillis épais. Il cherche sa nourriture au sol, des insectes comme les cafards, mais aussi des noisettes, des graines et des baies, soulevant feuilles et terre par des mouvements latéraux du bec. Il niche souvent au sol ou dans la végétation basse, où il dissimule soigneusement un nid en coupe fait de brindilles, tapissé de feuilles et de radicelles. La femelle pond de deux à six œufs. Les deux parents participent à l'incubation, qui peut durer jusqu'à deux semaines, et les jeunes peuvent quitter le nid neuf jours après leur naissance. Comme la plupart de ses proches parents, le moqueur roux est connu pour défendre vigoureusement son nid, et l'on rapporte des épisodes où il attaquerait et blesserait des humains et des chiens.

MOQUEUR POLYGLOTTE ▲

NOM SCIENTIFIQUE	*Mimus polyglottos.*
FAMILLE	Mimidae.
LONGUEUR	25 cm.
HABITAT	Prairies, régions semi-désertiques, lieux boisés, champs et aires urbaines.
RÉPARTITION	Sud du Canada, États-Unis, jusqu'au Mexique et aux Caraïbes.
DESCRIPTION	Plumage gris avec ailes plus sombres ; dessous blanc ; stries blanches sur les ailes ; longue queue noire avec plumes extérieures blanches.

Bien qu'on le trouve essentiellement en Amérique du Nord, dans des habitats divers, le moqueur polyglotte privilégie les climats plus chauds du sud des États-Unis, tout en se distinguant du moqueur typique de l'hémisphère Sud. Tous les oiseaux de cette famille se caractérisent par leur chant long et complexe, qui inclut invariablement des imitations d'autres oiseaux, de divers animaux ou de sons ambiants. Cette espèce se fait entendre toute la journée et souvent également la nuit, les mâles sans femelle ayant un chant plus sonore. Les appels sont aussi relatifs au territoire, et le répertoire d'un individu augmente au cours de son existence, le moqueur polyglotte s'inspirant progressivement des oiseaux qu'il est amené à rencontrer. Dans des zones dégagées à végétation buissonnante, les terres cultivées et les parcs, il édifie, généralement aux étages inférieurs, un nid en forme de coupe constitué de brindilles. La femelle pond de deux à six œufs qu'elle couve seule pendant douze ou treize jours ; les oisillons sont prêts à quitter le nid de neuf à douze jours après l'éclosion. Lorsqu'il recherche de quoi se nourrir, le moqueur polyglotte, pour une raison à ce jour inconnue, agite fréquemment les ailes, révélant les larges taches blanches qu'il a dessous ; on suppose que c'est une façon d'effrayer, et ainsi de mieux voir, les insectes et les araignées dont il se nourrit. Outre quelques invertébrés, il consomme également des graines, des baies et autres fruits.

ROSSIGNOL PHILOMÈLE ▼

NOM SCIENTIFIQUE	Luscinia megarhynchos.
FAMILLE	Turdidae.
LONGUEUR	17 cm.
HABITAT	Lieux boisés et buissons épais.
RÉPARTITION	Europe, Afrique du Nord, Asie centrale et Moyen-Orient. Hiverne en Afrique.
DESCRIPTION	Oiseau mince au plumage lisse ; marron sur le dessus ; plus pâle dessous ; queue noisette.

Très répandu dans les régions qu'il fréquente, le rossignol philomèle a beaucoup décliné en Europe, particulièrement en Grande-Bretagne, bien qu'il demeure très commun dans le sud du continent. Ce déclin peut être attribué principalement à la destruction de son habitat, cette espèce privilégiant les lieux isolés et les sous-bois denses pour nicher et se nourrir. Le rossignol philomèle recherche surtout de petits invertébrés, fouillant le sol de son bec fin pour capturer des vers ; il complète son alimentation avec des graines et des baies. Il nidifie aussi près du sol et construit une structure en coupe dans la végétation basse. La femelle pond d'ordinaire quatre ou cinq œufs, qu'elle incube pendant deux semaines environ. Le rossignol philomèle a des mœurs crépusculaires, ce qui signifie qu'il est surtout actif à la tombée de la nuit. Cette particularité ainsi que sa livrée neutre et sa façon de se tenir dans les fourrés épais le rendent difficile à observer. Il est surtout connu pour son chant puissant et mélodieux, très identifiable, qui peut se prolonger durant la nuit.

ROUGE-GORGE FAMILIER ▲

NOM SCIENTIFIQUE	Erithacus rubecula.
FAMILLE	Turdidae.
LONGUEUR	15 cm.
HABITAT	Forêts, lieux découverts, jardins et parcs.
RÉPARTITION	De l'Europe et l'Afrique du Nord à la Sibérie et au Moyen-Orient.
DESCRIPTION	Dessus brun ; dessous blanc ; face et poitrine rousses.

Le rouge-gorge est une espèce familière et facilement identifiable grâce à sa large poitrine rousse. C'est pourtant davantage par son chant léger, mais très musical, qu'il se fait remarquer, et il fait partie des quelques oiseaux que l'on entend chanter en hiver. Cependant, sa population peut être très affectée par des chutes de neige occasionnelles, car c'est un oiseau qui se nourrit au sol. Il consomme surtout des insectes, des vers et des araignées, mais aussi des graines et des baies qu'il trouve dans la végétation ou les terrains découverts. Les rouges-gorges sont sédentaires tout au long de l'année et s'en tiennent souvent à leur territoire leur vie durant. Toutefois, en période de reproduction, le mâle admet la femelle dans son territoire avant l'accouplement ; elle y édifie un nid en coupe composé de feuilles et de mousse, dans un lieu abrité qui peut être un buisson de houx, un creux dans un mur ou, de façon plus inhabituelle, un pot de fleur ou une clayette dans un jardin. La femelle pond de quatre à six œufs, qu'elle incube pendant quinze jours environ.

GORGE-BLEUE À MIROIR

NOM SCIENTIFIQUE	*Luscinia svecica.*
FAMILLE	Turdidae.
LONGUEUR	15 cm.
HABITAT	Forêts, toundras boisées, broussailles et sous-bois.
RÉPARTITION	Eurasie, Afrique du Nord et Alaska.
DESCRIPTION	Dessus gris-brun ; ventre blanc ; tache blanche sur la gorge et au-dessus du bec. Le mâle a un plastron bleu souligné de noir à la base, bordé de rouge ou de blanc à la partie inférieure.

Cet oiseau est discret, mais le mâle est assez facile à apercevoir, en raison de sa gorge colorée et de sa queue rousse, bien visibles en vol ou quand il chante à découvert. Il déploie souvent sa queue, surtout lorsqu'il se pose, ouvrant ses plumes en éventail pour révéler ses taches rousses.

Tous les mâles arborent un plastron bleu vif, mais il existe deux sous-espèces distinctes : *Luscinia svecica,* de Turquie, la plus septentrionale, dont le plastron bleu porte une tache rouge en son centre, et *Luscinia cyanecula,* méridionale, dont la tache est blanche, et qui parfois n'a même pas de tache du tout, la gorge étant entièrement bleue. Le gorgebleue à miroir se nourrit principalement d'insectes, mais il ajoute à son alimentation des graines et des baies durant l'hiver, quand les invertébrés se font plus rares. Il édifie un nid en coupe fait de brindilles, d'herbes, de laîches et de radicelles, garni de poils d'animaux, généralement placé dans un buisson, au sol ou dans une grosse touffe d'herbe. La femelle y pond de cinq à sept œufs, incubés pendant près de deux semaines, et les jeunes sont prêts à quitter le nid deux semaines après l'éclosion.

ROUGE-QUEUE À FRONT BLANC

NOM SCIENTIFIQUE	*Phoenicurus phoenicurus.*
FAMILLE	Turdidae.
LONGUEUR	15 cm.
HABITAT	Forêts, jardins, vergers et landes.
RÉPARTITION	Europe, certaines parties du Moyen-Orient.
DESCRIPTION	Mâle : dessus gris ; front blanc ; face noire ; queue rouille ; poitrine et flancs orange.
	Femelle : dessus légèrement gris-brun ; dessous orange pâle.

Le rouge-queue à front blanc, petit et mince, fait partie de la famille des grives et ressemble à un rouge-gorge ; mais il s'en distingue par sa face noire et sa queue rousse. Il passe le plus clair de son temps en hauteur dans les arbres ou dans les haies, et bien qu'on le trouve aussi dans les jardins, il est relativement réservé et préfère les bois

épais. Bon nombre de rouges-queues à front blanc passent l'hiver en Afrique, puis retournent en Europe pour nidifier : le mâle revient le premier et commence par établir des territoires ; à l'arrivée des femelles, il choisit une zone et se met à chanter pour attirer une partenaire. Après l'accouplement, il sélectionne plusieurs lieux potentiels pour édifier le nid, généralement un creux d'arbre ou de mur. Devant chaque site éventuel, le mâle du rouge-queue à front blanc effectue une parade, volant de façon répétée à l'intérieur et à l'extérieur du trou, tout en chantant et en agitant le croupion et la queue. Quand la femelle a choisi le site de ponte, elle construit un nid de brindilles, de feuilles, de mousse et d'herbe, où elle incube seule une couvée de six ou sept œufs pendant deux semaines environ. Pendant ce temps, et deux semaines encore après l'éclosion des œufs, le mâle apporte de la nourriture au nid, des araignées, des fourmis, des papillons de nuit et des cafards. En hiver, le rouge-queue à front blanc se nourrit aussi de baies.

MERLE BLEU À POITRINE ROUGE ▼

NOM SCIENTIFIQUE	*Sialia sialis.*
FAMILLE	Turdidae.
LONGUEUR	18 cm.
HABITAT	Champs, bois découverts, lisières de forêts et parcs.
RÉPARTITION	Parties est de l'Amérique du Nord et centrale.
DESCRIPTION	Dessus bleu intense ; gorge, cou, poitrine et flancs noisette ; ventre et dessous de queue blancs. Femelle semblable mais plus grise, avec le ventre plus blanc.

Autrefois en déclin en raison de la compétition avec d'autres oiseaux pour les sites de nidification, le merle bleu à poitrine rouge (dit aussi « merle bleu de l'Est ») est parvenu à inverser cette tendance, grâce à l'installation de nichoirs spécialement conçus à son intention. La nidification a repris, mais cet oiseau a néanmoins besoin de cavités naturelles pour y placer ses nids grossiers, faits d'herbe, d'aiguilles de pin et autres végétaux, tapissés de plumes, de poils d'animaux ou d'herbe tendre. Avant le début de l'édification du nid, le mâle exécute une sorte de parade de nidification : plusieurs fois, il entre dans la cavité et en ressort avec les matériaux de construction, se perche au-dessus en battant des ailes. C'est ensuite à la femelle que reviennent la construction du nid proprement dite et l'incubation des œufs. L'importance de la ponte varie en fonction du site, mais se compose habituellement de trois à sept œufs. Le merle bleu à poitrine rouge a généralement plus d'une nichée par an, et les jeunes de la première couvée demeurent souvent avec leurs parents pendant l'hiver. Ils se nourrissent d'insectes, d'araignées et de baies et acceptent volontiers ce que les humains leur apportent.

MERLE BLEU AZURÉ ▲

NOM SCIENTIFIQUE	*Sialia currucoides.*
FAMILLE	Turdidae.
LONGUEUR	18 cm.
HABITAT	Prairies d'altitude et régions montagneuses.
RÉPARTITION	Ouest de l'Amérique du Nord, migre au Mexique.
DESCRIPTION	Mâle presque entièrement bleu roi ; poitrine plus pâle ; ventre blanc. Femelle grise ; bleu ciel sur les ailes, la queue et le croupion ; ventre blanc.

Cet oiseau, à la différence des autres merles bleus, préfère les habitats ouverts, où il est devenu relativement commun, en particulier aux abords des fermes de l'Ouest américain. Le mâle se remarque facilement à ses ailes d'un bleu profond. C'est un oiseau si populaire que de nombreux nichoirs ont été installés à son intention, mais il privilégie toujours une cavité naturelle, comme un trou dans la roche. Cette espèce dispute son territoire au merle bleu de l'Ouest *(Sialia mexicana)* et, lorsque leurs zones respectives se chevauchent, au merle bleu à poitrine rouge ; il l'emporte souvent sur ses deux adversaires. Le nid, constitué d'herbes tissées et tapissé d'herbes souples, de plumes, de poils d'animaux et d'écorce, est entièrement construit par la femelle, bien que le mâle contribue le plus souvent à l'apport de matériaux, qu'il laisse généralement tomber à proximité du nid ; d'autres fois, il n'aide en rien. La femelle pond de quatre à huit œufs, incubés pendant deux semaines environ. Le merle bleu azuré se nourrit d'insectes et de petits fruits, se laissant tomber de son perchoir ou d'une position en hauteur ; il attrape aussi en vol des mouches et autres insectes volants.

MERLE NOIR

NOM SCIENTIFIQUE	*Turdus merula.*
FAMILLE	Turdidae.
LONGUEUR	25 cm.
HABITAT	Jardins, hais et lieux boisés.
RÉPARTITION	Majeure partie de l'Europe, zones de l'Asie et de l'Afrique du Nord, introduit dans le sud de l'Australie et la Nouvelle-Zélande.
DESCRIPTION	Mâle entièrement noir ; bec et cercle jaune orangé autour de l'œil. Queue assez longue. Femelle marron sombre dessus ; parties rayées de marron dessous ; menton pâle.

Le merle noir mâle est bien visible et facile à observer, en raison du contraste produit par le jaune vif de son bec et du cercle autour de son œil sur son plumage d'un noir intense. Cette espèce est très commune, et son chant est mélodieux et plaisant. La plupart des merles noirs sont sédentaires ; cependant, ceux des régions nordiques, comme la Scandinavie, migrent vers le sud en hiver, souvent jusqu'en Grande-Bretagne. On trouve cet oiseau dans les endroits découverts ainsi que dans des buissons et des fourrés épais, où il recherche des fruits et des baies, des insectes, des vers de terre, des limaces et des escargots. Il est également habile à briser la coquille des mollusques et dérobe souvent ceux que les grives musiciennes viennent d'extraire. Le merle noir construit habituellement son nid assez près du sol, dans un buisson ou une haie, mais peut également trouver un site dans un bâtiment, au sol ou encore très en hauteur dans un arbre. C'est normalement la femelle qui édifie le nid, fait d'herbes, brindilles, boue et mousse, où elle pond de trois à cinq œufs, qu'elle incube seule pendant près de deux semaines. Après l'éclosion, les deux parents nourrissent les oisillons, qui prennent leur vol environ deux semaines plus tard.

GRIVE LITORNE ▲

NOM SCIENTIFIQUE	*Turdus pilaris.*
FAMILLE	Turdidae.
LONGUEUR	25 cm.
HABITAT	Lieux boisés, vergers et prairies ouvertes.
RÉPARTITION	Europe, nord de l'Asie, hiverne dans le sud-ouest de l'Asie.
DESCRIPTION	Tête, nuque et croupion gris; dos brun-roux; poitrine brun doré; dessous blanc à marques en forme de flèche.

La grive litorne est une grosse grive que l'on trouve dans toute l'Europe, et son nombre varie considérablement d'une année à l'autre dans l'ensemble de son habitat, car elle tend à se déplacer en bandes nomades importantes. En automne et en hiver, ces groupes peuvent être très abondants dans des habitats ouverts, cherchant au sol de quoi se nourrir : invertébrés ou fruits tombés à terre. La grive litorne est souvent posée au sol, abritée dans la végétation ou dans les sillons des champs labourés. Pendant la période de reproduction, on rencontre davantage ces oiseaux en petites colonies dans les zones boisées, où ils défendent vigoureusement et bruyamment leur territoire. La grive litorne construit un grand nid en coupe avec de l'herbe et de la boue, qu'elle tapisse de mousse; la femelle y pond et incube cinq ou six œufs pendant dix à douze jours. Après l'éclosion, les oisillons sont nourris par les deux parents pendant environ deux semaines, après quoi ils quittent le nid.

GRIVE SOLITAIRE

NOM SCIENTIFIQUE	*Catharus guttatus.*
FAMILLE	Turdidae.
LONGUEUR	18 cm.
HABITAT	Conifères ou zones mixtes boisées et buissonneuses, souvent en régions montagneuses.
RÉPARTITION	Pratiquement toute l'Amérique du Nord. Hiverne en Amérique centrale.
DESCRIPTION	Grosse grive; dessus et flancs brun olive; dessous chamois; mouchetures sombres sur la poitrine; queue rousse; yeux cerclés de blanc.

La grive solitaire, dite aussi « grive ermite », est largement répandue dans les forêts de l'Amérique du Nord durant sa période de reproduction; elle étend son territoire à l'Amérique centrale en hiver. Elle cherche sa nourriture au sol et dans la végétation; omnivore, elle apprécie les petits invertébrés comme les cafards, les guêpes et les papillons, mais aussi les fruits, en particulier les baies dont elle fait une plus grande consommation en hiver, quand les insectes se font rares. En période de reproduction, le mâle établit et défend un territoire, dans lequel il admet une femelle pour s'accoupler. Cette dernière édifie au sol, parmi la végétation, ou encore dans une haie ou un buisson, un nid en coupe fait d'herbes, de feuilles et de mousse. Elle y pond de trois à six œufs, qu'elle couve seule. Cependant, pendant l'incubation, le mâle apporte de la nourriture au nid jusqu'à ce que les œufs éclosent, après douze jours environ. Les jeunes prennent leur envol quelque deux semaines plus tard, laissant ainsi généralement le champ libre à un autre accouplement. Il est fréquent que cette espèce soit victime du parasitisme du vacher à tête brune, qui dépose un œuf unique dans son nid afin de le faire nourrir à l'insu de son hôte.

GRIVE MUSICIENNE

NOM SCIENTIFIQUE	*Turdus philomelos.*
FAMILLE	Turdidae.
LONGUEUR	23 cm.
HABITAT	Jardins, haies, buissons et lieux boisés.
RÉPARTITION	De l'Europe à l'Asie centrale et l'Afrique du Nord. Introduite en Australie et en Nouvelle-Zélande.
DESCRIPTION	Dessus brun intense ; poitrine et flancs chamois. Bec long et fin ; longues pattes.

La grive musicienne est un oiseau familier de la majeure partie de l'ouest de l'Europe, où elle est bien connue pour son chant mélodieux. Cependant, sa population décline de façon inquiétante, notamment en raison de la suppression des haies bordant les champs cultivés. En revanche, sur toute l'étendue de son territoire, elle se multiplie dans les zones boisées. Bien que la grive musicienne passe la majeure partie de son temps sous le couvert des buissons, elle se nourrit principalement au sol, où on la voit piéter à découvert, cherchant de quoi se sustenter. Elle a une prédilection pour les escargots, dont elle brise la coquille sur des cailloux. Perchée en hauteur sur un arbre ou une branche en vue, la grive musicienne se signale par sa voix puissante, mais claire et musicale, surtout en période de reproduction. Cette espèce pond de trois à cinq œufs dans un nid en coupe, placé dans un buisson ou sur un arbre ; ils y sont incubés pendant deux semaines environ. Les jeunes quittent le nid deux semaines plus tard. Dès que la période de reproduction est terminée, la grive musicienne migre pour l'hiver, les populations les plus septentrionales descendant le plus au sud.

GRIVE DRAINE ▼

NOM SCIENTIFIQUE	*Turdus viscivorus.*
FAMILLE	Turdidae.
LONGUEUR	28 cm.
HABITAT	Lieux boisés, prairies découvertes, haies et jardins.
RÉPARTITION	De l'Europe à l'Asie centrale, zones du nord-ouest de l'Afrique.
DESCRIPTION	Grande grive ; dessus gris-marron ; poitrine grise ; dessous chamois tacheté de marron foncé ou de noir.

La grive draine fait partie des grandes grives, et l'on peut facilement l'observer quand elle cherche sa nourriture dans les champs ou quand elle chante d'une voix flûtée, perchée en hauteur ; on la rencontre aussi en petits groupes. Elle peut défendre vigoureusement son territoire, en particulier pendant la période de reproduction, quand les mâles sont au summum de leur potentiel vocal : ils chantent pour attirer une femelle ou émettent des sons gutturaux pour éloigner les intrus. Une fois le couple formé, la femelle édifie un grand nid en coupe, composé de boue, d'herbes, de racines, de mousse et de feuilles, placé très en hauteur dans un arbre, où elle incube seule sa couvée de trois à cinq œufs pendant près de deux semaines. Après l'éclosion, les jeunes sont nourris par les deux parents et s'émancipent au bout de deux semaines. La grive draine se nourrit de petits invertébrés tels que des insectes et des vers, de baies en hiver et durant les frimas ; il n'est pas rare de la voir défendre avec agressivité un buisson porteur de fruits. La grive draine chante souvent par mauvais temps : elle est de ce fait considérée comme annonciatrice d'intempéries.

MERLE D'AMÉRIQUE ▲

NOM SCIENTIFIQUE	*Turdus migratorius.*
FAMILLE	Turdidae.
LONGUEUR	25 cm.
HABITAT	Zones boisées, jardins, parcs et marais.
RÉPARTITION	Toute l'Amérique du Nord, migre au Mexique et au Guatemala.
DESCRIPTION	Dessus gris-brun ; poitrine roux orangé ; gorge blanche ; tête et queue brun-noir ; bec jaune.

Bien que fort semblable au rouge-gorge d'Europe par sa poitrine rouge orangé, le merle d'Amérique est une espèce beaucoup plus grande, et il est considéré comme une grive à part entière. C'est le plus répandu des oiseaux américains et probablement le mieux connu dans son territoire, car il cohabite parfaitement avec l'homme. On le trouve fréquemment dans les jardins, les prairies, les lieux boisés et les vergers, car il a besoin d'arbres et de buissons pour nicher et se percher, ainsi que de grandes prairies découvertes pour chercher de quoi s'alimenter. Il se nourrit d'une grande variété de fruits sauvages et cultivés, de baies, d'insectes et autres invertébrés. Le merle d'Amérique est un migrateur ; l'ensemble de sa population se déplace vers le sud à l'automne, pour revenir au printemps. Pendant la migration, on l'observe en grands groupes, se perchant souvent dans les zones marécageuses. La période de reproduction débute dès le retour de ce merle dans son habitat nordique ; à ce moment-là, la femelle construit un nid en forme de coupe, qu'elle place près du sol dans un buisson, ou au contraire en hauteur dans un arbre. Le nid peut aussi, parfois, être installé dans le creux d'un mur. De trois à cinq œufs sont pondus, incubés par la seule femelle pendant environ deux semaines.

POMATOSTOME À CALOTTE MARRON

NOM SCIENTIFIQUE	*Pomatostomus ruficeps.*
FAMILLE	Pomatostomidae.
LONGUEUR	23 cm.
HABITAT	Zones forestières, broussailleuses et semi-désertiques.
RÉPARTITION	Sud-est de l'Australie intérieure.
DESCRIPTION	Oiseau élancé à longue queue, au bec étroit et incurvé. Plumage gris-brun moucheté ; calotte marron foncé ; extrémité de la queue, gorge, poitrine, sourcils blancs ; rayures blanches sur les ailes.

Autrefois classés dans la famille des Timaliidae, les pomatostomes d'Australie et de Papouasie font désormais partie d'une famille à part entière, les Pomatostomidae. Ce sont des oiseaux petits ou de taille moyenne, endémiques en Australie et en Nouvelle-Guinée, connus pour leur babillage incessant. Comme les autres pomatostomes, celui-ci, à calotte marron, est un oiseau parfaitement sociable et très actif, qui vit en groupes d'une vingtaine d'individus qui cherchent ensemble leur nourriture dans les fourrés ou au sol. Ils apprécient les petits invertébrés, les insectes formant l'essentiel de leur alimentation. En période de reproduction, le pomatostome à calotte marron construit un grand nid sphérique, fait de brindilles et tapissé de matériaux plus souples comme l'herbe ou les poils d'animaux, généralement installé dans un arbre. Cet oiseau bruyant et sans cesse en mouvement manifeste de la fébrilité au voisinage de l'homme, et les groupes se laissent difficilement approcher.

LÉIOTHRIX À JOUES ARGENT

NOM SCIENTIFIQUE	*Leiothrix argentauris.*
FAMILLE	Timaliidae.
LONGUEUR	13 cm.
HABITAT	Zones de buissons et forêts de montagne.
RÉPARTITION	De l'est du Népal jusqu'à Sumatra.
DESCRIPTION	Dessus vert olive ; rayures rouges sur les ailes et le croupion ; calotte noire et partie des oreilles gris argenté. Bavette rouge ; poitrine et dessous jaunes.

Le léiothrix à joues argent est un beau petit passereau que l'on rencontre le plus souvent en groupes familiaux de six à dix individus, mais aussi en bandes plus importantes allant jusqu'à trente oiseaux, en par-ticulier dans les lieux où la nourriture est abondante. Il consomme surtout des insectes, quelques fruits mous et du nectar, cherchant sa nourriture dans la végétation dense et basse, au sol ou à proximité. Pendant la période de reproduction, qui dure de mars à juin dans la majeure partie de son territoire, le léiothrix à joues argent construit un petit nid profond en coupe, placé à la fourche d'une branche d'arbre, généralement près du sol. La couvée se compose de trois ou quatre œufs, qui peuvent être incubés par les deux parents pendant à peu près deux semaines. Environ douze jours plus tard, les jeunes quittent le nid, mais passent les premiers jours perchés sur des branches basses, jusqu'à ce qu'ils soient capables de voler ; ils peuvent rester dépendants de leurs parents pendant encore six semaines. Dans les habitats de montagne, ces oiseaux sont capables de supporter des températures très froides, mais ils se déplacent parfois vers des altitudes plus basses en hiver.

PANURE À MOUSTACHES ▲

NOM SCIENTIFIQUE	*Panurus biarmicus.*
FAMILLE	Timaliidae.
LONGUEUR	17 cm.
HABITAT	Bords de cours d'eau, marais.
RÉPARTITION	Certaines zones de l'Europe et de l'Asie jusqu'au Pacifique.
DESCRIPTION	Plumage brun terne dans son ensemble, avec bandes blanches, marron et noires sur les ailes ; dessous de la queue noir. Le mâle a une calotte gris pâle, la tête blanche, des moustaches noires. La femelle a une couronne brune et n'a pas de moustaches.

Comme la panure de l'Ancien Monde et nombre de ses semblables confinés aux pays chauds, la panure à moustaches (dite aussi « mésange à moustaches ») vit en habitats humides ; elle se groupe en abondantes colonies, près des cours d'eau et des marécages. C'est un oiseau sociable toute l'année. Son cri puissant s'apparente à un « ping » suivi d'un « tink-tink » très facilement identifiables. Pendant la période de reproduction, la panure à moustaches construit un nid grossier en coupe au-dessus de l'eau ou près du sol, parmi les roseaux et les armoises, qu'elle tapisse d'herbe fraîche. La femelle y pond de cinq à sept œufs, généralement entre avril et août. Durant les mois d'été, la panure à moustaches se nourrit surtout d'insectes et d'araignées, se rabattant sur les baies en hiver. Mais cet oiseau craint les grands froids, et l'on a constaté une récente diminution de sa population.

PARADOXORNIS DU YANGTSÉ

NOM SCIENTIFIQUE	*Paradoxornis heudei.*
FAMILLE	Timaliidae.
LONGUEUR	18 cm.
HABITAT	Zones marécageuses.
RÉPARTITION	Régions de l'est de l'Asie.
DESCRIPTION	Ensemble du plumage brun terne, avec marques blanches et noires sur les ailes et la queue ; tête gris argenté ; calotte noire. Bec court et large.

Très proche, tant par l'apparence que par le comportement, de la panure de l'Ancien Monde, le paradoxornis du Yangtsé (dit aussi « paradoxornis de Heude ») se différencie de ses congénères par son bec court, de taille normale, fort et compressé sur les côtés, à l'image de celui du perroquet. On en rencontre de nombreux spécimens dans les régions tropicales de l'Asie du Sud-Est, qui vivent sur des terres dégagées, mais aussi dans les zones humides à bambous, les forêts ou les marais. Cet oiseau, coutumier des marécages, se nourrit de graines et de petits invertébrés, utilisant son bec puissant pour décortiquer les tiges des roseaux afin d'y dénicher des insectes et leurs larves. En période de reproduction, il construit un petit nid profond en forme de coupe avec des feuilles et des branchettes, qu'il installe à l'abri dans l'épaisseur des roseaux, près de la surface de l'eau. La femelle y pond environ cinq œufs.

GOBE-MOUCHERONS GRIS-BLEU

NOM SCIENTIFIQUE	*Polioptila caerulea.*
FAMILLE	Polioptilidae.
LONGUEUR	12 cm.
HABITAT	Lieux boisés à feuilles caduques, buissons et fourrés.
RÉPARTITION	De la majeure partie de l'Amérique du Nord jusqu'au sud du Canada. Au sud, Mexique et Cuba.
DESCRIPTION	Dessus gris-bleu, dessous blanc. Cercle blanc autour des yeux; longue queue noire avec plumes extérieures blanches. Le mâle a des sourcils noirs en été; il est généralement plus pâle que la femelle.

Le gobe-moucherons gris-bleu est très commun durant la quasi-totalité de l'année dans toute l'Amérique du Nord. On le trouve surtout dans les zones boisées à feuilles caduques à l'est et dans les buissons de genièvre à l'ouest. Il est facile à observer, car c'est un oiseau actif et bruyant. Il émet un gazouillis mélodieux ainsi qu'un appel aigu particulier. Il recherche des insectes qu'il capture dans les feuilles, sur les branches des arbres ou dans les buissons, agitant sans cesse sa longue queue. La période de reproduction s'étend d'avril à début juin. Le gobe-moucherons gris-bleu construit alors un petit nid en coupe sur une branche horizontale, en utilisant de l'herbe, du lichen et des toiles d'araignée. La couvée se compose de quatre ou cinq œufs, incubés par le mâle et la femelle pendant près de deux semaines. Après l'éclosion, les jeunes reçoivent les soins de leurs parents pendant encore douze jours. Les nids de cette espèce sont parasités par le vacher à tête brune. À la fin de la période de reproduction, les populations nordiques entreprennent leur migration vers le sud des États-Unis et l'Amérique centrale.

BOUSCARLE DE CETTI ▲

NOM SCIENTIFIQUE	*Cettia cetti.*
FAMILLE	Sylviidae.
LONGUEUR	15 cm.
HABITAT	Bords de cours d'eau, marais et buissons.
RÉPARTITION	Des îles Britanniques et la France à toute l'Europe méditerranéenne, l'Afrique du Nord, le Moyen-Orient et l'Asie centrale.
DESCRIPTION	Marron noisette ; dessous gris. Large queue ronde.

La bouscarle de Cetti, une fauvette, affectionne les habitats à végétation dense, généralement près de l'eau, et plus particulièrement les buissons bordant des berges. C'est aussi un « rôdeur » qui avance prudemment près du sol, où il recherche des insectes, ce qui rend son observation difficile. Mais le mâle de cette espèce révèle sa présence par un chant incroyablement puissant pour un oiseau de cette taille ; non qu'il soit spécifiquement mélodieux, mais il est formé d'une suite de notes brusques et explosives, une répétition obstinée de « cetti-cetti-cetti », d'où son nom. Cet appel peut être entendu de jour comme de nuit, en particulier pendant la période de reproduction, au printemps et en été. Cet oiseau niche dans les buissons ou autre végétation basse, au voisinage de l'eau ; il construit un important nid en coupe, fait d'herbe et autres plantes. La femelle y pond quatre ou cinq œufs, incubés un peu plus de deux semaines.

LOCUSTELLE TACHETÉE

NOM SCIENTIFIQUE	*Locustella naevia.*
FAMILLE	Sylviidae.
LONGUEUR	13 cm.
HABITAT	Marais, lieux humides et fourrés.
RÉPARTITION	De l'Europe à la Chine. Migre l'hiver en Afrique du Nord et en Inde.
DESCRIPTION	Dessus brun-vert olive, rayé de marron plus foncé ; dessous chamois. Bande plus teintée sur la poitrine et légères stries marron.

La locustelle tachetée se signale par un chant aigu et bourdonnant, qui n'est pas sans rappeler le bruit produit par le frottement des élytres des sauterelles ou des criquets. Cette fauvette vit cachée ; on l'entend plus qu'on ne la voit, son chant seul décelant sa présence. Elle se signale surtout entre chien et loup, mais continue à chanter pendant la nuit. Elle passe la majeure partie de son temps à la recherche d'insectes, se déplaçant furtivement sous les buissons et dans la végétation dense, généralement en habitat humide, et en particulier dans les régions côtières lorsqu'elle revient de sa migration. La locustelle tachetée se reproduit en mai et en juin. La femelle pond de quatre à six œufs, dans un nid en coupe fait d'herbe, qu'elle a placé le plus souvent dans des herbes hautes ou un petit buisson. Les œufs sont incubés pendant douze à quinze jours, et les jeunes deviennent indépendants environ douze jours après l'éclosion.

PHRAGMITE DES JONCS

NOM SCIENTIFIQUE	*Acrocephalus schoenobaenus.*
FAMILLE	Sylviidae.
LONGUEUR	13 cm.
HABITAT	Bords de cours d'eau, lacs et marais.
RÉPARTITION	Europe et Asie centrale, hivernage en Afrique subsaharienne.
DESCRIPTION	Dessus marron intense, avec rayures plus sombres et plus claires ; dessous marron clair et minces sourcils blanchâtres.

Le phragmite des joncs est l'un des Sylviidae les plus communs et les plus répandus des zones marécageuses ; son territoire de nidification s'étend de l'Asie centrale à toute l'Europe et atteint la Scandinavie. On trouve cet oiseau, de la famille des fauvettes, dans des habitats humides : bords de lacs et de rivières, abords de marais et de terrains humides et caillouteux. Mais il vit aussi dans des lieux plus secs, des buissons et des fourrés. Il préfère les sous-bois épais, où il est difficile de l'observer ; cependant, sa voix forte décèle sa présence par sa grande variété de trilles et de roucoulades. Parfois, il lance ses appels depuis un perchoir en hauteur et parade en se laissant tomber de sa branche comme une pierre, queue et ailes déployées. En période de reproduction, le phragmite des joncs construit un nid en coupe fait d'herbes, de feuilles et de mousse, placé dans la végétation basse ; cinq ou six œufs y éclosent, incubés pendant deux semaines environ. Cette espèce se nourrit surtout d'insectes, mais consomme aussi des graines et des baies en automne. À l'approche de l'hiver, toute la population entreprend sa migration vers l'Afrique.

POUILLOT VÉLOCE

NOM SCIENTIFIQUE	*Phylloscopus collybita.*
FAMILLE	Sylviidae.
LONGUEUR	11 cm.
HABITAT	Lieux boisés découverts, fourrés et sous-bois.
RÉPARTITION	Europe, Asie centrale, Sibérie et Afrique du Nord. Migre l'hiver vers les régions subsahariennes et l'Inde.
DESCRIPTION	Plumage vert olive; dessous plus pâle. Variations géographiques.

Le pouillot véloce est un oiseau très commun de la famille des fauvettes, qui passe la période de reproduction dans une grande partie de l'Europe et les zones tempérées d'Asie, vivant dans les lieux boisés, où il abrite son nid dans les denses sous-bois. C'est une espèce migratrice, l'un des premiers oiseaux à revenir d'Asie, d'Afrique et de la Méditerranée sur son territoire de nidification, ainsi que l'un des derniers à repartir à l'automne. Le nid – une espèce de dôme fait de feuilles, de mousse et de diverses herbes – est généralement placé au sol ou à faible hauteur, dans un buisson ou tout autre type de végétation basse. La couvée se compose de quatre à sept œufs, qui sont incubés pendant environ quinze jours; à partir de l'éclosion, les petits deviennent indépendants en deux semaines. Le pouillot véloce ressemble beaucoup au pouillot fitis *(Phylloscopus trochilus)*; il s'en distingue essentiellement par un plumage plus terne et un appel monotone assez caractéristique (« chiff-chaff »). Comme les autres oiseaux de son espèce, il est insectivore et chasse ses proies dans le feuillage.

FAUVETTE À TÊTE NOIRE ▼

NOM SCIENTIFIQUE	*Sylvia atricapilla.*
FAMILLE	Sylviidae.
LONGUEUR	14 cm.
HABITAT	Forêts, lieux boisés, parcs et jardins.
RÉPARTITION	Majeure partie de l'Europe, Afrique du Nord, Moyen-Orient et parties de l'Asie centrale.
DESCRIPTION	Dos, ailes et queue vert olive ; dessous blanc ; face grise et calotte noire. Le plumage de la femelle est gris-brun, avec la tête brun rouille.

La fauvette à tête noire est commune et facilement reconnaissable, et son chant très mélodieux se rapproche de celui du rossignol. On la trouve dans presque toute l'Europe, et bien qu'une forte proportion d'individus migre en hiver dans les franges à climat chaud de son territoire, c'est un oiseau très résistant que l'on trouve en Europe pendant toute la saison froide. La fauvette à tête noire vit dans les bois et les forêts mixtes à feuillage caduc, le plus souvent à sous-bois épais, mais également dans les parcs et les jardins, surtout pendant la mauvaise saison. Elle se reproduit au printemps et en été et construit un nid en coupe fait d'herbe, de radicelles et de poils d'animaux, sous les ronces ou un couvert semblable. La femelle pond quatre ou cinq œufs, incubés pendant douze jours environ. La fauvette à tête noire se nourrit surtout d'insectes pendant la période de reproduction, mais aussi de baies et de graines le reste de l'année.

ROITELET HUPPÉ ▲

NOM SCIENTIFIQUE	*Regulus regulus.*
FAMILLE	Sylviidae.
LONGUEUR	9 cm.
HABITAT	Conifères et bois mixtes.
RÉPARTITION	Europe, parties de l'Afrique du Nord, de l'Asie centrale au Japon.
DESCRIPTION	Plumage vert olive plus sombre dessus, avec bandes noires et blanches sur les ailes. Les deux sexes ont une huppe claire bordée de noir : elle est jaune chez la femelle et orange vif chez le mâle.

Avec le troglodyte mignon *(Troglodytes troglodytes)* et le roitelet à triple bandeau *(Regulus ignicapillus)*, le roitelet huppé est l'un des plus petits oiseaux d'Europe. Il est répandu dans presque tout le continent, mais aussi dans le sud de la Sibérie, ainsi que de l'Himalaya à la Chine. Bien qu'il ait coutume de vivre dans les froides forêts nordiques, les hivers rigoureux affectent fortement sa population. Il est étroitement associé aux conifères et ne rend visite aux arbres à feuilles caduques que s'il se trouve des conifères à proximité. La période de reproduction commence vers la fin du mois d'avril. C'est à cette même époque que le roitelet huppé construit un nid en hamac, où près de dix œufs sont incubés pendant environ seize jours. Présent toute l'année sur son territoire, cet oiseau peut former des groupes mixtes en hiver, s'associant à d'autres petites fauvettes. Cependant, quelques individus entreprennent une migration vers le sud, ce qui est étonnant pour une espèce de taille si réduite. Le roitelet huppé capture de petits insectes et des araignées qu'il débusque dans les feuilles ; il se nourrit aussi parfois au sol et ingère des baies quand les insectes se font rares.

GOBE-MOUCHES GRIS

NOM SCIENTIFIQUE	*Muscicapa striata.*
FAMILLE	Muscicapidae.
LONGUEUR	14 cm.
HABITAT	Zones boisées, parcs et jardins.
RÉPARTITION	Europe, Afrique, Moyen-Orient et Asie centrale.
DESCRIPTION	Dessus gris-brun ; dessous blanchâtre ; calotte et poitrine mouchetées ; grands yeux.

Le gobe-mouches gris est un oiseau paisible et passerait inaperçu sans son habitude de se jeter de son perchoir pour capturer sa proie. Sur une branche, il se tient sur le qui-vive, en posture d'alerte, attendant qu'elle passe à sa portée pour la capturer en vol, se tortillant en tous sens pour mieux la saisir. Comme son nom le suggère, le gobe-mouches gris se nourrit d'insectes volants (mouches, blattes, guêpes). On le rencontre dans les clairières des bois à feuilles caduques, mais il fréquente aussi les parcs, les jardins et les haies de haute futaie. C'est un migrateur au long cours, qui atteint l'Afrique du Sud et le nord de l'Inde, ainsi que les parties les plus septentrionales de son territoire l'été, en période de reproduction. Il construit alors un petit nid en coupe, fait de brindilles, d'herbe et de mousse, placé dans un lieu abrité – trou dans un mur ou tronc d'arbre. La femelle y incube quatre ou cinq œufs. Le mâle s'accouple avec deux femelles, mais, au besoin, pourvoit à la nourriture des deux familles. Les femelles ont également une seconde couvée, plus réduite, parfois assistée par les jeunes de la première.

GOBE-MOUCHES NOIR

NOM SCIENTIFIQUE	*Ficedula hypoleuca.*
FAMILLE	Muscicapidae.
LONGUEUR	13 cm.
HABITAT	Bois à feuilles caduques, jardins et vergers.
RÉPARTITION	Europe, Afrique du Nord et ouest de la Sibérie.
DESCRIPTION	L'été, le mâle est noir, avec de larges bandes blanches sur les ailes, des taches sur le front, le bord de la queue et le dessous. En hiver, la femelle et le mâle sont brun et blanc, avec des rayures sur les ailes.

Si le gobe-mouches noir est un visiteur de l'été en Europe et dans certaines parties de la Sibérie, il préfère passer les mois d'hiver dans le sud de l'Europe et l'Afrique du Nord. Il y arrive généralement en avril et établit son nid dans des bois clairsemés, mixtes ou à feuilles caduques, le plus souvent dans de hautes terres. Il tend à fabriquer son nid dans des trous d'arbres, mais il utilise aussi les nichoirs artificiels préparés à son intention. La couvée peut atteindre huit œufs, incubés par les deux adultes pendant deux semaines environ. Après l'éclosion, les jeunes sont nourris par les deux parents durant quinze jours supplémentaires. Cet oiseau n'est pas facile à observer, car il se perche le plus souvent en hauteur, mais on le décèle à son chant très mélodieux ou à son appel métallique. Comme les autres gobe-mouches, cette espèce se nourrit principalement d'insectes volants capturés en vol ou de chenilles débusquées dans le feuillage. Le gobe-mouches noir se distingue difficilement du gobe-mouches à collier *(Ficedula collaris)*, d'autant qu'il existe de nombreux individus hybrides dans les parties de leurs territoires qui se chevauchent.

MÉRIONS

Les mérions appartiennent à la famille des Maluridae, un petit groupe d'oiseaux que l'on trouve en Australie et dans certaines zones de l'Asie du Sud-Est, en Nouvelle-Guinée et dans l'est de l'Indonésie. S'ils ne sont pas strictement apparentés aux oiseaux de la famille des Troglodytidae, ils sont plus proches des Sylviidae ; cependant, tous sont assez petits, de forme semblable et ont en commun une queue dressée caractéristique, plus longue chez les mérions. Les mâles adultes de nombreuses espèces (malures, stipitures) ont un plumage essentiellement bleu vif, en particulier en période de reproduction. Toutefois, selon la structure sociale de ces oiseaux, certains groupes ont un plumage de couleur vive, alors que d'autres peuvent être plus ternes, proches de la couleur des femelles. Il y a d'ordinaire un mâle dominant portant une brillante livrée nuptiale, accompagné de sa femelle et de mâles non reproductifs. Dans d'autres cas, il peut y avoir deux mâles dominants et un nombre variable de frères et sœurs et de femelles. Mais, le plus souvent, les femelles s'écartent des groupes familiaux pour former un couple avec un mâle. Chez certaines espèces, les couples peuvent s'isoler et vivre en solitaires.

Les mérions occupent des habitats divers. En Australie, on les trouve surtout dans les prairies ouvertes à végétation dense de buissons ou de sous-bois, mais également dans des terrains plus arides de l'intérieur, par exemple à la lisière de bois ou de forêts et dans des zones marécageuses. En Asie du Sud-Est, de nombreuses espèces habitent dans les forêts tropicales pluvieuses et les régions boisées subtropicales. Le **mérion à tête rousse** *(Clytomyias insignis)*, par exemple, niche en Nouvelle-Guinée, dans les forêts pluvieuses de montagne. Le mâle et la femelle, qui mesurent environ 15 cm de long, ont ordinairement le même plumage. Le dos et les ailes sont d'un brun roux chaud, la tête orangée, la gorge et la poitrine dorées. Ni commun ni répandu, il tend à habiter dans les sous-bois des forêts pluvieuses denses, et on l'observe difficilement. Il vit en groupes familiaux d'une dizaine d'individus, souvent très bruyants, s'appelant sans cesse les uns les autres tandis qu'ils

Mérion splendide

recherchent leur nourriture. Celle-ci se compose de petits insectes, d'araignées et autres invertébrés trouvés dans le feuillage ou au sol. On sait peu de choses sur les habitudes de reproduction de cette espèce, mais, comme les autres mérions, celui-ci construit probablement un nid ovale ou sphérique, composé de feuilles et de végétaux, placé dans un buisson ou de la végétation basse. La femelle y pond de deux à quatre œufs, qu'elle incube seule ou avec son compagnon. Après l'éclosion, les membres non reproductifs de la famille contribuent à nourrir les jeunes.

Le **mérion leucoptère** *(Malurus leucopterus)* est l'un des plus répandus de la famille ; on le trouve en Australie dans les broussailles, les prairies et les zones arides de l'intérieur, mais il est absent de vastes régions du nord et de l'est de ce continent. Le mâle reproducteur est facilement identifiable à son plumage bleu, à ses ailes blanches et à ses rémiges brunes, tandis que les femelles sont chamois dessus et blanches dessous. Les mâles de certaines espèces des îles de l'ouest de l'Australie sont noirs à queue bleue. C'est une espèce minuscule, mesurant moins de 12 cm de long. Comme les autres mérions, le leucoptère vit dans les buissons, les fourrés et les sous-bois, près du sol, se nourrissant de petits insectes. Il construit un nid sphérique avec de l'herbe, où la femelle pond trois ou quatre œufs. Si, chez certaines espèces, des jeunes et des femelles d'un groupe contribuent à nourrir les oisillons, on observe que, chez les mérions leucoptères, l'aide provient habituellement des mâles adultes.

Le mâle du **mérion à dos rouge** *(Malurus melanocephalus)* est aussi très petit, mais cette espèce se distingue par son plumage essentiellement noir, avec le dos et le croupion rouge orangé. Les femelles et les mâles non reproductifs ont un plumage d'une couleur sable uniforme, bien que les mâles exhibent des traces de plumage rouge. Cet oiseau assez commun vit dans les prairies tropicales et subtropicales, les bois clairsemés et les habitats marécageux des parties nord et est de l'Australie. Il se nourrit de petits insectes et de larves qu'il trouve dans les parties basses des sous-bois. Pendant la période de reproduction, le mâle effectue une parade nuptiale en gonflant et en ébouriffant son plumage. La femelle pond jusqu'à trois œufs dans un nid en forme de dôme composé d'herbes.

Mérion à dos rouge

GÉRYGONE À BEC COURT

NOM SCIENTIFIQUE	*Smicrornis brevirostris.*
FAMILLE	Acanthizidae.
LONGUEUR	8 cm.
HABITAT	Forêts sèches et bois.
RÉPARTITION	Surtout en Australie.
DESCRIPTION	Presque entièrement jaune ; face et sourcils pâles ; dos vert olive.

Le gérygone à bec court est peut-être le plus petit oiseau d'Australie, bien que le queue-de-gaze du mallee *(Stipiturus mallee)* ait un corps plus menu, mais aussi une longue queue mesurant à elle seule la même taille que le gérygone. Cette espèce est répandue dans presque toute l'Australie et dans les habitats boisés ; elle est quasi absente de la plupart des forêts pluvieuses, préférant les bois d'eucalyptus. Ce gérygone passe le plus clair de son temps dans les arbres, en couple ou en petits groupes, recherchant dans le feuillage de petits insectes qu'il capture à coups de son bec petit et fort. Le gérygone à bec court est sédentaire et tend à conserver le même territoire toute l'année, bien qu'il se déplace pour se nourrir. Pendant la période de reproduction, il construit un nid en dôme, avec des végétaux tissés serré, doté d'une entrée latérale avec « porche ». La femelle y pond deux ou trois œufs, qui éclosent au bout de douze jours environ. Les parents prennent soin des oisillons, qui restent au nid une douzaine de jours après leur naissance.

GÉRYGONE BLANCHÂTRE

NOM SCIENTIFIQUE	*Aphelocephala leucopsis.*
FAMILLE	Acanthizidae.
LONGUEUR	10 cm.
HABITAT	Champs découverts arides.
RÉPARTITION	Sud de l'Australie.
DESCRIPTION	Dessus gris-brun ; dessous blanchâtre ; flancs chamois ; face blanche ; ligne noire au front ; queue marron à extrémité blanche.

Le gérygone blanchâtre est un oiseau sociable, que l'on rencontre le plus souvent en bandes de dix, quinze ou même cinquante individus ; lorsqu'ils sont dérangés, ils prennent tous leur vol en même temps. Cet oiseau se tient habituellement au sol, où il recherche des graines et des invertébrés dans les champs secs, en particulier près des arbres morts ou des broussailles basses, mais il consomme aussi du nectar et des fruits mous. Il niche souvent dans des creux d'arbres, mais un buisson bas fait aussi bien l'affaire. Le nid consiste en une grande sphère plutôt grossière, faite d'herbe et de divers végétaux, avec une entrée latérale.

TARIETTE TRICOLORE

NOM SCIENTIFIQUE	*Epthianura tricolor.*
FAMILLE	Acanthizidae.
LONGUEUR	12 cm.
HABITAT	Plaines intérieures, collines rocheuses et zones désertiques.
RÉPARTITION	Zones arides de l'Australie.
DESCRIPTION	Chez le mâle : calotte, sourcils, poitrine, flancs et croupion rouge cramoisi ; nuque, bande aux yeux et queue sombres ; dos marron foncé. Chez la femelle : ventre et gorge blancs ; taches rouge pâle et chamois sur la poitrine, le croupion et les flancs.

La tariette tricolore est de nature nomade. En effet, elle effectue d'importants déplacements pour se nourrir, et la nature très aride de son habitat la contraint à rechercher des zones où il pleut de façon suffisamment abondante pour entretenir de l'herbe fraîche. Bien qu'essentiellement insectivore, elle enrichit volontiers son alimentation de nectar de fleurs du désert et d'invertébrés lorsqu'elle trouve un peu de végétation.

À l'instar de toutes les tariettes, celle-ci cherche sa nourriture au sol, servie par ses longues pattes qui lui permettent de se déplacer sans aucune difficulté d'une plante à l'autre. Par son mode de vie, cette espèce contribue donc fortement à la pollinisation d'une grande variété de végétation des aires désertiques. Pendant la période de reproduction, la tariette tricolore édifie, avec des brindilles et de l'herbe, un nid profond en forme de coupe, généralement à couvert. Espèce sociable, cet oiseau se rencontre en bandes, parfois associé à d'autres tariettes de façon à constituer des groupes mixtes.

Tchitrec de paradis

Nom scientifique	*Terpsiphone paradisi.*
Famille	Monarchidae.
Longueur	Mâle : 50 cm ; femelle : 20 cm.
Habitat	Forêts et broussailles.
Répartition	Majeure partie de l'Asie et Océanie.
Description	Mâle : tête et nuque noires ; corps clair ; bec et cercle aux yeux bleus ; longue queue blanche double. Femelle : plumage du dessus et ailes marron ; dessous clair ; tête sombre. Le plumage du mâle connaît des variantes régionales.

Le mâle du tchitrec de paradis (appelé aussi « monarque ») est un oiseau remarquable, avec son plumage éclatant formant contraste avec sa tête noire et les longues plumes de sa queue. Cependant, pendant au moins quatre ans, il ressemble à la femelle, plus terne. On a enregistré des variantes de plumages selon les régions de son territoire, les individus du Sri Lanka, par exemple, n'ayant pas de plumes blanches. Pendant la période de reproduction, le mâle utilise ses longues plumes caudales pour attirer une femelle : perché sur une branche haute, il les dresse et les agite de façon répétée. Cette espèce édifie un nid en cône inversé, placé en hauteur dans un arbre, avec de l'herbe agglomérée par de la toile d'araignée, et tapissé de duvet. Cet oiseau est insectivore et capture ses proies en vol, au cours de brèves incursions.

MIRO MÉSANGE ▶

NOM SCIENTIFIQUE	*Petroica macrocephala.*
FAMILLE	Eopsaltriidae.
LONGUEUR	13 cm.
HABITAT	Forêts et bois clairsemés.
RÉPARTITION	Nouvelle-Zélande.
DESCRIPTION	Petit et trapu, le mâle a la tête et le dessus noir foncé, avec une rayure blanche aux ailes, la gorge bordée de jaune, le dessous blanc. La femelle a le plumage plus marron dessus et le dessous clair.

La miro mésange (appelée aussi « robin ») est un oiseau assez dodu, peu farouche, de nature agressive et curieuse. Elle se nourrit surtout d'invertébrés, qu'elle recherche dans les arbres ou au sol, pratiquant une méthode d'attente patiente, se perchant pour observer le terrain avant de s'envoler pour capturer sa proie. Elle ne dédaigne cependant pas les petits fruits en automne et en hiver. Les couples sont formés pour plusieurs années et gardent le même territoire. En période de reproduction, la femelle construit un nid volumineux en coupe, fait de brindilles, d'écorce, de plumes et de mousse, dans une cavité d'arbre, au bout d'une branche cassée ou encore parmi le feuillage des ceps de vigne.

RHIPIDURE HOCHEQUEUE

NOM SCIENTIFIQUE	*Rhipidura leucophrys.*
FAMILLE	Monarchidae.
LONGUEUR	20 cm.
HABITAT	Tous types d'habitats, sans forêts denses.
RÉPARTITION	Majeure partie de l'Australie, îles Salomon et Nouvelle-Guinée.
DESCRIPTION	Presque entièrement d'un noir brillant, avec dessous et sourcils blancs.

Le rhipidure hochequeue (dit aussi « à sourcils blancs ») est l'oiseau le plus répandu et sans doute le mieux connu des ornithologues australiens, car il est commun dans une grande variété d'habitats, y compris les parcs, les jardins, les champs et les forêts, où il recherche au sol, parmi la litière de feuillage, de petits invertébrés. On le voit souvent seul ou en couple, et il n'est pas rare que se forment des groupes en hiver, souvent associés à d'autres espèces. Pendant la période de reproduction, le rhipidure hoquequeue construit un nid en coupe fait d'herbe et de toiles d'araignée, tapissé de poils parfois prélevés directement sur un animal. Les nids sont généralement placés sur une branche d'arbre horizontale ou sur un toit. La couvée compte trois œufs, incubés par les deux parents pendant deux semaines, et les jeunes prennent leur envol environ quatorze jours plus tard. Il peut y avoir jusqu'à quatre couvées par saison, et les jeunes des précédentes couvées restent souvent avec leurs parents jusqu'à l'éclosion de la dernière, avant de partir définitivement.

MÉSANGES

En Europe comme en Amérique, les mésanges de la famille des Paridae sont petites et rondes. Ce sont des oiseaux agiles que l'on rencontre dans les bois et les parcs sous nos climats, et dans les jardins en Eurasie et en Afrique du Nord. Les mésanges se nourrissent surtout d'insectes et autres petits invertébrés comme les araignées ; elles complètent leur alimentation par des graines et la nourriture mise à leur disposition dans les jardins, surtout en hiver, quand toute autre ressource se fait rare. La plus facilement identifiable et la mieux connue est aussi la plus colorée : il s'agit de la **mésange bleue** *(Parus caeruleus)*. Elle ne dépasse guère 11 cm ; son dos est grisâtre, le dessous jaune, les ailes bleues avec une rayure blanche, la queue et la calotte bleues et la face blanche avec un bandeau noir sur l'œil. Elle porte aussi une étroite bande sombre sur le ventre. Elle est commune dans les bois à feuilles caduques ou mixtes, les parcs et les haies, et fréquente aussi les jardins pourvus de nichoirs en été ou en hiver, quand ils sont remplis de graines. On la rencontre aussi associée à d'autres espèces de mésanges, en petits groupes cherchant leur nourriture. Elle se nourrit d'insectes et de leurs larves, notamment de chenilles, mais aussi de graines, de noisettes et de baies. Très active et pleine de res-

sources, la mésange bleue est volontiers voleuse, en particulier durant l'hiver où elle a plus de mal à se nourrir. Pendant la période de reproduction, cette espèce niche dans un trou d'arbre, de mur ou de poteau, ou encore dans un nichoir ; elle y fait un nid en coupe, tapissé d'herbe, de mousse, de plumes et de poils d'animaux. La femelle pond d'ordinaire sept ou huit œufs, ce qui est déjà beaucoup pour un petit oiseau, mais on a pu observer des couvées de plus de quinze œufs. Ils sont incubés par la seule femelle pendant près de deux semaines, tandis que le mâle apporte de la nourriture au nid. Mais, après l'éclosion, les deux parents prennent soin ensemble de leur progéniture, qui s'émancipe au bout de trois semaines.

La **mésange charbonnière** *(Parus major)* présente une apparence à peu près semblable, avec son dessous jaune, son dos verdâtre et ses ailes gris-bleu. Mais elle a plus de noir sur les ailes, la queue et la tête, et une large raie noire sur la poitrine ; en outre, chez certaines mésanges d'Asie, le plumage ne comporte pas de jaune. La mésange charbonnière est aussi plus grande que la mésange bleue et peut atteindre jusqu'à 15 cm. On la trouve dans les bois mixtes, les parcs et les jardins, où il est possible de la voir capturer des insectes dans le feuillage, ou se

Mésange noire

Mésange huppée

suspendre aux branches fines pour atteindre des graines et des baies. Plus grande que les autres mésanges, elle a davantage tendance à se nourrir au sol. La mésange charbonnière est un oiseau commun et sa population augmente, ce qui est probablement dû au nombre croissant de boîtes nichoirs et de personnes les nourrissant. Bien qu'elle se rassemble en groupes mixtes pour chercher de quoi s'alimenter en hiver, elle peut disputer vigoureusement sa nourriture aux autres mésanges. Elle fait son nid dans un nichoir ou une cavité naturelle d'arbre ou de mur, avec des matériaux souples, comme l'herbe ou la mousse ; la femelle y pond jusqu'à onze œufs, qu'elle incube seule pendant environ deux semaines. Les deux adultes nourrissent leur nichée, jusqu'à ce qu'elle quitte le nid trois semaines plus tard.

Autre mésange commune, bien qu'un peu moins présente dans les jardins, la **mésange noire** (*Parus ater*), comme son nom l'indique, est moins colorée que ses parentes. De petite taille (11 cm), elle a le dos et les ailes gris, le dessus gris-brun et la tête noire, de grosses taches blanches sur les joues et la nuque blanche. Elle se nourrit principalement d'insectes, mais son bec plus mince que celui des autres mésanges lui permet de prélever des graines de conifères, qu'elle préfère aux

arbres à feuilles caduques. Pendant la période de reproduction, elle niche dans un creux d'arbre ou de berge d'un cours d'eau, utilisant souvent des trous de souris abandonnés et tapissant l'endroit choisi de matériaux souples. La femelle produit une couvée allant jusqu'à douze œufs, qu'elle incube seule pendant environ deux semaines. Comme chez les autres mésanges, les deux parents nourrissent leurs oisillons.

La **mésange huppée** (*Parus cristatus*) ne se trouve que dans les bois de conifères, mais elle rend aussi visite aux jardins largement plantés de ces arbres. Elle tend à y chercher sa nourriture assez bas ou au sol, notamment des insectes, des araignées et des graines. C'est un oiseau facile à identifier à sa grosse tête grise, avec un grand croissant au-dessus de l'œil, sa gorge à collier noir et sa huppe noir et blanc. Le dessus est brun grisâtre et le dessous chamois. Elle peut atteindre 12 cm de long et niche dans de vieilles souches ou branches ; elle y creuse elle-même une cavité dans laquelle elle édifie un nid en coupe, rempli de végétaux. La femelle pond jusqu'à huit œufs, qu'elle incube pendant près de deux semaines. Les deux adultes prennent soin de leur nichée, qui s'émancipe environ trois semaines après l'éclosion.

Mésange bleue

MÉSANGE BICOLORE

NOM SCIENTIFIQUE	*Parus bicolor.*
FAMILLE	Paridae.
LONGUEUR	15 cm.
HABITAT	Parcs, forêts à feuilles caduques, vergers, banlieues.
RÉPARTITION	Sud-est du Canada, est des États-Unis, nord-est du Mexique.
DESCRIPTION	Petit oiseau chanteur. Dessous blanc ; flancs orange ; huppe grise. Yeux et front noirs proéminents ; face gris clair.

La mésange bicolore est la plus grande mésange d'Amérique. Plus que par son aspect, elle se signale par son chant puissant et ses vocalises variées. Répandue dans tout l'est des États-Unis, elle a étendu son ter-
ritoire plus au nord, attirée par la nourriture que lui procurent les hommes dans les jardins durant les mois d'hiver. Elle consomme des insectes, des graines et des fruits. C'est un oiseau sociable et actif, que l'on aperçoit d'ordinaire en couple ou petits groupes et qui peut, à la saison froide, se rassembler en bandes mixtes plus nombreuses. En période de reproduction, la mésange bicolore édifie un nid en coupe dans un trou d'arbre ou un nichoir, utilisant de l'herbe, des feuilles, des poils d'animaux et de la laine. La femelle pond jusqu'à huit œufs. La mésange bicolore est souvent dotée d'une huppe noire au-dessus d'un front blanc. Dans les zones où elle cohabite avec la mésange huppée, l'hybridation est fréquente et donne une autre variante à huppe sombre et front orange ou brun.

AURIPARE VERDIN

NOM SCIENTIFIQUE	*Auriparus flaviceps.*
FAMILLE	Remizidae.
LONGUEUR	10 cm.
HABITAT	Désert et broussailles.
RÉPARTITION	Du sud des États-Unis au centre du Mexique.
DESCRIPTION	Petit oiseau chanteur à corps gris; face jaune et taches rougeâtres sur les épaules.

L'auripare verdin est un oiseau du désert et des terrains broussailleux d'aspect discret, actif dans le sud-ouest des États-Unis, où il cherche sa nourriture parmi le maquis et autre végétation. Il apprécie les insectes, les graines et les baies, mais prélève aussi le nectar des fleurs. Pendant la période de reproduction, l'auripare verdin construit un ou plusieurs nids, aidé par la femelle lorsque l'accouplement est fructueux. Cette dernière pond alors de trois à six œufs, qu'elle incube seule pendant deux à trois semaines. Cependant, le mâle reste dans l'expectative. Ce n'est que si la femelle a une seconde couvée qu'il commence à nourrir la première. En dehors de la période de reproduction, l'auripare verdin est solitaire, mais il continue à construire des nids de perchage semblables, mais plus petits, toute l'année. L'hiver, les nids de perchage sont bien mieux isolés que ceux construits le reste de l'année, et les nids qui sont édifiés en été tendent à être ouverts au vent dominant.

MESANGE À TÊTE NOIRE

NOM SCIENTIFIQUE	*Parus atricapillus.*
FAMILLE	Paridae.
LONGUEUR	13 cm.
HABITAT	Bois, parcs, jardins, champs et orées de bois.
RÉPARTITION	Sud du Canada et nord des États-Unis.
DESCRIPTION	Petit oiseau chanteur à grosse tête. Dessus gris; dessous chamois; ailes et queue bordées de blanc; face blanche; calotte et tache noires sur la gorge.

Oiseau familier et très commun dans toute son aire de répartition, la mésange à tête noire est surtout confinée aux régions du sud du Canada et du nord des États-Unis, bien que la partie sud-est de son territoire chevauche celle de la mésange de Caroline *(Poecile carolinensis)*, très semblable et avec laquelle elle peut s'accoupler. L'époque de la reproduction se situe en mai et juin, et la femelle produit une couvée d'environ huit œufs dans un trou d'arbre; le nid est fait de mousse ou autre végétal souple. En dehors de la période de reproduction, les couples et des oiseaux solitaires forment des groupes qui s'associent souvent avec de petites bandes d'autres espèces. Cette mésange demeure active même en période de grands froids, où elle fréquente les jardins; elle devient alors si peu farouche qu'elle peut manger directement dans la main de ceux qui la nourrissent. Cette espèce recherche dans les buissons des insectes, des graines et des baies, et fait des provisions pour les mois froids. La mésange à tête noire est reconnaissable à ses appels bas et longs.

SITTELLE À POITRINE BLANCHE ▼

NOM SCIENTIFIQUE	Sitta carolinensis.
FAMILLE	Sittidae.
LONGUEUR	15 cm.
HABITAT	Forêts mixtes ou à feuilles caduques, parcs de périphérie et jardins à grands arbres.
RÉPARTITION	Majeure partie de l'Amérique du Nord, des régions sud du Canada au sud du Mexique.
DESCRIPTION	Grosse sittelle ; dessus gris-bleu ; dessous et face blanc brillant ; extérieur des plumes de la queue noir. Queue courte ; long bec légèrement incurvé. Le mâle a une huppe noire ; celle de la femelle est plus grise.

Oiseau acrobate et curieux, la sittelle à poitrine blanche est souvent aperçue en train de sautiller tête en bas sur les troncs d'arbres, où elle cherche sa nourriture. Elle introduit graines et noisettes dans des creux d'arbres et les brise avec son bec ; elle consomme aussi des fruits, des insectes et des petits invertébrés comme des araignées. Sédentaires toute l'année, des couples de sittelles à poitrine blanche restent ensemble après la période de reproduction, formant parfois des groupes mixtes avec des mésanges durant l'hiver, afin de renforcer leur sécurité. Cet oiseau niche dans les trous d'arbres ; le nid est tapissé d'écorce, de feuilles, d'herbe et de poils d'animaux. Il utilise également les nichoirs mis à sa disposition. La femelle y pond jusqu'à neuf œufs, incubés pendant environ deux semaines.

SITTELLE TORCHEPOT ▲

NOM SCIENTIFIQUE	Sitta europaea.
FAMILLE	Sittidae.
LONGUEUR	14 cm.
HABITAT	Bois, parcs et jardins.
RÉPARTITION	Majeure partie de l'Europe, Asie jusqu'au Pacifique.
DESCRIPTION	Oiseau petit et dodu à queue courte. Plumage bleu ardoise dessus ; chamois orangé dessous ; flancs et croupion rougeâtres ; long bandeau gris sur les yeux.

La sittelle torchepot est un oiseau agité et alerte que l'on voit souvent grimper tête en bas sur les troncs et les branches à la recherche d'araignées et d'insectes. C'est en fait le seul oiseau qui grimpe la tête en bas aussi vite que la tête en haut, grâce à ses longs doigts, terminés par de grandes griffes. Outre les invertébrés, la sittelle torchepot mange aussi des noisettes, qu'elle dépose d'abord dans un creux avant de casser la coquille avec son bec. Elle niche dans des trous d'arbres et construit son nid avec de l'écorce ou des végétaux comme des feuilles, utilisant aussi de la boue pour cimenter les larges fentes du nid et réduire la taille du trou d'entrée. La femelle incube seule jusqu'à neuf œufs pendant deux semaines environ, mais le mâle demeure à proximité et lui apporte de la nourriture. Après l'éclosion, il nourrit les jeunes. Bien que la sittelle torchepot soit difficile à apercevoir, elle se signale par ses appels sonores (« tchit-tchit »). Elle vient parfois se faire nourrir dans les jardins.

GRIMPEREAU DES BOIS ▶

NOM SCIENTIFIQUE	*Certhia familiaris.*
FAMILLE	Certhiidae.
LONGUEUR	13 cm.
HABITAT	Forêts matures, parcs et jardins.
RÉPARTITION	Majeure partie de l'Europe, de l'Asie centrale au Japon.
DESCRIPTION	Dessus moucheté de gris-brun ; dessous argenté ; bande blanche sur l'œil. Long bec mince incurvé vers le bas.

Bien que très commun dans les bois, les parcs et les jardins dans toute son aire de répartition, le grimpereau des bois passe presque inaperçu en raison de son plumage gris moucheté. Il a une façon particulière de grimper en spirale le long des troncs d'arbres. Mais comme il est ensuite incapable d'emprunter le même chemin en sens inverse, il vole au pied de l'arbre suivant pour reprendre son ascension verticale. Il utilise son bec fin et recourbé pour fouiller les fentes de l'écorce à la recherche d'araignées et d'insectes, se servant de sa queue raide, à la manière d'un pic, comme support pour grimper. Pendant la période de reproduction, le grimpereau des bois niche dans le houx, dans des souches ou dans le creux d'un arbre. Le mâle et la femelle édifient ensemble un nid ressemblant à une sorte de poche, composé de végétaux divers, de poils d'animaux et de plumes. La femelle y incube seule de trois à neuf œufs. L'éclosion survient environ deux semaines plus tard, et les deux parents nourrissent les oisillons pendant près de quinze jours.

GRIMPEREAU BRUN

NOM SCIENTIFIQUE	*Certhia americana.*
FAMILLE	Certhiidae.
LONGUEUR	13 cm.
HABITAT	Bois de conifères ou mixtes, souvent en régions de montagne.
RÉPARTITION	Majeure partie de l'Amérique du Nord, jusqu'à certaines zones d'Amérique centrale.
DESCRIPTION	Dessus moucheté marron et blanc ; dessous blanchâtre. Long bec fin et incurvé, queue raide.

Comme son proche parent le grimpereau des bois, le grimpereau brun grimpe vers le haut des arbres, prenant appui sur sa queue raide pour exécuter son ascension en spirale, tout en recherchant des invertébrés, comme des insectes et des araignées. Il vole ensuite à la base de l'arbre suivant, car il est incapable de descendre comme il est monté. On le tenait autrefois pour la même espèce que le grimpereau des bois, mais des études ont montré que leurs chants ne sont pas semblables, ce qui en fait deux espèces différentes. Pendant la période de reproduction, il niche dans le houx, de vieilles souches ou un creux d'arbre, construisant une poche faite d'écorce, de mousse et autres végétaux. La femelle y pond cinq ou six œufs qu'elle incube seule pendant deux semaines. En dehors de la période de reproduction, le grimpereau brun est plutôt solitaire, mais, en hiver, il se joint parfois à des groupes de petits oiseaux.

◀ DICÉE HIRONDELLE

NOM SCIENTIFIQUE	*Dicaeum hirundinaceum.*
FAMILLE	Dicaeidae.
LONGUEUR	10 cm.
HABITAT	Forêts pluvieuses, bois clairsemés, haies et fourrés, partout où pousse le gui.
RÉPARTITION	Toute l'Australie, parties de l'Indonésie.
DESCRIPTION	Le mâle a le dessus bleu-noir brillant, la gorge rouge, la poitrine et le dessous de la queue rouges, le dessous blanc grisâtre. La femelle est gris-brun dessus, gris-blanc dessous, avec le dessous de la queue rouge clair.

Le dicée hirondelle appartient à la famille des parmoptiles et des pardalotes, un groupe de tout petits oiseaux rondelets qui recherchent des insectes, du nectar et des fruits dans les buissons et les arbres des habitats forestiers d'Australasie et d'Asie. Il consomme aussi les fruits du gui. Étant donné le petit estomac de cet oiseau, la pulpe de ce fruit est assez vite assimilée, et ses graines gluantes non ingérées sont déposées entières sur les branches et disséminées, gage d'une alimentation future. De cette façon, cet oiseau établit une relation de symbiose avec le gui. Il se nourrit aussi d'insectes, de pétales et de nectar de fleurs. À la différence des parmoptiles, qui sont sédentaires, le dicée hirondelle est nomade et vit en petits groupes, qui peuvent se déplacer sur de grandes distances à la recherche de leur nourriture. Durant la période de reproduction, d'octobre à mars, cette espèce construit un énorme nid en forme de poche, à ouverture étroite, avec des végétaux et de la toile d'araignée tissés autour des branches d'un arbre; la femelle y pond trois ou quatre œufs.

ÉCHELET À SOURCILS BLANCS

NOM SCIENTIFIQUE	*Climacteris affinis.*
FAMILLE	Climacteridae.
LONGUEUR	15 cm.
HABITAT	Bois découverts et buissons.
RÉPARTITION	Intérieur de l'Australie.
DESCRIPTION	Ventre strié de noir profond et de blanc; dessus gris-brun; sourcils blancs; rayures jaunes sur les ailes.

Autrefois très commun et très répandu en Australie, l'échelet à sourcils blancs est un oiseau extrêmement farouche qui a beaucoup souffert de la destruction de son habitat. On le trouve dans les acacias et les buissons épineux, notamment au voisinage des cyprès. Cet oiseau passe le plus clair de son temps à se nourrir au sol, recherchant en particulier des fourmis. Bien qu'il lui arrive de capturer des insectes sur les troncs et les branches des arbres, il ne se sert guère de sa queue comme appui, et on l'aperçoit plus fréquemment perché ou piétant sous le couvert.

Pendant la période de reproduction, cette espèce produit une couvée comptant de un à trois œufs, pondus dans un nid suspendu, constitué d'herbe et de poils d'animaux, le plus souvent dans un cyprès ou dans une souche, près du sol.

PARDALOTE À POINT JAUNE

NOM SCIENTIFIQUE	*Pardalotus striatus.*
FAMILLE	Dicaeidae.
LONGUEUR	10 cm.
HABITAT	Forêts d'eucalyptus et zones boisées.
RÉPARTITION	Dans la majeure partie de l'Australie.
DESCRIPTION	Variable, mais généralement sombre dessus, avec bord des plumes blanc ; dessous jaune et gris ; gorge orange ou jaune ; marques sur la face et les ailes.

Le pardalote à point jaune se rencontre dans une grande variété d'habitats où il trouve des arbres ou des buissons ; il a une prédilection pour les forêts d'eucalyptus et les terrains boisés de la majeure partie de l'Australie. Cependant, il est absent des régions très arides. Il recherche d'ordinaire sa nourriture dans le feuillage haut des arbres, à l'occasion dans les buissons au voisinage du sol. Il consomme une variété d'invertébrés, dont des araignées, des insectes et leurs larves, généralement capturés parmi les feuilles. On rencontre le pardalote à point jaune en couples ou en groupes comptant environ six individus pendant la période de reproduction, entre juin et janvier. Le nid a la forme d'une sphère ; placé dans un creux ou à l'entrée d'un terrier, il est composé de brindilles, d'écorce et d'herbe. La femelle y pond de trois à cinq œufs, incubés par les deux parents. Après l'éclosion, ceux-ci nourrissent ensemble les oisillons, aidés à l'occasion par d'autres membres du groupe.

Souimangas et arachnothères

Les souimangas et les arachnothères constituent un groupe de très petits oiseaux de l'Ancien Monde, appartenant à la famille des Nectariniidae. On les rencontre en Afrique, en Inde, dans le Sud-Est asiatique et l'Australie, où ils vivent surtout dans les forêts tropicales et subtropicales, les prairies et les broussailles. Ils se caractérisent par leur long bec incurvé vers le bas, qu'ils utilisent surtout pour prélever le nectar des fleurs. Les mâles de presque toutes les espèces de souimangas ont un plumage aux vives couleurs irisées, surtout en période de reproduction, alors que les femelles sont plus ternes, ce qui est le cas aussi chez les arachnothères.

Bien qu'ils ne soient pas proches parents, on les compare souvent aux oiseaux-mouches (ou colibris) d'Amérique, leurs traits communs étant attribués à une évolution convergente ; c'est-à-dire qu'ils ont acquis de façon indépendante des mêmes caractéristiques, en réponse à des conditions environnementales semblables. Comme les oiseaux-mouches, ils ont une longue langue à extrémité râpeuse et peuvent voler en faisant du surplace lorsqu'ils se nourrissent dans les fleurs. Cependant, ils sont dans l'ensemble moins agiles : ils sont par exemple incapables de voler en arrière et de se percher pour se nourrir. Leurs mœurs

d'accouplement sont également différentes, car la plupart des oiseaux-mouches mâles, polygames, s'accouplent avec plusieurs femelles et ne s'occupent pas des jeunes. Les souimangas et les arachnothères, au contraire, sont monogames, et les deux parents en couple coopèrent pour nourrir leur couvée. Leurs nids ont habituellement la forme d'une poire sphérique ou ovoïde ; ils sont composés d'herbe et de végétaux divers, colmatés par de la toile d'araignée et suspendus au bout d'une fine branche. La couvée se compose de deux ou trois œufs, incubés par la femelle pendant deux semaines environ. Outre le nectar, les souimangas consomment de petits fruits, ou aussi des insectes qu'ils trouvent dans le feuillage ou capturent en vol. Mais ils se nourrissent surtout d'araignées et autres petits invertébrés, bien que les fruits et le nectar occupent une part importante dans leur alimentation.

La plupart des souimangas vivent en Afrique, et le **souimanga malachite** (*Nectarinia famosa*) se rencontre dans les régions montagneuses de la majeure partie de l'est et du sud de l'Afrique. Le mâle se reconnaît à la longueur de ses plumes caudales, excédant de 10 cm celles de la femelle et atteignant au total 25 cm. Il a un plumage vert irisé ; comme chez de nombreuses autres espèces, la femelle a le dessus

Souimanga bronzé

vert olive ou marron, avec le dessous pâle. Comme les autres souimangas, le malachite est généralement solitaire, sédentaire et peut se montrer agressif envers les autres oiseaux, surtout lorsqu'il s'accouple. Le mâle use de sa longue queue et de son plumage chatoyant pour attirer une femelle et, après l'accouplement, celle-ci pond deux œufs dans un nid ovoïde placé bas dans un buisson.

Le **souimanga bronzé** *(Nectarinia kilimensis)* est une autre espèce du sud de l'Afrique que l'on trouve dans les mêmes habitats, souvent dans les seules régions montagneuses. Comme le souimanga malachite, le mâle de cette espèce possède une longue queue, qui lui vaut une longueur totale d'environ 23 cm (15 cm pour la femelle). Le mâle, vu de loin, paraît noir, mais on remarque de près que la tête et le dos ont des reflets de couleur bronze irisé. La femelle a le dessus vert olive, la gorge blanche, le dessous chamois légèrement marbré. Cette espèce se rencontre souvent en couple, qui est constitué pour la vie.

Le **souimanga asiatique** *(Nectarinia asiatica)* est l'une des espèces asiatiques les plus communes et les plus répandues. On le trouve de l'Iran à l'ensemble de l'Inde (sauf dans l'extrême nord et l'est), de la Chine à l'Asie du Sud-Est, où il vit dans les bois à feuilles caduques, les buissons, les parcs et les jardins. Il est très petit (environ 10 cm); le mâle est bleu-violet profond, tandis que la femelle est vert olive dessus et jaunâtre dessous. Cette espèce édifie un nid en poire, suspendu à des branchages bas.

Le **souimanga à croupion rouge** *(Nectarinia zeylonica)* est une autre espèce très commune que l'on trouve partout en Inde et dans les régions est de l'Asie du Sud-Est. Le mâle est brillamment coloré, avec une bande marron sur la poitrine s'étendant sur les côtés de la tête, une calotte verte, une gorge rouge vif et le dessous jaune bordé de blanc. La femelle est plus terne, son dos est vert olive, ses ailes brunes et sa poitrine jaunâtre. On trouve souvent cet oiseau près des habitations, dans les jardins et les terrains cultivés, ainsi que dans les buissons.

L'**arachnothère à poitrine grise** *(Arachnothera affinis)* se rencontre dans la majeure partie de l'Asie du Sud-Est, où il vit dans les forêts, les jardins et les plantations. Il peut atteindre 18 cm de long et se reconnaît à son dessus vert olive et à son dessous grisâtre, avec des traînées sur la poitrine et la gorge. En période d'accouplement, il construit un nid long en forme de coupe, fait avec des herbes variées, qu'il suspend à une large feuille, de bananier par exemple. Il garnit souvent le nid de fleurs.

Souimanga à plastron rouge

ZOSTÉROPS ORIENTAL ▲

NOM SCIENTIFIQUE	*Zosterops palpebrosus.*
FAMILLE	Zosteropidae.
LONGUEUR	12 cm.
HABITAT	Lisières de forêts basses et buissons.
RÉPARTITION	Presque toute l'Inde, sud de la Chine, zones du Sud-Est asiatique.
DESCRIPTION	Dessus verdâtre ; tête et gorge jaunâtres ; ventre et cercle autour de l'œil blancs.

Oiseau actif et très sociable, le zostérops oriental vit en groupes nombreux, atteignant souvent une trentaine d'individus. Mais il lui arrive aussi de s'associer en bandes de centaines d'oiseaux, qui peuvent alors causer de graves dommages aux cultures de fruits, tout en se révélant, en revanche, utiles à l'élimination des insectes. De plus, le zostérops oriental consomme du nectar, qu'il collecte dans les fleurs à l'aide de sa longue langue en brosse. Pendant la période de reproduction, les groupes tendent à se disperser, et les couples de cette espèce construisent avec des herbes un nid profond en coupe, placé parmi les branches d'un petit arbre ou d'un buisson, ou encore fixé aux tiges des bambous. La femelle pond deux œufs, incubés pendant un peu moins de deux semaines ; les jeunes prennent leur envol quelque douze jours après l'éclosion.

ZOSTÉROPS ALTICOLE

NOM SCIENTIFIQUE	*Zosterops poliogaster.*
FAMILLE	Zosteropidae.
LONGUEUR	12 cm.
HABITAT	Forêts de montagne.
RÉPARTITION	Nord-est de l'Afrique.
DESCRIPTION	Plumage vert olive ; sourcils jaunes ; large cercle blanc autour de l'œil.

Comme les autres membres de sa famille, le zostérops alticole a autour de l'œil un cercle de plumes blanches, particulièrement visible chez cette espèce. Il s'assemble souvent en groupes abondants, se déplaçant bruyamment dans les forêts pluvieuses à la recherche d'insectes, de baies et autres fruits. Il peuple d'ordinaire le haut des arbres, servi par ses grandes pattes aux longues extrémités, qui le rendent très agile pour se déplacer au milieu des branches. À l'occasion, il se tient aussi au sol ou à proximité. En période de reproduction, les couples édifient un nid profond en coupe, avec des herbes, du lichen et de la mousse, assemblés avec des fibres plus fines ; le nid est fixé à la branche d'un petit arbre ou d'un buisson. La femelle pond de deux à quatre œufs, incubés pendant une période relativement courte : de onze à douze jours.

MÉLIPHAGE DE NOUVELLE-HOLLANDE ▼

NOM SCIENTIFIQUE	*Phylidonyris novaehollandiae.*
FAMILLE	Meliphagidae.
LONGUEUR	18 cm.
HABITAT	Landes, buissons, bois, parcs et jardins.
RÉPARTITION	Sud de l'Australie, y compris la Tasmanie.
DESCRIPTION	Noir et blanc, avec de grandes taches jaunes aux ailes et à la queue ; légères traces de blanc aux oreilles ; moustaches blanches à la base du bec ; œil blanc.

Nomade, le méliphage de Nouvelle-Hollande est commun dans une grande variété d'habitats, tels que landes, bois, parcs et jardins. C'est un oiseau actif et curieux, assez hardi pour s'approcher des humains. Cependant, s'il sent le danger, il émet un cri d'alarme puissant, repris par d'autres oiseaux du même genre. Il lui arrive parfois de rester seul, mais on le trouve le plus souvent en groupes nombreux, parfois associé à d'autres espèces de Meliphagidae, également appelés « sucriers ». Le méliphage de Nouvelle-Hollande peuple essentiellement les branches basses des arbres et des buissons, où il se nourrit en grande partie du nectar des fleurs ; il consomme aussi des fruits, des araignées et de petits invertébrés attrapés dans le feuillage. Cet oiseau s'accouple à toute période de l'année, mais il niche surtout en été et en hiver. Il place dans un buisson ou dans un arbre un nid en coupe, construit avec de l'herbe et de l'écorce, qu'il colmate avec des toiles d'araignée et tapisse de végétaux souples. La femelle pond deux ou trois œufs, incubés pendant dix-huit jours. Après l'éclosion, les deux parents nourrissent les jeunes, qui quittent le nid environ seize jours plus tard. La longueur de la période de reproduction permet deux ou trois couvées par an.

MÉLIPHAGE À OREILLONS BLEUS ▲

NOM SCIENTIFIQUE	*Entomyzon cyanotis.*
FAMILLE	Meliphagidae.
LONGUEUR	30 cm.
HABITAT	Bois découverts et buissons.
RÉPARTITION	Nord et est de l'Australie, sud de la Nouvelle-Guinée.
DESCRIPTION	Grand méliphage à dessus vert olive, avec une calotte et des raies sur la poitrine noires, le dessous blanc, des taches blanches au dos de la tête et de larges parties de peau nue bleue autour des yeux.

Ce méliphage du nord de l'Australie et de Nouvelle-Guinée est particulièrement grand ; il est facile à reconnaître grâce à ses larges parties de peau nue bleue autour des yeux, caractéristique qui lui vaut son nom. Il vit dans les bois et les buissons, où il recherche parmi les sous-bois des fruits et du nectar. Comme les autres méliphages, également appelés « sucriers », il dispose d'une longue langue dont l'extrémité est munie de papilles en brosse, ce qui lui permet de recueillir le nectar. Cette espèce est souvent agressive, notamment en période de reproduction, et elle tend à s'approprier les nids d'autres espèces en éjectant leurs occupants. D'autres fois, le méliphage à oreillons bleus édifie son propre nid, une grande construction en coupe constituée de branchettes et de divers végétaux, qu'il défend vigoureusement contre les intrus, y compris les humains qui voudraient s'en approcher de trop près.

POLOCHION CRIARD ▼

NOM SCIENTIFIQUE	*Philemon corniculatus.*
FAMILLE	Meliphagidae.
LONGUEUR	35 cm.
HABITAT	Forêts d'eucalyptus et zones boisées.
RÉPARTITION	Est de l'Australie, absent de presque toute la péninsule du cap York.
DESCRIPTION	Gros oiseau gris à tête nue noire ; plumes blanches sur la gorge ; extrémité des ailes blanches ; yeux rouges. Grand bec incurvé avec caroncule sur le dessus.

Cette grande et forte espèce de philémon ressemble au vautour, avec sa tête chauve, son bec long et fort, ses plumes du cou ébouriffées. Malgré sa grande taille et son apparence caractéristique, le polochion criard passe le plus clair de son temps haut perché dans le feuillage, ne se signalant guère que par son cri rauque et sa voix caquetante. Comme les autres Meliphagidae, il se nourrit du nectar des fleurs, mais consomme aussi des baies, des fruits, des insectes et les œufs d'autres oiseaux. Certains polochions criards de grande taille se nourrissent aussi de couvées d'oiseaux, de petits amphibiens et de reptiles. Pendant la majeure partie de l'année, cette espèce forme souvent de petits groupes agités et tapageurs ; mais pendant la période de reproduction, qui dure d'août à février, les couples mènent une vie retirée. Le polochion criard construit un nid profond en coupe, fait d'écorce, d'herbes, de feuilles, de toiles d'araignée et de divers autres matériaux, et placé dans le feuillage dense, sur la plus haute branche d'un arbre, parfois au-dessus de l'eau. La femelle pond deux ou trois œufs.

MÉLIPHAGE À COU JAUNE

NOM SCIENTIFIQUE	*Manorina flavigula.*
FAMILLE	Meliphagidae.
LONGUEUR	28 cm.
HABITAT	Bois et forêts, zones agricoles.
RÉPARTITION	Majeure partie de l'Australie, à l'exception du sud-est et de certaines zones du nord-est.
DESCRIPTION	Dessous blanc chamois ; ailes grises avec traces de jaune ; cercle noir autour des yeux ; taches jaunes aux yeux, gorge, bec et pattes.

Le méliphage à cou jaune est un grand méliphage qui se nourrit de nectar, de fruits et de graines. Cependant, il recherche surtout des insectes, tant dans les arbres, dont il fouille l'écorce, qu'au sol, où il capture des fourmis, des cafards, des guêpes et des chenilles. C'est un oiseau très sociable, qui vit en colonies nomades de douze à cinquante individus, lesquels se répartissent en groupes plus petits lorsqu'ils se nourrissent. En période de reproduction, de juillet à décembre, la nidification s'effectue également en colonies, et cette espèce coopère à l'élevage des jeunes, plusieurs oiseaux aidant à les nourrir et à les protéger. Les jeunes se rassemblent aussi en bandes lorsqu'ils ont quitté le nid et continuent à être nourris par les adultes. Le nid a la forme d'une grande saucière ; il est composé de brindilles, de feuilles et d'herbe, et la couvée comporte deux ou trois œufs. Le méliphage à cou jaune est un oiseau bruyant et agressif, surtout en période de reproduction, et les groupes attaquent d'autres espèces qui se trouvent sur leur site de nourriture, de perchage et de nidification.

MÉLIPHAGE À PENDELOQUES

NOM SCIENTIFIQUE	Anthochaera paradoxa.
FAMILLE	Meliphagidae.
LONGUEUR	48 cm.
HABITAT	Forêts d'eucalyptus, lieux boisés, landes et jardins.
RÉPARTITION	Tasmanie.
DESCRIPTION	Très grand méliphage. Plumage gris-brun entièrement rayé de blanc ; ventre jaune. Moustaches jaunes pendant à chacune de ses joues.

Le méliphage à pendeloques est le plus grand des Meliphagidae. Cette espèce est endémique en Tasmanie. Outre sa grande taille, elle est reconnaissable à ses pendeloques, de longues moustaches pendant de ses joues, ainsi que par son chant guttural. Ce méliphage se nourrit de nectar et de fruits et, comme les autres membres de sa famille, il joue un rôle important dans la pollinisation des nombreuses plantes qu'il visite. Cependant, comme les méliphages de grande taille, il se nourrit surtout d'insectes. Il peuple tous les étages des forêts d'eucalyptus, les arbres et les buissons, mais on le rencontre aussi sur les falaises côtières, et il se rend régulièrement dans les jardins pour consommer la nourriture mise à sa disposition dans les bacs à graines.

Cet oiseau est très commun dans son aire de répartition, mais son nombre est en déclin en raison de la destruction de son habitat. En période de reproduction, il construit un grand nid relativement grossier, constitué de brindilles, d'écorce et autres végétaux, tapissé de plumes et de matériaux souples, où sont généralement pondus deux ou trois œufs.

PROMÉROPS DU CAP ▲

NOM SCIENTIFIQUE	Promerops cafer.
FAMILLE	Meliphagidae.
LONGUEUR	De 22 à 45 cm. Femelle plus petite que le mâle.
HABITAT	Buissons et landes.
RÉPARTITION	Afrique du Sud.
DESCRIPTION	Méliphage mince et élancé ; long bec légèrement incurvé vers le bas ; longue queue (plus longue chez le mâle). Plumage brun dessus ; blanc dessous, moucheté de marron. Croupion jaune.

Les proméraps sont les seuls Meliphagidae d'Afrique, les autres méliphages vivant en Australasie et dans des régions du Sud-Est asiatique ; ils sont aussi parmi les plus grands. Ce n'est cependant pas un gros oiseau, et sa taille tient surtout à la longueur de sa queue. Cela est particulièrement vrai dans le cas du mâle, dont la queue occupe les deux tiers de sa longueur totale. Il se nourrit d'invertébrés, qu'il prend en l'air ou dans le feuillage, mais il aspire surtout le nectar des fleurs, usant de son long bec et de l'extrémité de sa langue en brosse. La plante protea est particulièrement importante, car elle fournit le nectar et c'est sur elle que le proméraps du Cap se perche pour défendre son territoire, en période de reproduction. Il utilise aussi ses matériaux pour faire son nid. Cet oiseau nidifie d'ordinaire au bas d'un buisson et il construit un nid en forme de coupe avec des brindilles et divers végétaux, tapissé d'étoupe de plante, à proximité du sol, parmi les branches d'un buisson. La période de reproduction se situe dans les mois d'hiver, de mars à août, pendant lesquels les mâles exécutent des parades nuptiales et s'élèvent très haut en l'air, tout en claquant des ailes.

BRUANT JAUNE

NOM SCIENTIFIQUE	*Emberiza citrinella.*
FAMILLE	Fringillidae.
LONGUEUR	16 cm.
HABITAT	Lieux agricoles ouverts, haies et bois de conifères.
RÉPARTITION	Majeure partie d'Europe et d'Asie, zones du nord-ouest de l'Afrique.
DESCRIPTION	Le mâle a la tête et le dessous jaunes, le dos brun rayé et les rectrices extérieures de la queue bordées de blanc. La femelle est moins vivement colorée et plus ronde.

Le bruant jaune est répandu dans les prés et les champs bordés de haies, bien qu'il soit en déclin dans certaines zones de son aire de répartition. Ainsi, en Angleterre, sa population a diminué de moitié au cours des dernières années. On l'identifie facilement à sa colora-tion, en particulier chez le mâle, grâce à sa tête de couleur vive. Il se nourrit surtout de graines et de petits insectes qu'il trouve sur le sol des terrains ouverts, des champs cultivés et des landes, ou encore dans les haies et les buissons. En hiver et au printemps, à la recherche de nour-riture, il peut aussi rendre visite aux jardins. L'hiver, on rencontre sou-vent cette espèce en petits groupes, en compagnie de fringillidés et d'autres bruants. La période de reproduction s'ouvre par une parade nuptiale exubérante, au cours de laquelle le mâle poursuit la femelle en un vol enveloppant, qui se conclut souvent par la collision brutale et la chute des deux partenaires dans les arbres ou les buissons. Le nid, construit par la femelle, est une coupe bien nette, faite d'herbe et de mousse, tapissée de poils d'animaux. Il est placé bas dans un buisson ou une haie, ou même au sol, parmi la végétation. Une couvée de trois à cinq œufs est incubée pendant deux semaines environ, et les deux parents prennent soin des jeunes.

BRUANT DES NEIGES ▼

NOM SCIENTIFIQUE	*Plectrophenax nivalis.*
FAMILLE	Emberizidae.
LONGUEUR	17 cm.
HABITAT	Toundra, champs dégagés, rivages rocheux.
RÉPARTITION	Circumpolaire, extrême nord de l'hémisphère Nord, migre au sud l'hiver.
DESCRIPTION	Pratiquement blanc avec taches noires sur le bord des ailes, les caudales centrales et les épaules. En période de reproduction, le mâle a le dos noir ; en hiver, une calotte chamois et le dos moucheté. La femelle est blanche avec une calotte, un collier et le dos rouille.

Le bruant des neiges est un oiseau très sociable qui migre en grandes bandes, depuis son aire de reproduction arctique vers des habitats situés plus au sud. L'hiver, ces groupes sont d'ordinaire associés à des pipits et autres petits oiseaux. La période de reproduction commence vers la fin du mois de mai, les plus vieux mâles arrivant les premiers pour établir des territoires. Quand les femelles arrivent à leur tour, les mâles les attirent par des gazouillis de bienvenue, suivis de poursuites qui se concluent généralement par l'accouplement. La femelle construit un nid en coupe avec de l'herbe et de la mousse, tapissé de plumes, qu'elle place parmi les cailloux pour échapper au regard des prédateurs. Elle pond et incube de quatre à six œufs, pendant quatre à dix jours, pendant lesquels le mâle la nourrit. Dans un habitat au froid très rigoureux, les œufs nécessitent une chaleur constante. Les jeunes prennent leur envol environ deux semaines après leur naissance et s'assemblent en grands groupes. Le bruant des roseaux recherche au sol des graines, des bourgeons, des insectes et autres invertébrés.

BRUANT DES ROSEAUX ▲

NOM SCIENTIFIQUE	*Emberiza schoeniclus.*
FAMILLE	Fringillidae.
LONGUEUR	15 cm.
HABITAT	Bords de cours d'eau, champs et lisières de forêts.
RÉPARTITION	Majeure partie de l'Eurasie, de l'ouest de l'Europe à l'est de l'Asie. Afrique du Nord.
DESCRIPTION	Dessus rayé de marron ; dessous clair avec mouchetures sombres. Le mâle a la tête et le plastron noirs, avec collier et moustache blancs. La femelle a la tête plus claire, avec de grosses moustaches marron.

Le bruant des roseaux est traditionnellement un oiseau des zones humides, mais la perte de certains habitats du bord des cours d'eau entraîne un double résultat. En effet, si l'on enregistre un net déclin de cette espèce, dans le même temps celle-ci a étendu son aire de répartition aux champs et aux lieux boisés, et on la voit maintenant occasionnellement fréquenter les jardins. Cependant, le bruant des roseaux garde une prédilection pour l'eau pendant la période de reproduction, et c'est la femelle qui construit un nid en coupe, fait d'herbe et de mousse, qu'elle place parmi les roseaux ou autre végétation touffue, au sol ou à proximité. Elle y incube une couvée de quatre à sept œufs, pendant deux semaines environ ; après l'éclosion, les deux parents prennent soin des oisillons, qui prennent leur envol au bout d'une douzaine de jours. Le bruant des roseaux se nourrit principalement au sol, de graines et d'insectes. Bien que sa livrée constitue un camouflage efficace, il se fait remarquer en vol par les rayures blanches de ses ailes.

BRUANT FAUVE

NOM SCIENTIFIQUE	*Passerella iliaca.*
FAMILLE	Emberizidae.
LONGUEUR	18 cm.
HABITAT	Buissons, fourrés et lieux boisés mixtes.
RÉPARTITION	Majeure partie du Canada et des États-Unis.
DESCRIPTION	Oiseau potelé. Plumage variable; dessus souvent sombre ou gris dans l'Ouest, plus roux dans l'Est. Dessous pâle, avec larges raies convergeant vers une grosse tache sur la poitrine.

Le bruant fauve est parmi les passereaux les plus répandus du Nouveau Monde. Il tend à habiter dans les sous-bois épais, et il s'avère de ce fait souvent difficile à observer. Il se signale cependant par son chant mélodieux ou par ses grattements lorsqu'il recherche de la nourriture. C'est un oiseau qui chasse au sol, déplaçant la terre ou la litière de feuilles en quête d'insectes, d'araignées et autres invertébrés, bien qu'il consomme aussi des végétaux, notamment des bourgeons. Cependant, comme chez beaucoup d'oiseaux chanteurs, ses petits sont exclusivement nourris d'invertébrés. Pendant la période de reproduction, il construit un nid en coupe, constitué de brindilles et d'herbe, qu'il place au sol ou à proximité, dans un buisson ou, plus rarement, dans la partie basse d'un arbre. La femelle y pond de deux à cinq œufs, qu'elle incube seule pendant deux semaines environ, mais les deux parents prennent soin des oisillons. Comme chez d'autres espèces nidifiant au sol, le bruant fauve adulte peut feindre d'avoir une aile cassée pour éloigner un prédateur du nid, avant de s'envoler rapidement.

BRUANT CHANTEUR ▼

NOM SCIENTIFIQUE	*Melospiza melodia.*
FAMILLE	Emberizidae.
LONGUEUR	17 cm.
HABITAT	Buissons, taillis, lieux boisés, prairies grasses, souvent près de l'eau, des marais et des marécages côtiers.
RÉPARTITION	Majeure partie de l'Amérique du Nord, sud du Mexique.
DESCRIPTION	Plumage variable, mais toujours tête rayée ; dos et croupion à rayures sombres ; ailes brunes ; poitrine et flancs pâles, rayés ou mouchetés, convergeant sur une grande partie blanche pectorale. Queue et ailes courtes et arrondies.

Le bruant chanteur est commun dans presque toute l'Amérique du Nord, dans une grande variété d'habitats. On a pu également dénombrer trente et une espèces distinctes, présentant des variantes en fonction du plumage. Les individus d'Alaska sont aussi plus dodus que les autres. Comme son nom le laisse entendre, cet oiseau est un grand chanteur, surtout en période de reproduction, à savoir au printemps et à l'automne, quand le mâle chante pour attirer une femelle et établir son territoire.

Après l'accouplement, la construction du nid et l'incubation sont des tâches qui reviennent à la femelle, qui construit un nid en forme de coupe avec de menues brindilles et des herbes ; elle le place au sol, dans un buisson ou un fourré bas. Elle pond entre trois et cinq œufs, qu'elle incube seule pendant deux semaines environ. Les jeunes prennent leur envol quelque deux semaines plus tard. Le mâle prend alors le relais de la femelle, qui s'occupe de la couvée suivante. Les jeunes sont nourris d'insectes, lesquels constituent également l'essentiel de l'alimentation des adultes, qui ne dédaignent pas non plus les graines, les baies et autres végétaux.

BRUANT À GORGE BLANCHE ▲

NOM SCIENTIFIQUE	*Zonotrichia albicollis.*
FAMILLE	Emberizidae.
LONGUEUR	16 cm.
HABITAT	Buissons, haies et fourrés denses, parcs et jardins.
RÉPARTITION	Majeure partie de l'Amérique du Nord, mais absent de l'Ouest.
DESCRIPTION	Dessus rayé marron ; dessous gris ; tache pectorale blanche. Parfois, la calotte peut être rayée de noir et blanc, ou encore de noir et brun.

Ce bruant niche de façon commune dans tout le Canada, mais pas très au sud ; toutefois, son aire de répartition s'étend l'hiver jusqu'au nord du Mexique. On le trouve dans des habitats très divers, et il est probablement, de tous les passereaux du Nouveau Monde, le plus commun dans les environnements urbains. Le bruant à gorge blanche présente deux couleurs morphologiques : calotte blanche et calotte brune. Il est intéressant de constater que, en période de reproduction, des individus s'accouplent avec d'autres de morphologies différentes, et que cette espèce est bien connue pour produire des hybrides avec le junco ardoisé. Le bruant à gorge blanche construit un nid en coupe qu'il place au sol ou à faible hauteur, où sont pondus de quatre à six œufs, que seule la femelle incube pendant environ deux semaines. Le mâle l'aide ensuite à nourrir les oisillons avec des insectes et autres petits invertébrés. Les adultes sont omnivores et consomment aussi des graines et autres types de végétaux.

SICALE BOUTON-D'OR

NOM SCIENTIFIQUE	*Sicalis flaveola.*
FAMILLE	Emberizidae.
LONGUEUR	15 cm.
HABITAT	Prairies ouvertes et buissons.
RÉPARTITION	Parties de l'Amérique du Sud, introduit dans des parties d'Amérique centrale et les Caraïbes.
DESCRIPTION	Le mâle a un plumage jaune vif ; plumes de la queue et extrémités marron ; front jaune orangé. La femelle est d'habitude gris-brun dessus, blanchâtre dessous, avec un collier jaune.

Le sicale bouton-d'or est un oiseau assez commun qui fréquente surtout les lieux découverts ou semi-découverts dans de nombreuses aires de répartition d'Amérique du Sud ; il est cependant absent du bassin de l'Amazonie. Il y a trois populations distinctes dans les aires environnantes, avec les espèces occupant le nord de la Colombie et du Venezuela, l'Équateur et le Pérou, que l'on trouve du nord-est du Brésil au centre de l'Argentine. Le mâle est très visible grâce à sa couleur jaune vif, et on le distingue aisément des autres bruants jaunes de la même aire à une tache orange sur la calotte. La femelle est souvent plus difficile à identifier car elle peut varier un peu d'apparence : elle est d'ordinaire gris-brun dessus et pâle dessous, avec un collier jaune, mais son plumage ressemble parfois beaucoup à celui du mâle, bien qu'il soit plus terne. Le sicale bouton-d'or est sociable et s'observe en petits groupes, recherchant des graines au niveau du sol. En période de reproduction, cette espèce fait souvent son nid dans un trou d'arbre ou le creux d'un toit, mais elle fréquente aussi les nids abandonnés par des oiseaux d'autres espèces. La couvée se compose de trois ou quatre œufs, incubés pendant environ deux semaines. Cet oiseau a un chant mélodieux et répétitif. Cette qualité, associée à la beauté de son plumage, en fait fréquemment un oiseau de cage.

JUNCO ARDOISÉ ▼

NOM SCIENTIFIQUE	*Junco hyemalis.*
FAMILLE	Emberizidae.
LONGUEUR	15 cm.
HABITAT	Bois de conifères et mixtes, fourrés, parcs et jardins.
RÉPARTITION	Majeure partie de l'Amérique du Nord, nord du Mexique.
DESCRIPTION	Petit passereau au plumage variable. Le plus souvent gris ou brun dessus ; capuche plus pâle et ventre clair.

Ce petit passereau du Nouveau Monde est confiné, l'essentiel de l'année, au Canada et aux régions montagneuses de l'est des États-Unis, étendant son aire de peuplement au reste du continent durant l'hiver ; on le voit alors fréquenter les mangeoires à oiseaux disposées dans les jardins. Au printemps, il remonte au nord pour s'accoupler dans les forêts ou les buissons. C'est un oiseau qui vit surtout au sol, où il tend à nicher, parmi la végétation ou dans des cavités, au milieu des cailloux ou des racines d'arbres, sur une pente ou même une berge verticale. Le couple de juncos ardoisés construit ensemble un petit nid en coupe, fait de menues brindilles, d'herbes, de racines, de feuilles, de mousse ou autres végétaux. La femelle incube seule de trois à cinq œufs pendant environ deux semaines. Après l'éclosion, les oisillons reçoivent les soins de leurs deux parents et quittent le nid deux semaines plus tard. Le junco ardoisé recherche le plus souvent sa nourriture au sol ; il s'agit d'insectes, d'araignées et autres invertébrés, de graines, de bourgeons et de baies. Il se réunit parfois en bandes pour fouiller dans le sous-bois et la litière de feuilles.

TOHI À FLANCS ROUX ▲

NOM SCIENTIFIQUE	*Pipilo erythrophthalmus.*
FAMILLE	Emberizidae.
LONGUEUR	23 cm.
HABITAT	Champs dégagés, fourrés, buissons et lisières de forêt.
RÉPARTITION	Du sud du Canada aux États-Unis et jusqu'au Mexique.
DESCRIPTION	Le mâle a le dessus entièrement noir, les flancs rouille et le ventre blanc. La femelle est marron et non noire.

L'appellation « tohi à flancs roux » désignait autrefois des oiseaux qu'on supposait appartenir à la même espèce : *Pipilo erythrophthalmus* et son homologue de l'ouest, *Pipilo maculatus*. Ces deux espèces sont aujourd'hui bien différenciées, bien que leurs aires de répartition se chevauchent, donnant lieu à des hybrides. Le tohi à flancs roux, l'un des bruants les plus répandus du Nouveau Monde, est aisément reconnaissable à ses flancs rougeâtres. Il passe le plus clair de son temps à rechercher au sol des insectes, des araignées, des graines et des fruits, grattant la terre ou l'humus de ses deux pattes, technique qui lui est spécifique. Pendant la période de reproduction, le tohi à flancs roux tend à nicher au sol, dans une touffe d'herbe haute ou autre végétation ; il y fabrique un nid en coupe avec des brindilles et des herbes, qu'il place sur la branche la plus basse d'un buisson. C'est la femelle qui s'y consacre ; elle y incube ensuite seule une couvée de deux à six œufs pendant deux semaines environ. Après l'éclosion, les deux parents veillent sur leur progéniture, qui prend son envol quelque deux semaines plus tard. La famille reste unie jusqu'à la fin de l'été.

DICKCISSEL D'AMÉRIQUE ▲

NOM SCIENTIFIQUE	*Spiza americana.*
FAMILLE	Cardinalidae.
LONGUEUR	15 cm.
HABITAT	Prairies découvertes, terres cultivées et champs.
RÉPARTITION	Sud-est du Canada et est des États-Unis. Hiverne au nord et au sud de l'Amérique du Sud.
DESCRIPTION	Petit oiseau trapu à tête et dos gris-brun ; dessous châtain ; poitrine jaunâtre ; sourcils jaunes. Le mâle reproductif a une poitrine jaune vif, un plastron noir, la gorge blanche.

Autrefois répertorié parmi les Emberizidae, le dickcissel est aujourd'hui classé dans la famille des Cardinalidae, comprenant les cardinaux, les saltators et autres oiseaux apparentés. Ce petit passereau fréquente les champs découverts de l'est de l'Amérique du Nord. Comme les moineaux et autres espèces voisines des Fringillidae (chardonnerets, pinsons, serins, bouvreuils), il se nourrit de graines qu'il recherche principalement au sol. Toutefois, c'est lorsqu'il chante, perché sur un poteau téléphonique ou électrique, qu'il est le plus facile à observer. Cet oiseau très sociable se regroupe souvent en petites bandes ; il rejoint des groupes plus nombreux pour migrer ou pour se nourrir dans les endroits où la nourriture est particulièrement abondante. Le nid a la forme d'une grossière structure en coupe, faite de feuilles et d'herbes, tapissée de végétaux souples et placée à faible hauteur dans un buisson, dans de la végétation épaisse ou au sol. La couvée se compose habituellement de quatre œufs, incubés pendant environ deux semaines. Les jeunes prennent leur envol une dizaine de jours après l'éclosion.

PAROARE HUPPÉ

NOM SCIENTIFIQUE	*Paroaria coronata.*
FAMILLE	Emberizidae/Cardinalidae.
LONGUEUR	20 cm.
HABITAT	Prairies avec arbres et buissons clairsemés, souvent près de l'eau.
RÉPARTITION	Sud-est du Brésil, nord de l'Argentine, sud-est de la Bolivie. Introduit à Hawaii.
DESCRIPTION	Dos, ailes et queue gris ; dessous et collier blancs ; huppe, face et gorge rouges.

Cette espèce est également nommée « cardinal gris du Brésil », mais cette appellation est trompeuse, car elle peut se référer à diverses espèces étroitement apparentées, que l'on rencontre au Brésil et dans les aires avoisinantes. Ainsi que son nom l'indique, sa caractéristique la plus évidente est sa huppe rouge dressée. Cet oiseau actif et très sociable, qui vit souvent en petits groupes familiaux ou en couples, recherche des graines au sol. Le reste du temps, il se perche en haut d'un arbre ou d'un grand buisson. Pendant la période de reproduction, l'accouplement est précédé de la danse nuptiale du mâle. Il piète çà et là, les plumes de la queue en éventail, souvent avec un peu de nourriture ou de matériau pour le nid dans le bec. Le nid a la forme d'une coupe compacte et bien tissée, habituellement placée assez bas dans un arbre ou dans un buisson. La femelle y pond trois ou quatre œufs, incubés par les deux parents pendant près de deux semaines. Les jeunes quittent le nid environ deux semaines après l'éclosion, mais sont nourris par leurs parents pendant encore une semaine. Son apparence plaisante fait du paroare huppé un oiseau de cage.

CARDINAL ROUGE

NOM SCIENTIFIQUE	*Cardinalis cardinalis.*
FAMILLE	Cardinalidae.
LONGUEUR	23 cm.
HABITAT	Forêts; buissons, haies, parcs et jardins de banlieue.
RÉPARTITION	Sud-est du Canada, centre, est et sud des États-Unis, Mexique et Belize.
DESCRIPTION	Oiseau de taille moyenne à haute huppe, bec conique et masque noir. Le plumage du mâle est cramoisi vif, celui de la femelle gris olive; ailes, huppe et queue rouges.

Autrefois classé parmi les Emberizidae, le cardinal rouge fait maintenant souvent partie des Cardinalidae. Le mâle de cette espèce est un oiseau remarquable par son plumage rouge vif et sa huppe dressée; on le rencontre dans des habitats très divers. C'est un visiteur commun des parcs et des jardins, en particulier durant les mois d'hiver, bien qu'il préfère les zones plus couvertes, riches en fourrés et en buissons. Il cherche sa nourriture au sol ou à faible hauteur, principalement des graines, des bourgeons et des baies, mais aussi quelques insectes. Cette espèce forme des couples pour la vie et revient chaque année au même nid. Le mâle défend son territoire avec agressivité, tandis que la femelle incube seule trois ou quatre œufs dans un nid sommaire en coupe, fait de brindilles et d'herbes, placé parmi les branches épaisses d'un buisson ou d'un petit arbre. Après l'éclosion, les deux parents, dans un premier temps, prennent soin ensemble des petits; la femelle s'en détache ensuite pour produire une seconde couvée, tandis que le mâle se charge seul du nourrissage de la première.

PASSERIN NONPAREIL

NOM SCIENTIFIQUE	*Passerina ciris.*
FAMILLE	Cardinalidae.
LONGUEUR	13 cm.
HABITAT	Buissons, haies et lisières de lieux boisés.
RÉPARTITION	Sud-est des États-Unis et Mexique, hivernage à Cuba, aux Bahamas, à la Jamaïque et en Amérique centrale.
DESCRIPTION	Mâle : dessous rouge ; tête bleu indigo ; cercle rouge aux yeux ; dos vert vif ; ailes et queue vert plus sombre. Femelle : vert citron sur le dos, la calotte et la nuque ; gorge, ventre et poitrine olivâtres ; parfois des plumes bleues sur la tête.

Le passerin nonpareil, dit aussi « bruant » nonpareil, est probablement l'oiseau le plus coloré d'Amérique du Nord. En dépit de cette apparence, on le distingue difficilement, même lorsqu'il chante, car il a tendance à se dissimuler dans l'épaisseur de la végétation. Il se nourrit de graines, d'insectes, de larves et d'araignées, qu'il peut chercher parmi les branches basses ou au sol, prélevant les insectes dans les toiles d'araignée. Pendant la période de reproduction, le mâle devient sédentaire et agressif envers les autres espèces, et les combats, très fréquents, sont parfois mortels. Le nid a la forme d'une coupe bien nette, composée de brindilles et d'herbes, tapissée de végétation souple ou de poils d'animaux et placée très bas dans un petit arbre ou dans un buisson. Après l'accouplement, la femelle incube seule trois ou quatre œufs pendant deux semaines environ. En raison de son beau plumage, le mâle du passerin nonpareil était autrefois capturé pour être mis en cage. Cette pratique illégale, mais qui n'a pas cessé pour autant, est responsable de la forte diminution de ses effectifs. Autrefois classé dans la famille des Emberizidae, le passerin nonpareil trouve aujourd'hui sa place parmi les Cardinalidae.

Passerin indigo ▲

NOM SCIENTIFIQUE	*Passerina cyanea.*
FAMILLE	Cardinalidae.
LONGUEUR	15 cm.
HABITAT	Lieux boisés découverts et haies.
RÉPARTITION	Sud-est du Canada et est des États-Unis ; migre au sud jusqu'aux Caraïbes et à l'Amérique centrale en hiver.
DESCRIPTION	Mâle en livrée nuptiale : uniformément bleu ; partie plus foncée sur la tête ; noir entre les yeux ; queue et ailes sombres bordées de bleu. Plumage usuel : brun avec bord des plumes bleu ; ventre et dessous de la queue blanchâtres. Femelle : brune ; souvent de légères rayures aux joues ; pâles stries chamois aux ailes.

Commun en été dans les lieux ouverts ou faiblement boisés de presque toute l'Amérique du Nord, le passerin indigo mâle se remarque à sa livrée nuptiale bleu vif et à son chant, qu'il émet d'un perchoir bien en évidence, sur un arbre ou un poteau téléphonique. Pendant la période de reproduction, le mâle établit de petits territoires ; il est intéressant de remarquer que ces oiseaux ont tous, dans ces lieux, un chant très similaire, voire identique, tandis que celui des individus qui se tiennent à l'écart est tout à fait différent.

Après la séduction d'une femelle et l'accouplement, cette dernière pond et incube trois ou quatre œufs dans un large nid en coupe, constitué de feuilles, de brindilles et d'herbes diverses, tapissé de végétaux souples, de plumes et de poils d'animaux, colmatés avec des toiles d'araignée. Le nid est habituellement installé assez près du sol, sur les branches basses d'un petit arbre ou d'un buisson. Après la période de reproduction, cette espèce s'agrège en petites bandes pour chercher à plusieurs de quoi s'alimenter, avant de migrer vers le sud durant l'hiver. Le passerin indigo se nourrit de graines, de bourgeons, de baies, d'insectes et d'araignées. Bien qu'il soit parfois classé parmi les Emberizidae, cet oiseau trouve le plus souvent sa place chez les Cardinalidae.

Guiraca bleu

NOM SCIENTIFIQUE	*Guiraca caerulea.*
FAMILLE	Cardinalidae.
LONGUEUR	17 cm.
HABITAT	Lisières de lieux boisés, haies et fourrés.
RÉPARTITION	Sud de l'Amérique du Nord, jusqu'aux Caraïbes.
DESCRIPTION	Mâle bleu vif ; parties noisette et marron sombre aux ailes ; face noire ; bec fort et conique. Femelle brun sombre dessus ; deux rayures chamois aux ailes ; dessous plus pâle.

Le guiraca bleu niche en été dans les régions tempérées d'Amérique du Nord, puis descend passer le reste de l'année au Mexique, en Amérique du Sud et centrale et aux Caraïbes, où il existe aussi des populations sédentaires. Pendant la période de reproduction, le mâle, perché en évidence en haut d'un arbre ou d'un poteau, chante d'une façon particulière, produisant des notes longues et mélodieuses pour attirer une partenaire et pour marquer son territoire vis-à-vis des autres mâles. On suppose que la femelle construit seule le nid, utilisant divers végétaux pour édifier un nid en coupe, placé dans un buisson ou à faible hauteur dans un petit arbre. L'incubation de trois ou quatre œufs et le nourrissage des jeunes lui incombent presque exclusivement ; mais, après qu'ils ont quitté le nid, le mâle continue à prendre soin d'eux, tandis que la femelle confectionne un autre nid en vue d'une nouvelle couvée. Les nids de cette espèce sont souvent parasités par le vacher à tête brune ; cependant, on a pu voir le guiraca bleu construire un nouvel étage par-dessus un nid parasité et élever les petits du vacher à tête brune avec les siens. Après la période de reproduction, les guiracas bleus se rassemblent en bandes qui se nourrissent ensemble avant de migrer. Cette espèce se nourrit d'insectes variés, surtout des cafards et des sauterelles, mais consomme aussi des graines. Le guiraca bleu faisait autrefois partie des Emberizidae, mais on le classe aujourd'hui parmi les Cardinalidae.

TANGARAS

Les tangaras forment un vaste groupe de petits oiseaux vivement colorés appartenant à la famille des Thraupidae, qui inclut les tangaras proprement dits et des espèces proches telles que, entre autres, les sucriers, les auphones, les organistes, les callistes, les guit-guits et les percefleurs. Ils vivent surtout dans des régions tropicales et subtropicales d'Amérique du Sud et centrale, et seules quatre espèces nichent en Amérique du Nord. Ce sont les oiseaux les plus riches en couleurs nichant au nord du Mexique. Le **tangara écarlate** *(Piranga olivacea)* passe l'hiver en Amérique centrale et du Sud, mais se reproduit dans la majeure partie de l'est des États-Unis, jusqu'au sud du Canada. Cette espèce atteint 18 cm de long, et la livrée nuptiale du mâle est particulièrement remarquable, avec son dos rouge vif, ses ailes et sa queue noires. En hiver, la femelle et le mâle sont vert olive dessus et jaunes dessous, avec une queue et des ailes sombres. Ils préfèrent les bois et les forêts matures à feuilles caduques ou mixtes, mais on les trouve aussi dans les parcs et les jardins. Les tangaras se rencontrent dans des habitats boisés et les maquis découverts, en particulier les forêts marécageuses ainsi qu'à la lisière des bois, mais ils évitent d'ordinaire les forêts humides denses et sombres de l'intérieur de l'Amérique du Sud. Ils

sont pourtant aussi présents dans des clairières ou dans le feuillage de lieux plus clairs et plus ouverts. Ces oiseaux sont souvent aperçus au voisinage des habitations ou des plantations. Leur plumage aux couleurs vives et leur habitude consistant à chercher de la nourriture dans les terrains découverts, en petits groupes, les rendent bien visibles, et de nombreuses espèces sont communes et abondantes. Ils portent généralement des taches jaunes, rouges, vertes et bleues, et ont l'apparence d'oiseaux trapus à la queue courte et au bec fort. Les sucriers et les percefleurs ont un long bec incurvé vers le bas.

Le **guit-guit céruléen** *(Cyanerpes caeruleus)* est répandu dans des habitats divers, tels que des bois, la lisière des forêts et les jardins du nord de l'Amérique du Sud. Le mâle est d'un violet tirant sur le pourpre, avec la tête bleu vif, les ailes et une bande sur l'œil noires. La femelle a le dessus vert olive, le dessous pâle et rayé ainsi que des marques brunes autour des yeux. Les deux sexes ont un long bec courbe qui peut atteindre 10 cm de long. En général, la taille totale des tangaras oscille entre 10 et 28 cm. La plupart s'associent en bandes mixtes de différentes espèces de tangaras et d'autres oiseaux, qui cherchent çà et là de la nourriture. Ils mangent surtout de petits

Calliste de Schrank

fruits et des baies, à tous les étages de la voûte de la forêt. Beaucoup consomment aussi des insectes, attrapés dans le feuillage, gobés en vol ou trouvés au sol, tandis que certaines espèces ne se nourrissent qu'au sol. Les percefleurs et les sucriers consomment surtout le nectar des fleurs et contribuent ainsi à la pollinisation de nombreuses plantes. En consommant des fruits, les tangaras ingèrent des graines et en dispersent en les laissant tomber, aidant ainsi à la diffusion de plantes et d'arbres. Les auphones, par exemple, jouent un rôle fontamental dans la pousse du gui, car ils consomment les baies et déposent les graines sur les branches, où elles germent et poussent.

L'**organiste doré** *(Euphonia cyanocephala)* se rencontre dans les forêts et dans les zones boisées ouvertes de la majeure partie de l'Amérique du Sud, en particulier les Andes, ainsi que certaines zones du Brésil, du Paraguay et de l'Argentine. Le mâle a le dessus noir, une huppe bleue et le dessous or. La femelle est plus pâle, avec le dessus du plumage vert olive. Cette espèce peut atteindre 10 cm de long. En période d'accouplement, l'organiste doré construit un nid en mousse en forme de dôme. La plupart des tangaras sont monogames, et les couples demeurent unis tout au long de l'année; ils s'accouplent sou-

vent rapidement, par temps de forte pluie, ce qui leur garantit de la nourriture en abondance. Les mâles exécutent une parade nuptiale avant l'accouplement, en exhibant leur plumage et souvent en offrant de la nourriture. La forme et l'emplacement du nid peuvent varier, allant de la coupe placée dans un arbre ou dans un buisson au dôme engagé dans le creux d'une falaise ou d'une berge. Le couple édifie parfois le nid ensemble, mais cette tâche incombe le plus souvent à la seule femelle. Une couvée comporte deux œufs, incubés jusqu'à dix-huit jours par la femelle. Après l'éclosion, les jeunes sont pris en charge par les deux parents pendant la même durée.

L'**organiste à nuque bleue** *(Chlorophonia cyanea)* est un oiseau de falaises, souvent présent en Amérique du Sud, dans des régions du Venezuela et du nord de l'Argentine. Le mâle a le dos bleu, la tête verte avec un cercle bleu autour des yeux, des ailes vertes et le dessous jaune. La femelle est plus terne, avec le plumage du dessus vert olive et la nuque bleue. On voit d'ordinaire ces oiseaux en couple ou en petits groupes sous le couvert des bois et des forêts. Comme celle des auphones, leur alimentation consiste largement en baies de gui, bien qu'ils se nourrissent aussi d'autres petits fruits et d'insectes.

Tangara à tête rouge

PARULINE À CROUPION JAUNE ▼

NOM SCIENTIFIQUE	*Dendroica coronata.*
FAMILLE	Parulidae.
LONGUEUR	15 cm.
HABITAT	Conifères et forêts mixtes.
RÉPARTITION	Amérique du Nord et centrale.
DESCRIPTION	Livrée nuptiale du mâle bleu-gris foncé dessus; rayé de brun; poitrine et flancs sombres. Croupion, calotte et parties de la poitrine jaunes. Dans l'Ouest, le mâle a la gorge jaune avec taches blanches aux ailes. Dans l'Est, gorge et stries blanches sur les ailes. Les femelles et les mâles hors reproduction sont rayés de gris-brun.

Il existe deux fauvettes américaines (ou «figuiers»), celle des myrtes et celle d'Audubon, autrefois considérées comme deux oiseaux proches mais distincts, aujourd'hui désignées par une même appellation : la paruline à croupion jaune. C'est une espèce commune, très répandue en Amérique du Nord et, au sud, au Mexique, jusqu'au Guatemala. Les aires de répartition des deux formes sont bien distinctes ou se chevauchent peu, bien que ces oiseaux se mélangent pour s'accoupler. Outre les différences de plumage, évidentes dans les livrées nuptiales, on en perçoit d'autres, très marquées, dans les chants et les notes d'appel, entre les variétés de l'ouest et de l'est, la fauvette d'Audubon produisant des sons plus doux. La paruline à croupion jaune se nourrit d'insectes, d'araignées, de graines et de baies, et c'est le seul figuier pouvant digérer la cire présente dans les baies du myrte, laquelle lui permet de passer l'hiver plus au nord que les autres espèces. Pendant la période de reproduction, elle édifie un nid en coupe avec des brindilles et des branchettes, placé souvent dans un conifère, où sont pondus quatre ou cinq œufs.

PARULINE JAUNE ▲

NOM SCIENTIFIQUE	*Dendroica petechia.*
FAMILLE	Parulidae.
LONGUEUR	13 cm.
HABITAT	Lieux boisés, souvent près de l'eau.
RÉPARTITION	Du sud du Canada aux zones nord de l'Amérique du Sud.
DESCRIPTION	Dessus jaune; ailes et queue plus sombres; œil noir. Le mâle a de légères raies brun pâle sur la poitrine et les flancs; la femelle est plus terne, avec des raies moins prononcées.

Les parulines sont des «figuiers» (selon l'appellation de Buffon), ou «fauvettes américaines», pour éviter la confusion avec les sylvettes *(Sylviidae)* de l'Ancien Monde. La paruline jaune est une espèce commune et très répandue dans les zones boisées humides, près des cours d'eau. En Amérique centrale et du Sud, les marais et mangroves sont leur habitat de prédilection. Cette espèce chasse, à mi-hauteur du feuillage des arbres, les insectes et les araignées, pris en vol ou dénichés dans la végétation. En période de reproduction, la paruline jaune construit un nid en coupe avec de l'herbe et autres végétaux, placé à la fourche d'un buisson ou d'un petit arbre, près de l'eau. En Amérique du Nord, les nids de la paruline jaune sont souvent parasités par le vacher à tête brune; mais la paruline jaune reconnaît les œufs étrangers et construit alors un étage supplémentaire au-dessus du premier, sur lequel elle édifie un autre nid pour une nouvelle couvée. Si le vacher à tête brune revient déposer d'autres œufs, le processus se répète. La paruline jaune pond en général de quatre à sept œufs. La femelle les incube seule pendant douze jours; après l'éclosion, les deux parents s'occupent des jeunes.

PARULINE NOIR ET BLANC

NOM SCIENTIFIQUE	*Mniotilta varia*.
FAMILLE	Parulidae.
LONGUEUR	13 cm.
HABITAT	Lieux boisés mixtes.
RÉPARTITION	Majeure partie de l'Amérique du Nord et centrale, hiverne jusqu'au Pérou.
DESCRIPTION	Plumage du dessus rayé noir et blanc. Mâle : menton blanc en hiver ; gorge et joues blanches en livrée nuptiale. Femelle : flancs ternes rayés de blanc ; gorge et joues blanchâtres.

La paruline noir et blanc est une fauvette américaine (ou « figuier ») très répandue, qui a le comportement de la sittelle ou du grimpereau, car elle grimpe sur les troncs et les grosses branches à la recherche d'insectes. Elle est facilement repérable à son plumage rayé. Curieusement, elle est dotée d'un doigt postérieur à chaque pied, une adaptation qui lui permet d'agripper fortement l'écorce des arbres, tandis qu'elle en fouille les creux pour y débusquer cafards, fourmis et chenilles. Pendant la période de reproduction, cette espèce place son nid dans un repli abrité du sol, par exemple sous une bûche ou parmi des racines, utilisant des végétaux pour construire une coupe fournie. La couvée comporte de quatre à six œufs, incubés par la femelle pendant deux semaines environ. La paruline noir et blanc peut se montrer relativement agressive, et elle attaque parfois d'autres oiseaux, y compris les grimpereaux, les mésanges et autres espèces de figuiers.

PARULINE FLAMBOYANTE

NOM SCIENTIFIQUE	*Setophaga ruticilla.*
FAMILLE	Parulidae.
LONGUEUR	13 cm.
HABITAT	Lieux boisés ouverts, à feuilles caduques.
RÉPARTITION	Surtout dans la zone est de l'Amérique du Nord, hiverne en Amérique centrale et au nord de l'Amérique du Sud.
DESCRIPTION	Mâle : dessus noir à taches orange, ainsi que sur la base de la queue et les côtés de la poitrine ; ventre blanc. Femelle : dos gris-vert ; tête gris pâle ; dessous blanc ; taches jaunes aux ailes, sur la queue et les côtés de la poitrine.

La paruline flamboyante est une fauvette du Nouveau Monde (ou « figuier »), également appelée « rouge-queue américain ». On la remarque à sa façon caractéristique d'agiter les ailes pour que des insectes s'envolent du feuillage. Elle les capture souvent en vol, mais également parmi les feuilles ou dans l'écorce ; à l'occasion, elle consomme aussi des baies. Pendant la période de reproduction, la femelle édifie soigneusement un nid en coupe avec des végétaux, des poils d'animaux et des toiles d'araignée, qu'elle place dans un arbre ou dans un buisson ; elle y incube seule de trois à cinq œufs. Le mâle s'accouple parfois avec une seconde femelle pendant que la première est occupée à couver. Si cette tâche incombe aux femelles, les mâles contribuent à nourrir les jeunes dès l'éclosion. Comme la plupart des oiseaux polygames, le mâle établit et défend deux territoires distincts, assez éloignés l'un de l'autre.

Paruline masquée

NOM SCIENTIFIQUE	*Geothlypis trichas*.
FAMILLE	Parulidae.
LONGUEUR	13 cm.
HABITAT	Forêts, buissons, prairies herbeuses et marais.
RÉPARTITION	Du sud du Canada au Mexique. Hiverne en Colombie et au Venezuela.
DESCRIPTION	Le mâle a le dessus vert olive ; masque facial noir bordé de blanc ; dessous jaune ; ventre roux. La femelle n'a pas de masque ; dessus brun olive ; dessous chamois ; gorge jaune.

La paruline masquée est une fauvette américaine (ou « figuier ») qui a une prédilection pour les fourrés et le bord des cours d'eau. On l'entend plus qu'on ne la voit, car elle émet un chant joyeux. C'est l'une des plus abondantes espèces de figuiers : on en dénombre plus de douze sous-espèces dans son aire de répartition. Généralement, le plumage moins vif des oiseaux de l'Ouest se fait plus brillant chez les individus de l'Est. Bien qu'elle fréquente des habitats humides, on rencontre aussi la paruline masquée dans des lieux plus secs, avec des sous-bois denses, où elle peut rechercher des araignées et des insectes, qu'elle capture dans le feuillage ou au sol. Pendant la période de reproduction, le mâle exécute sa parade nuptiale en s'élevant très haut et en chantant, puis en se laissant tomber au sol comme une pierre. La femelle construit un nid en coupe, au sol ou à proximité, dans la végétation ou encore sur des rochers au bord de l'eau. La couvée se compose d'environ quatre œufs, incubés par la femelle pendant douze jours. Les deux parents prennent soin des oisillons pendant deux semaines, bien que ceux-ci puissent s'envoler au bout de huit jours. Le nid de la paruline masquée est souvent parasité par le vacher à tête brune, mais si l'intrus est découvert, un second nid peut être construit par-dessus le précédent, et une seconde couvée y est alors déposée.

Paruline polyglotte ▼

NOM SCIENTIFIQUE	*Icteria virens*.
FAMILLE	Parulidae.
LONGUEUR	20 cm.
HABITAT	Buissons dans des lieux boisés ouverts et broussailles.
RÉPARTITION	Sud du Canada et États-Unis. Migre l'hiver au Panamá.
DESCRIPTION	Dessus vert olive ; gorge et poitrine jaune vif ; ventre blanc ; tête grise ; cercle blanc autour des yeux.

Curieusement, la paruline polyglotte est de grande taille pour un figuier des bois, et elle compte en effet parmi les plus grandes espèces de figuiers d'Amérique du Nord. Cependant, elle est craintive et se laisse difficilement observer, car elle se dissimule dans les buissons épais, dans lesquels elle recherche des insectes et des fruits. Elle imite habilement le chant d'autres oiseaux et se fait souvent entendre la nuit. Les parulines polyglottes nichent parfois en colonies informelles, même si les mâles ont tendance à être assez sédentaires. Pendant la cour prénuptiale, le mâle effectue des vols et va se percher assez haut en chantant, avant d'exécuter une descente en voletant. La femelle construit un grand nid en coupe avec de l'écorce, des branchettes et de l'herbe, qu'elle place au cœur d'un grand buisson. La couvée se compose de quatre ou cinq œufs, que la femelle incube seule pendant douze jours environ. Après l'éclosion, les deux parents prennent soin de leurs petits, qui quittent le nid une dizaine de jours plus tard. Comme chez beaucoup de figuiers des bois, les nids de cette espèce sont souvent parasités par le vacher à tête brune.

VIRÉO MÉLODIEUX ▲

NOM SCIENTIFIQUE	*Vireo gilvus.*
FAMILLE	Vireonidae.
LONGUEUR	15 cm.
HABITAT	Forêts et lieux boisés de feuillus.
RÉPARTITION	Du sud du Canada au Mexique. Passe l'hiver au sud du Nicaragua.
DESCRIPTION	Dessus gris; dessous chamois; sourcils blancs; flancs jaune pâle.

Le viréo mélodieux est un oiseau assez terne et craintif, ce qui le rend difficile à observer, d'autant qu'il se perche bien souvent sur les plus hautes branches des arbres, où il se nourrit de chenilles et d'araignées qu'il trouve dans l'écorce et le feuillage. Il complète son alimentation avec des baies. Au cours de la parade nuptiale, le mâle volette autour de la femelle tout en chantant, ailes et plumes de la queue déployées. Si ses hommages sont acceptés, la femelle bat des ailes en réponse. Après l'accouplement, elle pond trois ou quatre œufs dans un nid en forme de corbeille suspendu à la fourche d'une branche, le plus souvent en haut d'un arbre. Ce nid est en grande partie construit par la femelle, éventuellement avec l'aide du mâle, et les œufs y sont incubés par les deux parents pendant douze jours environ. Les jeunes prennent leur envol quelque seize jours après l'éclosion. Comme chez beaucoup de petits oiseaux des bois, le nid du viréo mélodieux est souvent parasité par le vacher à tête brune.

VIRÉO À TÊTE JAUNE

NOM SCIENTIFIQUE	*Vireo flavifrons.*
FAMILLE	Vireonidae.
LONGUEUR	15 cm.
HABITAT	Buissons et lisières de forêts.
RÉPARTITION	Sud-est du Canada et est des États-Unis. Migre au nord de l'Amérique du Sud en hiver.
DESCRIPTION	Dessus olive; poitrine et gorge jaunes; ventre blanc. Cercles jaune vif autour des yeux et rayures blanches sur les ailes.

Malgré son abondance et son plumage aux couleurs vives, le viréo à tête jaune est difficile à apercevoir, car il demeure le plus souvent dans l'épaisseur du feuillage, où il recherche des insectes. Cependant, c'est une espèce relativement peu timide, et il lui arrive de tolérer la présence d'observateurs. Le viréo à tête jaune est d'ordinaire un oiseau solitaire, et il ne forme de couple que le temps de se reproduire et d'élever sa progéniture; le reste de l'année, il s'unit à des groupes informels pour chercher sa nourriture en compagnie d'espèces mixtes. Pendant la période de reproduction, la femelle construit un nid en coupe, tissé serré avec de l'herbe, des racines, des feuilles et des poils d'animaux, le tout colmaté avec des toiles d'araignée. Trait caractéristique du viréo, le nid est suspendu, telle une corbeille, à une branche. La couvée comporte de trois à cinq œufs, incubés pendant douze jours environ. Après la période de reproduction, cette espèce entreprend sa migration vers le climat chaud du sud, en Amérique du Sud et aux Caraïbes.

VIRÉO AUX YEUX ROUGES

NOM SCIENTIFIQUE	*Vireo olivaceus.*
FAMILLE	Vireonidae.
LONGUEUR	15 cm.
HABITAT	Forêts et lieux boisés.
RÉPARTITION	Majeure partie du Canada et des États-Unis. Migre au sud l'hiver, jusqu'à l'Uruguay.
DESCRIPTION	Dos gris pâle; calotte grise; sourcils et dessous blancs; yeux rouges.

Le viréo aux yeux rouges est un oiseau très abondant, en particulier dans l'ouest de son aire de répartition. Il passe le plus clair de son temps en hauteur, dans le feuillage, si bien qu'il est plus aisé de l'entendre que de le voir, car il produit un petit chant haché du matin au soir. Bien qu'il puisse passer tout l'hiver à ne se nourrir que de fruits tels que des baies, il consomme beaucoup d'insectes une grande partie de l'année. Lorsqu'il chasse, il se perche et guette ses proies, caché dans le feuillage, volant ou sautant de branche en branche dans les arbres et les buissons, traquant les chenilles sous les feuilles. Pendant la période de reproduction, le viréo aux yeux rouges niche dans un nid en coupe tressé, composé de végétaux et de toiles d'araignée, suspendu à une branche. La couvée se compose généralement de un à cinq œufs. Comme pour beaucoup de viréos et de figuiers, le nid est souvent parasité par le vacher à tête brune, qui y dépose un œuf que le viréo incube, souvent au détriment de sa propre couvée.

CAROUGE À ÉPAULETTES

NOM SCIENTIFIQUE	*Agelaius phoeniceus.*
FAMILLE	Icteridae.
LONGUEUR	23 cm.
HABITAT	Prairies marécageuses, étangs et berges de cours d'eau.
RÉPARTITION	Toute l'Amérique du Nord, jusqu'aux Caraïbes.
DESCRIPTION	Le mâle est entièrement d'un noir luisant ; taches rouge vif aux épaules ; dessous bordé de jaune. La femelle est marron ; dessous fortement rayé de chamois ; bandes marron sur les yeux.

Le carouge à épaulettes est commun et très répandu, mais préfère les habitats humides de son aire de répartition. C'est un oiseau très sociable qui peut former d'immenses groupes, en particulier hors de la période de reproduction, où on le voit se percher par millions, le plus souvent d'espèces semblables, avant de se disperser à l'aube pour aller chercher de la nourriture. Il consomme des graines et peut causer de ce fait des dommages considérables à l'agriculture ; cela étant, il apprécie aussi certains insectes nuisibles aux cultures. Pendant la période de reproduction, le mâle devient très sédentaire et polygame ; il n'est pas rare qu'il ait dix femelles sur son territoire, et il défend vigoureusement son nid contre les autres oiseaux, de gros animaux et même contre les hommes. Cependant, beaucoup de ces femelles s'accouplent avec d'autres mâles. Le nid ressemble à une coupe robuste, placée d'ordinaire au bas d'un buisson, près du sol, parmi les roseaux et les herbes hautes, ou encore dans la végétation au-dessus de l'eau. La femelle incube trois ou quatre œufs pendant environ douze jours, et les jeunes deviennent indépendants deux semaines plus tard.

◀ GOGLU DES PRÉS

NOM SCIENTIFIQUE	*Dolichonyx oryzivorus.*
FAMILLE	Icteridae.
LONGUEUR	18 cm.
HABITAT	Prairies humides découvertes et champs cultivés.
RÉPARTITION	Sud du Canada et parties du nord de l'Amérique du Nord. Migre l'hiver en Amérique du Sud, jusqu'à l'Argentine.
DESCRIPTION	La livrée nuptiale du mâle est surtout noire; nuque chamois; épaules et croupion blancs. L'hiver, mâle et femelle sont chamois avec bandes sombres; calotte rayée chamois et noir.

Le goglu des prés (également nommé «bobolink», selon l'appellation américaine) est un oiseau très commun dans les prairies humides et les champs en été, lorsqu'il se trouve dans le nord des États-Unis et le sud du Canada. Mais c'est surtout un migrateur au long cours, qui s'envole à l'automne pour aller passer l'hiver en Amérique du Sud, avant de revenir au printemps. Il parcourt alors quelque 20 000 km aller-retour. Pendant la période de reproduction et en hiver, le goglu des prés subit une mue complète; c'est même l'un des rares oiseaux chanteurs à muer deux fois par an. Il recherche des graines et des insectes, et les agriculteurs le considèrent comme un fléau, en particulier sur ses territoires d'hiver, où il peut se nourrir exclusivement de blé et de riz. Il fait donc l'objet d'une chasse active, et son nombre a beaucoup décliné ces dernières années. À cela s'ajoute la destruction d'une bonne partie des nids dans son habitat, où le foin est fréquemment coupé. Pendant la période de reproduction, il construit un nid grossier en coupe, à même le sol, à l'aide de végétaux, placé dans une grosse touffe d'herbe ou dans la végétation touffue. La couvée compte de quatre à six œufs, incubés un peu moins de deux semaines.

CASSIQUE DU PARA

NOM SCIENTIFIQUE	*Psarocolius bifasciatus.*
FAMILLE	Icteridae.
LONGUEUR	Mâle : de 40 à 50 cm, plus grand que la femelle.
HABITAT	Forêts pluvieuses.
RÉPARTITION	Nord de l'Amérique du Sud, de la Colombie à la Bolivie et l'ouest du Brésil.
DESCRIPTION	Grand oiseau trapu; long bec fort à pointe rouge. Ailes et dos bruns; tête, cou et dessous vert olive. Longue queue jaune dessous; parties de peau nue rose vif sur les joues.

Cet oiseau est un membre remarquable et inhabituel du groupe des troupiales du Nouveau Monde, dont il est l'un des plus grands représentants. Son bec est également plus grand que celui de ses proches parents, et il l'utilise pour embrocher des fruits, qu'il avale tout ronds. Il arrive aussi au cassique du Para d'inclure des insectes dans son alimentation. On l'aperçoit le plus souvent tout en haut de la voûte de la forêt, où il vit en colonies réduites mais bruyantes, et il tend aussi à nicher en groupes. Pendant la période de reproduction, le mâle effectue des vols de parade, en émettant un babillage sonore et en faisant la roue devant les femelles. Le nid (ou les nids, car il peut y en avoir plusieurs dans un même arbre) a la forme d'une corbeille allongée; il est constitué d'herbes et autres végétaux tissés et suspendu à l'extrémité d'une branche.

STOURNELLE DE L'OUEST

NOM SCIENTIFIQUE	*Sturnella neglecta.*
FAMILLE	Icteridae.
LONGUEUR	25 cm.
HABITAT	Prairies, champs cultivés et bords de routes.
RÉPARTITION	Du sud du Canada jusqu'au sud de presque tous les États-Unis (sauf de vastes zones de l'est du pays). Hiverne au Mexique.
DESCRIPTION	Gris-brun ; fortement rayé dessus ; bande foncée sur les yeux. Dessous jaune bordé de blanc ; V noir sur la poitrine.

Oiseau familier et commun dans toute son aire de répartition, la stournelle de l'Ouest (dite aussi « sturnelle ») abonde dans les habitats à hautes herbes, où on peut l'apercevoir recherchant au sol des invertébrés et des graines, ou perchée sur un poteau en train de chanter d'une voix mélodieuse. Cette espèce est presque identique à la stournelle des prés *(Sturnella magna),* laquelle émet des notes plus sifflées. Cependant, la stournelle de l'Ouest sait imiter le chant des autres oiseaux qu'elle côtoie, et les deux espèces peuvent se croiser pour former des hybrides. Pendant la période de reproduction, la stournelle de l'Ouest construit un nid en coupe, le plus souvent une structure en forme de dôme qu'elle place à même le sol, parmi la végétation. La femelle seule y incube de trois à sept œufs pendant environ deux semaines, tandis que le mâle défend le territoire. Après l'éclosion, les mâles peuvent contribuer à nourrir les jeunes, mais cette tâche incombe davantage à la femelle. Il est également commun que le mâle ait deux partenaires en même temps.

QUISCALE BRONZÉ

NOM SCIENTIFIQUE	*Quiscalus quiscula.*
FAMILLE	Icteridae.
LONGUEUR	33 cm.
HABITAT	Lieux boisés, prairies, terres cultivées, marais, parcs et jardins.
RÉPARTITION	Du Canada à tous les États-Unis, surtout les montagnes Rocheuses, mais les territoires s'étalent vers l'ouest.
DESCRIPTION	Le mâle est d'un noir uniforme ; capuchon vert métallique sur la tête, s'étendant à la nuque, aux épaules et à la poitrine ; touche de rouge sur la queue. La femelle est plus petite et plus terne. Tous deux ont une longue queue en gouttière et les yeux jaunes.

Familier des allées de jardins, des prés et des habitats ouverts, le quiscale bronzé se fait remarquer par son plumage irisé et sa longue queue, dont les plumes forment une gouttière. Cet oiseau est très grégaire et se rencontre en grandes bandes bruyantes, souvent avec d'autres espèces de merles. Il se nourrit un peu de tout ce qu'il trouve au sol : épis, grains (de blé, d'orge), invertébrés, œufs d'oiseaux et même petits vertébrés tels que souris, amphibiens, poissons et oiseaux. Autrefois absente de l'ouest de l'Amérique du Nord, cette espèce est en train d'élargir son aire de répartition aux étendues défrichées et destinées aux cultures, se nourrissant des grains semés en hiver.

Pendant la période de reproduction, le quiscale bronzé construit un nid relativement volumineux en forme de coupe, constitué de branchettes et d'herbes, placé habituellement au sommet d'un conifère. La femelle y pond de quatre à sept œufs, qu'elle incube ensuite pendant deux semaines environ. Les jeunes quittent le nid trois semaines après l'éclosion.

QUISCALE DE BREWER

NOM SCIENTIFIQUE	*Euphagus cyanocephalus.*
FAMILLE	Icteridae.
LONGUEUR	23 cm.
HABITAT	Prairies, champs cultivés et zones urbaines.
RÉPARTITION	Du sud du Canada, États-Unis jusqu'au Mexique.
DESCRIPTION	Le mâle en livrée nuptiale est noir; zones gris-violet à reflets métalliques; tête pourpre irisé; yeux jaunes. Hors période de reproduction, il est moins brillant. La femelle a un plumage gris-brun; yeux marron.

Le quiscale de Brewer est un merle commun qui fréquente les jardins, en plus grand nombre à l'est de son aire de répartition, où il s'assemble en grandes bandes avec des espèces semblables. Cependant, quand son territoire chevauche celui du quiscale bronzé, qui se tient plutôt dans les habitats urbains et suburbains, le quiscale de Brewer préfère les terrains plus largement découverts. Comme ses proches parents, cet oiseau se nourrit au sol d'une large variété de graines et d'invertébrés. Pendant la période de reproduction, il demeure grégaire et niche en colonies, en petit nombre ou par centaines de couples. La femelle construit un gros nid sphérique, qu'elle installe dans un buisson ou dans un arbre et dans lequel elle pond de trois à sept œufs, incubés pendant deux semaines environ. Les jeunes quittent le nid à peu près deux semaines après l'éclosion.

VACHER À TÊTE BRUNE ▼

NOM SCIENTIFIQUE	*Molothrus ater.*
FAMILLE	Icteridae.
LONGUEUR	20 cm.
HABITAT	Prairies, lisières de forêts, champs, pâturages, vergers et zones résidentielles.
RÉPARTITION	Presque toute l'Amérique du Nord. Migre l'hiver au Mexique.
DESCRIPTION	Oiseau chanteur de taille moyenne; ailes pointues. Le mâle a la tête et le cou marron brillant; corps vert métallique. Le plumage de la femelle est gris-brun léger.

Le vacher à tête brune tient son nom de sa fréquente association avec le gros bétail ou les animaux sauvages de pâturage, auprès desquels il consomme au sol des insectes et autres invertébrés que ceux-ci dérangent en paissant. Comme le coucou gris d'Eurasie, cette espèce est un parasite de couvées, et c'est le seul oiseau commun d'Amérique du Nord à se comporter de la sorte. Pendant la période de reproduction, il ne construit pas son propre nid, mais dépose ses œufs dans celui d'autres oiseaux, surtout celui des figuiers, viréos et autres petits oiseaux des lieux boisés clairsemés, qui incubent ses œufs avec les leurs. La femelle du vacher à tête brune ne pond qu'un œuf par nid parasité, mais s'accouple avec plusieurs mâles et pond plusieurs œufs par saison. Contrairement au coucou gris, le vacher n'éjecte pas les autres œufs du nid, mais le sien a une période d'incubation courte et éclôt le premier. Les oisillons parasités pâtissent de la voracité de leur hôte et jeûnent souvent. Le vacher à tête brune cause donc un sérieux préjudice à d'autres populations, en particulier lorsqu'elles sont en faible nombre.

PINSON DES ARBRES

NOM SCIENTIFIQUE	*Fringilla coelebs.*
FAMILLE	Fringillidae.
LONGUEUR	15 cm.
HABITAT	Lieux boisés, forêts ouvertes et jardins.
RÉPARTITION	Europe et Afrique du Nord, est de la Sibérie. Peut hiverner en Inde.
DESCRIPTION	Le mâle a le dessus brun ; croupion olive ; épaules blanches ; ailes striées de blanc ; poitrine rosâtre ; calotte et dessus des yeux bleuâtres. La femelle est brun olive terne ; plus sombre dessus ; rayures blanches sur les ailes.

Le pinson des arbres est l'oiseau le plus commun de sa famille dans la majeure partie de son aire de répartition, en particulier dans les îles Britanniques où il est, en fait, la plus commune des espèces d'oiseaux. Il vit dans une grande variété d'habitats, y compris les jardins, qu'il visite souvent l'hiver en petits groupes. Il se nourrit au sol surtout de graines, mais aussi de chenilles, d'insectes et autres petits invertébrés, comme des araignées. Pendant la période de reproduction, les mâles marquent leur territoire et le défendent avec agressivité contre les autres oiseaux. Les femelles incubent de deux à huit œufs pendant environ deux semaines. Le nid en coupe, tapissé de plumes, est fait de toiles d'araignée, d'herbes et autres végétaux ; il est normalement placé à la fourche d'un arbre ou dans un buisson. Après l'éclosion, les jeunes sont d'abord nourris d'insectes et de leurs larves par leurs deux parents. Ils prennent leur envol de douze à dix-huit jours plus tard.

SERIN CINI

NOM SCIENTIFIQUE	*Serinus serinus.*
FAMILLE	Fringillidae.
LONGUEUR	13 cm.
HABITAT	Buissons et lieux boisés ouverts.
RÉPARTITION	Europe continentale, Afrique du Nord, Méditerranée.
DESCRIPTION	Le mâle est fortement rayé vert et jaune ; taches jaunes sur la face, la poitrine et le bord de la queue ; croupion blanchâtre. La femelle est plus terne mais fortement rayée ; marbrures jaunes sur la face ; dessous blanchâtre.

Le serin cini est relativement répandu et commun dans presque tout l'ouest de l'Europe et sur le pourtour du bassin méditerranéen. Pendant la période de reproduction, cette espèce tend à nicher en petits groupes, souvent dans des zones suburbaines comme les parcs et les jardins où la végétation forme des buissons ou des arbrisseaux. Le serin cini construit un nid en forme de coupe avec des brindilles, de l'herbe et de la mousse, qu'il tapisse avec des poils d'animaux et des plumes. La couvée se compose de trois à cinq œufs, généralement incubés par la seule femelle pendant un peu moins de deux semaines. Après l'éclosion, les deux parents nourrissent leur progéniture, qui prend son envol au bout de deux semaines. Le serin cini se nourrit essentiellement au sol de petites graines d'herbes sauvages ou de chatons de bouleau, mais également de petits invertébrés, de petits insectes et d'araignées.

TARIN DES PINS

NOM SCIENTIFIQUE	*Carduelis pinus.*
FAMILLE	Fringillidae.
LONGUEUR	13 cm.
HABITAT	Forêts de conifères, souvent en régions montagneuses, parcs et prairies.
RÉPARTITION	Amérique du Nord. Les populations septentrionales migrent l'hiver vers les montagnes du Mexique.
DESCRIPTION	Plumage brun fortement rayé ; dessous plus pâle ; deux rayures chamois aux ailes ; taches jaunes à la base des plumes alaires. Mâle plus jaune que la femelle.

Comme beaucoup de Fringillidae, le tarin des pins est une espèce grégaire qui se nourrit souvent en petits groupes. Hors période de reproduction, il peut se rassembler en plus grand nombre, par groupes de centaines d'individus. Il se nourrit de graines au sol, mais aussi de pommes de pin et d'enveloppes de graines dans les arbres, se déplaçant avec une grande agilité. Son régime consiste en graines de bouleau, d'aulne et de cèdre ; il consomme parfois des bourgeons et des insectes et, comme d'autres oiseaux de sa famille, le sel répandu sur les routes pour faire fondre la neige. En période de reproduction, cette espèce niche en petites colonies et demeure souvent dans des régions très froides, le nid étant protégé avec du duvet de chardon, des poils d'animaux ou des plumes. De plus, les femelles couvent presque constamment leurs deux ou trois œufs, les mâles venant les nourrir au nid.

VERDIER D'EUROPE ▼

NOM SCIENTIFIQUE	*Carduelis chloris.*
FAMILLE	Fringillidae.
LONGUEUR	15 cm.
HABITAT	Lieux boisés découverts, terres cultivées, jardins.
RÉPARTITION	Europe et nord de l'Afrique, ouest de l'Asie.
DESCRIPTION	Mâle vert olive; dessous légèrement plus clair; marques jaunes sur la queue et les ailes. Femelle plus terne; dessus gris-brun; dessous plus clair avec taches jaunes légèrement plus foncées.

Hôte commun des parcs et des jardins, particulièrement en hiver, le verdier d'Europe est facile à identifier en vol, lorsqu'il déploie les plus jaunes de ses ailes. Il fréquente souvent les cultures, où il peut se rassembler en groupes importants comptant des centaines, voire des milliers d'individus. Comme d'autres Fringillidae, cette espèce consomme surtout des graines, mais aussi des insectes, notamment pendant la période de reproduction, lorsqu'il faut nourrir les petits. Il niche en grandes colonies, en général dans les haies ou les buissons épais. Le nid est une simple et souvent grossière cuvette constituée de brindilles, de tiges et de mousse, qui reçoit de quatre à six œufs, incubés pendant deux semaines environ. Deux semaines après leur naissance, les jeunes quittent le nid, et il arrive fréquemment que le verdier ait une seconde nichée à ce moment-là.

LINOTTE MÉLODIEUSE ▲

NOM SCIENTIFIQUE	*Carduelis cannabina.*
FAMILLE	Fringillidae.
LONGUEUR	15 cm.
HABITAT	Landes, prairies, fourrés, parcs suburbains et jardins.
RÉPARTITION	Grande partie de l'Europe, nord de l'Afrique, est de l'Asie centrale.
DESCRIPTION	Mâle reproducteur marron dans l'ensemble; dos noisette; queue bordée de blanc; croupion blanchâtre; tête marron clair; tache rouge sur la calotte et la poitrine. En hiver, mâle et femelle sont plus ternes; rayés de brun sur le dessus; dessous plus clair.

Autrefois recherchée comme oiseau de cage pour la délicatesse de son chant, la linotte mélodieuse est aujourd'hui protégée dans la plus grande partie de son aire de répartition en raison du déclin de sa population. Bien que moins nombreuse en hiver, elle peut encore former des groupes importants, en s'associant parfois à d'autres oiseaux. Elle recherche sa nourriture dans des lieux ouverts, consommant surtout des graines, mais aussi des insectes. Ces dernières années, l'emploi de désherbants et de pesticides dans les terres cultivées a réduit sa population dans son habitat, en affectant ses sources de nourriture. En période de reproduction, la femelle construit seule le nid, une cuvette grossière composée de végétaux, garnie de laine et d'herbe, et placée bas sur un arbre ou dans un buisson. Elle couve seule de quatre à six œufs pendant environ deux semaines. Cependant, après leur naissance, les petits sont nourris par les deux parents et quittent le nid environ deux semaines plus tard. Le nom de cet oiseau lui vient du terme « lin », plante dont les graines étaient autrefois considérées comme sa nourriture principale.

CHARDONNERET ÉLÉGANT ▼

NOM SCIENTIFIQUE	*Carduelis carduelis.*
FAMILLE	Fringillidae.
LONGUEUR	12 cm.
HABITAT	Fourrés et prairies ouvertes.
RÉPARTITION	Europe, nord de l'Afrique, est de l'Asie centrale.
DESCRIPTION	Dos marron ; ventre et croupion blancs ; ailes noires avec une large bande jaune ; tête noir et blanc ; face rouge. Femelle plus terne, rayée de brun ; tête nettement moins marquée.

Le chardonneret élégant est un oiseau dont la popularité est due à son plumage coloré et à son chant mélodieux, ce qui en a fait un oiseau de cage très recherché. Mais il reste de nombreux individus à l'état sauvage dans la plus grande partie de son aire de répartition. Cette espèce très sociable s'assemble souvent en groupes importants, surtout lorsque la nourriture est abondante. De son bec plus long et plus fin que celui de beaucoup de Fringillidae, il extrait des graines de plantes sauvages, comme le pissenlit et le chardon, mais il se nourrit aussi au sol et agrémente son régime d'insectes. En période de reproduction, la femelle édifie seule le nid, une cuvette faite de végétaux et de duvet de chardon placée sur une branche horizontale d'un petit arbre ou d'un buisson. Ce nid, parfois décoré de fleurs, reçoit de trois à sept œufs, couvés par la femelle pendant environ deux semaines. Après leur naissance, les petits sont nourris par leurs deux parents, au début d'insectes, puis de graines régurgitées. Les jeunes ont leur plumage à dix-huit jours ; une seconde couvée peut alors être produite.

CHARDONNERET JAUNE

NOM SCIENTIFIQUE	*Carduelis tristis.*
FAMILLE	Fringillidae.
LONGUEUR	13 cm.
HABITAT	Prairies ouvertes, jardins et vergers.
RÉPARTITION	Sud du Canada, grande partie des États-Unis.
DESCRIPTION	Le mâle reproducteur a un plumage jaune vif. Tête noire ; croupion et dessous de queue blancs ; ailes noires à stries blanches ; queue noire à bordure blanche. En hiver, les deux sexes sont vert olive dessus et jaunes dessous.

Le chardonneret jaune est familier et commun dans toute son aire de distribution. Cet oiseau, particulièrement remarquable en été, quand les mâles ont leur plumage nuptial, forme des groupes importants en hiver. Comme son homologue européen, il se nourrit essentiellement de graines de fleurs sauvages, d'herbes et de chardon, utilisant le duvet de ce dernier pour garnir son nid.

Il se reproduit relativement tard et ne commence pas à nicher avant la fin du mois de juin ou le début de juillet, alors même que la plupart des oiseaux chanteurs ont déjà fini de le faire. Son nid a la forme d'une cuvette ; il est composé de matériaux végétaux, placé à la fourche d'une branche d'arbre ou dans un petit buisson, souvent colmaté avec du fil d'araignée. La femelle pond et incube seule de deux à sept œufs. Le chardonneret jaune est en général monogame, mais quand une couvée a pu éclore, la femelle peut en avoir une seconde avec un autre mâle, laissant dans ce cas-là son premier compagnon s'occuper des jeunes.

SIZERIN FLAMMÉ ▲

NOM SCIENTIFIQUE	*Carduelis flammea.*
FAMILLE	Fringillidae.
LONGUEUR	12 cm.
HABITAT	Lieux boisés, forêts, fourrés, broussailles.
RÉPARTITION	Tout l'hémisphère Nord. Se reproduit dans le nord du Canada et aux États-Unis, au Groenland, en Islande et en Eurasie.
DESCRIPTION	Dessus gris-brun ; rayé de brun dessus et dessous ; calotte rouge ; ailes et queue foncées ; rayures blanches sur les ailes. Le mâle a la poitrine rose, la femelle blanche ou rousse ; elle est plus fortement rayée.

Les sous-espèces de sizerins flammés sont nombreuses et diffèrent par la taille et la coloration, mais ont en général une apparence et des habitudes semblables. Ce sont des oiseaux sociables que l'on voit en groupes importants, se nourrissant d'insectes et de graines de bouleau et de conifères dans les forêts septentrionales. Comme les autres Fringillidae, cette espèce est agile et peut se suspendre la tête en bas pour atteindre sa nourriture. Le sizerin flammé dispose d'une poche dans la gorge dans laquelle il emmagasine des graines. Il l'utilise lorsqu'il trouve de la nourriture en terrain découvert, regagnant un endroit plus sûr pour la consommer. En période de reproduction, la femelle construit un nid en cuvette dans un buisson ou un petit arbre, avec des herbes et des brindilles ; elle le garnit de poils et de plumes et y pond quatre ou cinq œufs, incubés pendant douze jours. Les petits ont leur plumage deux semaines après l'éclosion.

GROS-BEC MASQUÉ

NOM SCIENTIFIQUE	*Eophona personata.*
FAMILLE	Fringillidae.
LONGUEUR	23 cm.
HABITAT	Forêts et lieux boisés ouverts.
RÉPARTITION	Sud-est de la Sibérie, nord de la Chine et du Japon. Hiverne en Chine centrale et au sud du Japon.
DESCRIPTION	De chamois à vert olive dans l'ensemble ; ailes et queue foncées avec des taches bleues ; masque facial noir. Très gros bec.

Connu sous le nom de gros-bec masqué, ce gros-bec du Japon est un Fringillidae de grande taille que l'on rencontre dans les zones boisées de Sibérie, de Chine et du Japon. Il tient son nom de son bec fort et particulièrement puissant, qu'il utilise pour briser les pommes de pin, sa nourriture préférée. Son régime alimentaire comporte aussi des graines, des baies et des invertébrés ; en période de reproduction, les insectes constituent une part importante de l'alimentation des adultes et des petits. Sédentaire pendant la période de reproduction, le gros-bec masqué se rencontre l'hiver en groupes importants, lorsque ces oiseaux se rassemblent pour leur migration vers le sud.

DURBEC DES SAPINS ▲

NOM SCIENTIFIQUE	*Pinicola enucleator.*
FAMILLE	Fringillidae.
LONGUEUR	23 cm.
HABITAT	Lieux boisés, lisières de forêts.
RÉPARTITION	Canada, parties du nord des États-Unis, nord-est de l'Europe, Sibérie.
DESCRIPTION	Mâle : tête, poitrine, croupion rouge rosé ; dos rayé ; dessous de la queue blanc. Femelle : tête et croupion jaunes ; dos et dessous gris. Les deux sexes ont les ailes noires avec deux rayures blanches et la queue noire.

Le durbec des sapins est l'un des plus gros Fringillidae. C'est une espèce assez farouche, qui se reproduit dans les forêts du nord de l'Eurasie et d'Amérique du Nord, s'aventurant rarement vers le sud. En hiver, lorsque sa nourriture se fait rare, cet oiseau vient visiter les jardins, à la recherche de mangeoires installées à son intention. Son régime naturel consiste en bourgeons, baies, graines et insectes, et, comme son nom le suggère, il a un bec robuste qu'il utilise pour broyer de plus gros bourgeons ou des graines. Pendant les mois d'hiver, on peut rencontrer le durbec des sapins en groupes semi-nomades, qui se déplacent jusqu'à ce qu'ils aient trouvé les lieux où s'alimenter normalement. Cependant, en période de reproduction, les couples deviennent très sédentaires. Pendant cette saison, on remarque que cet oiseau développe une poche buccale dans laquelle il accumule de grandes quantités d'aliments destinés à ses petits, en général des insectes et des araignées, ajoutées à des végétaux. Le nid du durbec des sapins est habituellement placé en hauteur dans un conifère ; il est fait de brindilles, de mousse et autres végétaux disposés en forme de cuvette. La femelle y pond de trois à cinq œufs qu'elle incube seule pendant treize à quinze jours environ. Le mâle la nourrit tant qu'elle est au nid, puis les deux parents prennent soin de leur progéniture.

GROS-BEC ERRANT ▼

NOM SCIENTIFIQUE	*Hesperiphona vespertina.*
FAMILLE	Fringillidae.
LONGUEUR	20 cm.
HABITAT	Forêts clairsemées, lieux boisés.
RÉPARTITION	Sud du Canada, ouest des États-Unis jusqu'au Mexique. Ouest et centre des États-Unis en hiver.
DESCRIPTION	Le mâle a la tête, le cou et la poitrine marron ; dessous jaune ainsi que le dos, le front et les sourcils ; ailes et queue noires ; taches blanches sur les ailes.

Le gros-bec errant est un grand oiseau vivement coloré que l'on peut souvent apercevoir en groupes assez importants et bruyants, surtout pendant les mois d'hiver, quand il se déplace en nomade pour chercher de la nourriture. Il sort alors des bois pour venir dans les jardins, où il fréquente les mangeoires à graines, en particulier les graines de tournesol dont il est friand. Cette espèce se nourrit surtout en haut des arbres, et son régime consiste en une grande variété de fruits et de graines, ainsi que des insectes en période de reproduction. Son gros bec robuste lui permet de briser les graines à coque très résistante, comme des noyaux de cerise. Au moment de la reproduction, il change de couleur, passant de l'ivoire au vert jaune. Il édifie un nid assez large avec des racines et des brindilles, qu'il tapisse d'herbe et de lichen et qu'il place habituellement en hauteur, à la fourche d'une branche d'arbre, bien à l'abri d'un feuillage touffu. La femelle incube trois ou quatre œufs pendant environ deux semaines, les petits ayant leur plumage deux semaines après leur naissance.

BEC-CROISÉ DES SAPINS ▲

NOM SCIENTIFIQUE	*Loxia curvirostra.*
FAMILLE	Fringillidae.
LONGUEUR	16 cm.
HABITAT	Forêts de conifères.
RÉPARTITION	De l'Alaska au sud du Canada, jusqu'à l'Amérique centrale. Nord de l'Eurasie et parties de l'Afrique du Nord.
DESCRIPTION	Tête et corps rouge brique ; ailes et queue noires pour le mâle. Femelle vert olive ; poitrine et croupion verdâtres.

Le bec-croisé des sapins est appelé ainsi en raison de son bec particulier présentant des mandibules croisées, ce qui lui permet d'extraire les graines des pommes de conifères, qui constituent l'essentiel de son alimentation. Parmi les Fringillidae, les becs-croisés ont en fait le régime le plus spécialisé. Les jeunes sont également nourris de graines de conifères, ce qui permet à ces oiseaux de se reproduire à toute époque de l'année, dès lors que cette nourriture est abondante, bien que, chez certaines espèces, les petits soient nourris d'insectes les premiers jours.

En période de reproduction, ce bec-croisé édifie un nid en coupe, fait de brindilles et de végétaux, qu'il dissimule en hauteur dans un conifère. La femelle y incube seule jusqu'à cinq œufs pendant deux semaines environ. Les deux parents apportent ensuite leurs soins aux petits, qui quittent le nid un peu plus de deux semaines plus tard. Le bec-croisé des sapins tend à être nomade et peut parcourir de grandes distances d'année en année, afin de trouver une bonne réserve de pommes de pin.

BOUVREUIL PIVOINE

NOM SCIENTIFIQUE	*Pyrrhula pyrrhula.*
FAMILLE	Fringillidae.
LONGUEUR	17 cm.
HABITAT	Lieux boisés clairsemés, vergers et fourrés.
RÉPARTITION	Majeure partie de l'Europe, Asie jusqu'au Pacifique.
DESCRIPTION	Le mâle a la poitrine et les joues rouge vif ; calotte, queue et bord des ailes noirs ; dessus gris ; croupion blanc. Femelle semblable, mais poitrine plus terne et roussâtre.

Le bouvreuil pivoine, oiseau très coloré, fut autrefois persécuté en raison des dommages qu'il causait aux arbres en bourgeons, en particulier aux arbres fruitiers, et l'on suppose que la lenteur de la reconstitution de sa population est surtout due à la perte progressive de son habitat. Il demeure peu commun dans des parties de son aire de répartition. D'une grande voracité, il consomme plus de trente graines par minute, mais se nourrit aussi d'insectes, surtout pendant la période de reproduction. Les jeunes sont alors nourris de même et, comme d'autres espèces, ces oiseaux développent des poches buccales servant à emmagasiner la nourriture qu'ils apportent au nid. La couvée se compose de quatre à six œufs, pondus dans une cuvette peu profonde de brindilles et de mousse, construite par la femelle et placée bas dans un arbre ou dans une haie. L'incubation dure environ deux semaines, les deux parents nourrissant les petits à leur naissance. Le bouvreuil vit généralement en couple, mais il peut former de petits groupes nomades en automne et en hiver. À la différence d'autres oiseaux mangeurs de graines, il ne s'associe pas avec des groupes mixtes d'autres espèces.

GROS-BEC CASSE-NOYAUX

NOM SCIENTIFIQUE	*Coccothraustes coccothraustes.*
FAMILLE	Fringillidae.
LONGUEUR	17 cm.
HABITAT	Lieux boisés clairsemés, lisières de forêts, vergers, parcs et jardins.
RÉPARTITION	Europe, nord-ouest de l'Afrique, parties de l'Asie centrale et de l'Est.
DESCRIPTION	Massif ; grosse tête ; bec conique ; tête marron orangé ; dessus chamois ; cou gris et gorge noire. Ailes noires avec taches bleu foncé et noires. Bec foncé en été, jaunâtre en hiver.

Le gros-bec casse-noyaux est un Fringillidae imposant, au bec massif et robuste ; les muscles de ses joues sont développés, ce qui lui permet de briser des graines dures comme des noyaux de cerise et d'olive. L'intérieur de son bec est garni de rainures qui maintiennent les graines, l'oiseau exerçant pour les écraser une pression équivalant à 45 kg, alors que son propre poids ne dépasse pas 55 g. Il consomme en outre des bourgeons, des baies et des insectes. En période de reproduction, il édifie un nid peu profond en cuvette, fait de racines, de brindilles et autres végétaux, placé dans un arbre ou un buisson. La femelle y incube de deux à six œufs pendant deux semaines. Ensuite, les deux parents nourrissent ensemble les petits. Cette espèce est assez craintive et passe la plupart de son temps vers le sommet des arbres, ce qui rend son observation difficile et fait obstacle à une évaluation précise de sa population. On pense cependant que celle-ci a diminué dans une grande partie de son aire de répartition au cours de ces dernières années.

CORDON-BLEU VIOLACÉ

NOM SCIENTIFIQUE	*Uraeginthus ianthinogaster.*
FAMILLE	Estrildidae.
LONGUEUR	15 cm.
HABITAT	Terres arides à broussailles, prairies et forêts ouvertes.
RÉPARTITION	Est de l'Afrique, de l'Éthiopie à la Tanzanie.
DESCRIPTION	Mâle brun-rouge dessus ; queue noire ; croupion bleu ; dessous pourpre ; cercle rouge autour des yeux, surmonté de bleu. Femelle marron dessus ; plus pâle dessous ; poitrine chamois tachetée ; taches blanches autour des yeux. Les deux sexes ont le bec conique rouge.

Le cordon-bleu violacé est un oiseau très coloré qui vit généralement dans des habitats ouverts ou semi-ouverts. Il se montre cependant assez discret, préférant se nourrir au voisinage des couverts. On le rencontre souvent en petits groupes, se nourrissant au sol de graines de plantes herbacées variées, mais il consomme également des bourgeons et des insectes, des termites de préférence, surtout en période de reproduction.

Le nid est en général construit par le mâle : il s'agit d'une structure sphérique constituée de tiges d'herbes et autres végétaux, souvent richement garnie de plumes et autres matériaux légers, installée dans un buisson bas ou un arbuste. La femelle, le plus souvent aidée du mâle, incube de trois à cinq œufs pendant environ deux semaines, et prend soin des oisillons après leur naissance. Dans un premier temps, ces derniers sont nourris d'insectes, puis de graines tendres, et enfin de graines plus dures juste avant qu'ils développent leur plumage définitif, à trois semaines environ.

ASTRILD ONDULÉ

NOM SCIENTIFIQUE	*Estrilda astrild.*
FAMILLE	Estrildidae.
LONGUEUR	13 cm.
HABITAT	Prairies ouvertes, broussailles, souvent près de l'eau.
RÉPARTITION	Afrique subsaharienne, largement introduit ailleurs.
DESCRIPTION	Petit oiseau gris-brun dans l'ensemble, finement strié. Gorge et ventre plus clairs que le dessus. Bandes rouges sur les yeux ; bec conique rouge.

L'astrild ondulé, originaire d'Afrique mais introduit dans nombre de régions hors de son aire de répartition naturelle (Sainte-Hélène, île Maurice, la Réunion, Seychelles, Tahiti, Portugal, Brésil et Hawaii), où il a établi de petites populations. Il est aussi répandu dans le monde entier comme oiseau de volière. À l'état naturel, il peuple les prairies, les broussailles, les terres cultivées et les marais ; on le rencontre souvent près de l'eau, mais aussi dans des habitats secs. Il s'associe en groupes abondants, souvent par milliers d'individus, en particulier dans les lieux de perchage. Cette espèce est en fait considérée comme la plus abondante parmi tous les oiseaux. L'astrild ondulé se nourrit presque exclusivement de graines d'herbes sauvages, mais il complète son régime avec des petits insectes. Il a une prédilection pour les lieux à herbes longues, où on l'aperçoit cherchant leurs graines. En période de reproduction, il construit un petit nid sphérique près du sol, dans les herbes ou dans un fourré. La femelle y pond quatre ou cinq œufs, incubés pendant deux semaines environ ; les petits ont leur plumage à peu près trois semaines après leur naissance.

DIAMANT MANDARIN

NOM SCIENTIFIQUE	Taeniopygia guttata.
FAMILLE	Estrildidae.
LONGUEUR	13 cm.
HABITAT	Prairies, broussailles, semi-déserts, souvent près de l'eau.
RÉPARTITION	Majeure partie de l'Australie, est de l'Indonésie.
DESCRIPTION	Mâle : tête et nuque grises ; dos et ailes brun olive ; queue noire à bande blanche ; gorge striée ; bandes sous les yeux ; taches orange sur les joues ; flancs marron tachés de blanc ; dessous blanc. Femelle plus terne, sans les joues orange.

Le diamant mandarin est l'un des passereaux les plus répandus et les plus communs d'Australie et l'un des oiseaux de volière les plus populaires. On peut le rencontrer un peu partout en Australie dans des habitats très divers, même dans l'intérieur aride ; dans certains lieux, il se tient à proximité des points d'eau. Il est sociable et vit en groupes importants de cent individus ou plus, cherchant au sol des graines d'herbes sauvages. Cette espèce consomme aussi des insectes, surtout en période de reproduction, lorsqu'il faut nourrir les petits. La reproduction s'effectue d'octobre à avril, et les précipitations y jouent un rôle important, car la nourriture est beaucoup plus abondante après les fortes pluies. Le diamant mandarin forme des couples durables pour la vie, et les deux adultes prennent soin ensemble des œufs et des petits. Le mâle rassemble la plus grande part des matériaux du nid, la femelle se chargeant de l'édifier. Le nid a la forme d'un dôme ; il est fait d'herbes et placé dans un buisson, au creux d'un arbre ou à même le sol. La femelle y pond de quatre à sept œufs, incubés pendant deux semaines environ ; les petits le quittent trois autres semaines plus tard.

DIAMANT DE GOULD ▼

NOM SCIENTIFIQUE	Chlobia gouldiae.
FAMILLE	Estrildidae.
LONGUEUR	13 cm.
HABITAT	Broussailles, lisières de forêts, prairies, en général près de l'eau.
RÉPARTITION	Nord de l'Australie.
DESCRIPTION	Vert vif sur le dessus ; croupion bleu ; poitrine violette ; ventre jaune. Face bordée de bleu, pouvant être rouge foncé ou orange. Femelle semblable, mais plus terne.

Le diamant de Gould est un oiseau très coloré, ce qui lui a valu d'être le plus recherché des oiseaux de volière ; paradoxalement, cela a assuré sa survie en captivité. En revanche, sa population à l'état sauvage a fortement diminué, car il a beaucoup été capturé à des fins commerciales. Cette espèce a aussi beaucoup souffert des attaques de prédateurs, dues en grande partie à son plumage voyant. On le rencontre dans les prairies, les broussailles, les lieux boisés ouverts du nord de l'Australie, en général près de l'eau, où il cherche sa nourriture en groupes pouvant atteindre plusieurs centaines d'individus. Son régime alimentaire comporte des graines, picorées sur les tiges des herbes plutôt qu'au sol, ainsi que des insectes et des araignées. La reproduction intervient après la saison des pluies, quand la nourriture est abondante. Le nid est une construction légère d'herbe ; il est placé dans un creux d'arbre, une termitière ou au sol parmi de grandes herbes. La femelle y pond de quatre à huit œufs, et des couples peuvent produire deux ou trois couvées successives. L'incubation est assurée par les deux parents pendant environ deux semaines. Les petits quittent le nid lorsqu'ils ont trois semaines.

PADDA DE JAVA

NOM SCIENTIFIQUE	*Padda oryzivora.*
FAMILLE	Estrildidae.
LONGUEUR	16 cm.
HABITAT	Prairies tropicales, rizières, broussailles et fourrés.
RÉPARTITION	Java, Bali et Sumatra. Introduit dans d'autres régions tropicales du monde.
DESCRIPTION	Dessus gris ; calotte et queue noires ; joues blanches ; dessous blanchâtre ; flancs roses. Bec des mâles plus grand et rouge plus foncé. Contour des yeux rouge foncé, plus clair et plus rose chez les femelles.

Le padda de Java est parfois dit aussi « oiseau du riz de Java », car son nom scientifique a trait à la fois à la nature du riz et à sa méthode de culture. En effet, cette espèce se caractérise par sa consommation de riz, au point de causer de graves dégâts aux cultures lorsqu'il s'abat sur elles en groupes importants. Aussi les fermiers l'éliminent-ils pour protéger leurs récoltes. Cependant, cette chasse ne paraît pas trop affecter sa population, qui continue à se maintenir dans son aire de répartition. Le padda de Java a été également introduit avec succès un peu partout, à Bornéo, en Chine, au Japon, dans certaines régions d'Afrique et aux îles Hawaii. De petites colonies sont établies en Floride, constituées d'individus échappés de captivité ou libérés, car le padda de Java est très apprécié comme oiseau de cage. Outre le riz, il complète son régime alimentaire des graines d'herbes sauvages et d'insectes au cours de la période de reproduction. Durant celle-ci, il construit un nid en dôme avec des herbes tissées, qu'il place sous le couvert des auvents des maisons. La femelle y pond sept ou huit œufs, incubés pendant deux semaines environ.

VEUVE ROYALE ▲

NOM SCIENTIFIQUE	*Vidua regia.*
FAMILLE	Ploceidae.
LONGUEUR	De 13 à 30 cm. Mâle plus grand que la femelle en plumage nuptial.
HABITAT	Prairies subtropicales.
RÉPARTITION	Parties du sud de l'Afrique.
DESCRIPTION	En période de reproduction, le mâle a le dessus et la calotte noirs ; nuque jaune d'or ainsi que la face, la poitrine et le ventre ; bas des flancs, cuisses et dessous de la queue noirs. La queue est noire avec quatre très longues plumes centrales. Femelle et mâle non reproductif ont le dessus chamois avec stries noires ; dessous blanchâtre ou chamois.

La veuve royale se distingue par la livrée nuptiale du mâle, qui présente quatre plumes de queue très longues et fines qu'il exhibe devant les femelles lors des vols de parade nuptiale. Ces plumes disparaissent lorsque le mâle mue, et son plumage ressemble alors beaucoup à celui de la femelle. Cet oiseau vit dans les lieux boisés secs et les broussailles, mais peut devenir nomade après la reproduction. On peut le rencontrer seul, mais il est en général en groupes, piétant sur ses deux pattes, et remuant la couche de poussière à mesure qu'il avance pour découvrir sa nourriture au sol. Au moment de la reproduction, il ne construit pas de nid, car il se conduit en parasite, utilisant celui du cordon bleu grenadin (*Uraeginthus granatina*). La femelle pond quatre ou cinq œufs, qu'elle dépose le plus souvent dans plusieurs nids différents ; il semble qu'elle en laisse parfois deux ou plus dans le même nid lorsque sa ponte est importante. La veuve royale déplace ou détruit parfois les œufs de son hôte, mais elle procède surtout par imitation : ses petits réclament la becquée de la même façon que leurs compagnons forcés, et les adultes reproduisent souvent le chant des cordons bleus.

MOINEAU DOMESTIQUE

NOM SCIENTIFIQUE	*Passer domesticus.*
FAMILLE	Ploceidae.
LONGUEUR	15 cm.
HABITAT	Prairies, broussailles, cultures, zones urbaines et suburbaines.
RÉPARTITION	Toute l'Eurasie, parties de l'Afrique du Nord et du Moyen-Orient, introduit en Australasie et dans le continent américain.
DESCRIPTION	Mâle à calotte grise ; dos strié de noir ; nuque brun noisette ; bandes noires aux yeux et à la gorge ; joues claires ; dessous et croupion gris. Bec brun jaunâtre, noir en été. Femelle plus terne, sans marques sur la tête et le cou.

Bien que très répandu et familier, le moineau domestique a vu sa population diminuer sérieusement ces dernières années, au point d'être considéré comme une espèce menacée. Les raisons de ce déclin sont mal définies et tiennent sans doute à l'homme. Les changements intervenus dans les pratiques de cultures ont probablement entraîné l'exode de cette espèce vers les zones urbaines et, bien que le moineau se soit adapté à la recherche de déchets, insectes, graines et autres végétaux, il semble moins bien se reproduire dans les villes. En période de reproduction, le moineau domestique construit un nid léger et sommaire, sous l'avancée d'un toit, dans un nichoir ou parfois dans un arbuste. Il est alors agressif et peut même éloigner les hirondelles, les martinets et les mésanges afin de s'emparer de leur nid. Les deux parents incubent de trois à cinq œufs pendant deux semaines, les petits quittant le nid deux semaines après la naissance. En hiver, cet oiseau est sociable et forme des groupes importants qui cherchent ensemble leur nourriture.

TISSERIN GENDARME

NOM SCIENTIFIQUE	*Ploceus cucullatus.*
FAMILLE	Ploceidae.
LONGUEUR	18 cm.
HABITAT	Broussailles et fourrés, souvent près des habitations.
RÉPARTITION	Afrique subsaharienne, sauf régions les plus arides.
DESCRIPTION	Mâle reproductif : jaune dans l'ensemble ; face noire ; dos et ailes striés de noir. Mâle non reproductif : tête jaune ; calotte olive. Femelle : calotte olive ; épaules grises ; dessous blanc ; n'a pas la face noire.

Le tisserin tient son nom du grand nid que tissent les différentes espèces appartenant à sa famille. Beaucoup nichent en colonies, utilisant de vastes nids communs. Cependant, le tisserin gendarme occupe un nid individuel, rassemblé avec d'autres dans les arbres. Ce nid, fait d'herbes et de brindilles, a généralement la forme d'une poire, avec un orifice d'entrée au-dessous ; il est suspendu près de l'extrémité de la branche d'un épineux, afin de dissuader les prédateurs, y compris les serpents. Toutefois, les couvées sont souvent parasitées par différentes espèces de coucous. La femelle pond d'ordinaire deux ou trois œufs, incubés pendant trois semaines environ. Le tisserin gendarme, dont la population est abondante, est le plus nombreux des tisserins en Afrique. On le rencontre dans des habitats variés, souvent près des villages et même des villes. Il se nourrit surtout de graines et cause parfois de graves dommages aux récoltes, bien qu'il consomme aussi des insectes, particulièrement lorsque sa nichée est jeune. Le cri de cet oiseau produit une sorte de bourdonnement et de gazouillis.

EUPLECTE IGNICOLORE

NOM SCIENTIFIQUE	*Euplectes orix.*
FAMILLE	Ploceidae.
LONGUEUR	13 cm.
HABITAT	Roseaux, prairies humides, vergers, terres cultivées.
RÉPARTITION	Majeure partie de l'Afrique subsaharienne.
DESCRIPTION	Mâle reproductif : front, face, gorge et ventre noirs ; tête, poitrine et croupion orange vif ; ailes marron ou noires. Femelle et mâle non reproductif : dessus chamois et brun ; dessous plus clair, avec des stries chamois et brunes ; queue et ailes brun foncé.

L'euplectre ignicolore (dit aussi « tisserin orange ») occupe des habitats humides dans une grande partie de la moitié sud de l'Afrique. C'est un oiseau sociable que l'on peut observer pendant une grande partie de l'année en groupes importants qui se dispersent au cours de la période de reproduction, entre décembre et mars. L'euplectre est polygame et, en période de reproduction, les mâles s'accouplent avec plusieurs femelles. Ils paradent depuis leur perchoir, déployant leurs plumes ou volant au ras des roseaux ou des hautes herbes. Il leur arrive souvent de poursuivre les femelles ou des mâles rivaux. La femelle niche dans une structure que le mâle a tissée avec des herbes. De deux à quatre œufs sont incubés par le couple pendant une quinzaine de jours. Le nid est en général placé au-dessus de l'eau ou parfois dans les champs cultivés, de maïs par exemple. L'euplectre ignicolore se nourrit de graines et d'insectes.

CHOUCADOR SUPERBE ▲

NOM SCIENTIFIQUE	*Lamprotornis superbus.*
FAMILLE	Sturnidae.
LONGUEUR	18 cm.
HABITAT	Prairies, broussailles, cultures, zones suburbaines et urbaines.
RÉPARTITION	Est de l'Afrique, du Soudan à la Tanzanie.
DESCRIPTION	Dessus noir lustré; nuque et épaules bleu-vert irisé; bande de poitrine, dessous de la queue et contour des yeux blancs; ventre rouille.

Le choucador superbe est très commun dans toute son aire de répartition et dans des habitats très divers, parmi lesquels les villes, où il se montre très hardi, réclamant parfois de la nourriture à l'homme. C'est une espèce grégaire, qui se rassemble en groupes souvent associés aux choucadors de Hildebrandt *(Lamprotornis hildebrandti),* cherchant au sol leur nourriture composée d'invertébrés, dont des insectes, des mollusques, des crustacés et des vers. Ils consomment également des fruits et des graines, et peuvent causer des dommages dans les zones agricoles, où ils sont particulièrement nombreux. En période de reproduction, le mâle et la femelle construisent ensemble le nid, assurent l'incubation et la nourriture des petits. Le nid a la forme d'une sphère; il est fait d'herbes et de brindilles, et placé bas dans un buisson épineux ou dans le creux d'un tronc d'arbre. Les œufs sont au nombre de quatre et sont incubés pendant environ douze jours. Le choucador superbe est un oiseau bruyant qui émet des sifflements et des gazouillis et imite fréquemment les cris d'autres espèces.

RUFIPENNE MORIO ▼

NOM SCIENTIFIQUE	*Onychognathus morio.*
FAMILLE	Sturnidae.
LONGUEUR	28 cm.
HABITAT	Affleurements rocheux, prairies, souvent en haute montagne. Également dans les villes.
RÉPARTITION	Parties de l'Afrique subsaharienne, mais largement absent des zones arides de l'est.
DESCRIPTION	Mâle d'un noir lustré dans l'ensemble, primaires brun-roux à extrémités rougeâtres. Femelle semblable, mais tête, cou et haut de la poitrine gris.

Le rufipenne morio occupe des habitats divers, dont les villes, mais il est particulièrement commun dans les régions montagneuses. On peut le voir solitaire, en couple ou en groupes importants, parfois par centaines d'individus, surtout en hiver, lorsqu'il se perche sur les falaises, les arbres et les édifices. En période de reproduction, cette espèce devient sédentaire, mais en colonies éparses. Les deux adultes construisent un nid en cuvette, fait de boue et de végétaux, placé sur un rebord rocheux, un bâtiment ou un arbre. Ils y incubent de deux à cinq œufs pendant deux semaines environ. Les petits ont leur plumage deux semaines après leur naissance, une seconde couvée pouvant être produite ensuite. Les adultes sont très agressifs lorsqu'ils nichent, et ils peuvent même attaquer les humains s'approchant trop des nids. Ces derniers sont souvent parasités par le coucou geai *(Clamator glandarius).* Le rufipenne morio se nourrit au sol et dans les arbres, saisissant aussi des insectes en vol. Omnivore, il consomme des invertébrés, dont des crabes, des araignées, des scorpions, des mille-pattes et des termites. Il attrape aussi des petits reptiles, des oisillons et ne dédaigne pas les charognes; il apprécie aussi les graines, les fruits et le nectar.

ÉTOURNEAU SANSONNET

NOM SCIENTIFIQUE	*Sturnus vulgaris.*
FAMILLE	Sturnidae.
LONGUEUR	23 cm.
HABITAT	Zones urbaines, prairies, marais et lieux boisés ouverts.
RÉPARTITION	De l'Europe à l'Afrique du Nord, certaines zones d'Inde et de Chine. Introduit en Afrique du Sud, Australie et Amérique du Nord.
DESCRIPTION	Plumage noir ; plumes irisées, violettes et vertes sur la nuque, le dos et la poitrine. Extrémités de la queue claires en hiver.

L'étourneau sansonnet est un oiseau très commun et grégaire, visible en groupes tout au long de l'année, avec une tendance à se percher en grand nombre. Cette espèce niche aussi en colonies éparses, bien que les mâles, en particulier, puissent se montrer agressifs envers leurs voisins. Ils nichent dans des creux d'arbres, sur des rochers ou des édifices, construisent une cuvette avec de l'herbe et autres végétaux, y pondent de quatre à sept œufs, incubés pendant deux semaines environ. L'étourneau sansonnet peut produire trois couvées dans la saison et, bien que les deux parents prennent habituellement soin des œufs et des petits, le mâle montre souvent peu ou pas d'intérêt pour les dernières. Les jeunes ont leur plumage définitif au bout de trois semaines environ, mais sont encore nourris pendant quelques jours. L'étourneau sansonnet est omnivore et consomme une grande variété d'invertébrés, des graines, des fruits et des noisettes, parfois des charognes. Il se révèle utile en débarrassant les récoltes de beaucoup d'insectes nuisibles ; malheureusement, leur grand nombre les rend aussi dangereux pour les cultures et les autres espèces d'oiseaux. L'étourneau sansonnet chante beaucoup ; il émet des gazouillis et des sifflements, et sait aussi imiter d'autres oiseaux, des animaux et même des machines à moteur.

ÉTOURNEAU DE ROTHSCHILD

NOM SCIENTIFIQUE	*Leucopsar rothschildi.*
FAMILLE	Sturnidae.
LONGUEUR	23 cm.
HABITAT	Terrains et prairies boisés.
RÉPARTITION	Bali (Indonésie).
DESCRIPTION	Blanc dans l'ensemble; ailes et queue à extrémités noires; rayure de peau bleue autour des yeux; longue huppe.

L'étourneau de Rothschild est l'espèce la plus rare de la famille des étourneaux, de même que l'un des oiseaux les plus rares du monde. Il a été découvert relativement récemment, en 1912, par Walter Rothschild, d'où son nom. On le désigne aussi comme l'«étourneau de Bali», où il est endémique. Il vit dans les lieux boisés et la savane, se nourrissant d'invertébrés comme les chenilles, les termites et les fourmis, mais aussi de graines et de fruits. On le rencontrait autrefois en groupes nombreux, mais récemment sa population s'est réduite, et il n'en est plus de même. Il était également très répandu, mais il n'en reste plus de nos jours que dans le parc national de Barat, à Bali, où il est protégé par des gardes armés. Il a beaucoup souffert de sa capture illégale pour le commerce, mais la destruction de son habitat et ses conflits avec d'autres oiseaux ont par ailleurs contribué à la rapidité de son déclin. La reproduction en captivité et des remises en liberté ont été mises en œuvre au cours des vingt dernières années, afin d'éviter l'extinction de cette espèce. Malgré un succès relatif, son avenir demeure incertain, car le commerce illégal de cet oiseau persiste. En période de reproduction, il niche dans un creux d'arbre et incube cinq œufs pendant environ deux semaines.

MARTIN TRISTE

NOM SCIENTIFIQUE	*Acridotheres tristis.*
FAMILLE	Sturnidae.
LONGUEUR	23 cm.
HABITAT	Prairies, broussailles, cultures, zones urbaines et suburbaines.
RÉPARTITION	Asie du Sud-Est et centrale, introduit en Afrique du Sud, Moyen-Orient, Australasie et diverses îles tropicales.
DESCRIPTION	Brun dans l'ensemble ; tête et poitrine plus sombres tirant sur le noir ; tache blanche sur les ailes ; croupion blanchâtre. Petite tache de peau jaune derrière les yeux assortie au bec jaune.

Le martin triste est un oiseau opportuniste, doté de grandes facultés d'adaptation. Autrefois oiseau des prairies ouvertes, il a adopté de nombreux habitats nouveaux jusqu'à s'approcher des habitations, et il a été introduit avec succès dans de nombreuses zones hors de son aire de répartition naturelle. Omnivore, il consomme divers végétaux, des invertébrés et même des petits vertébrés. Dans certaines zones, dont quelques régions d'Australie, il a été introduit pour lutter contre les insectes nuisibles aux cultures. Mais, paradoxalement, son goût pour les fruits l'a parfois rendu nuisible envers les cultures fruitières. En dehors de la période de reproduction, il se nourrit en groupes plus ou moins abondants, mais c'est lors du perchage de nuit qu'il se montre le plus nombreux, se rassemblant par milliers d'individus pour dormir dans les arbres, sous les ponts, les bâtiments et autres abris. Ces groupes extrêmement bruyants poussent alors des cris stridents. En période de reproduction, le martin triste est moins sociable et se montre agressif envers les autres espèces, rivalisant avec elles pour la nourriture et l'emplacement des nids. Ces derniers sont en général placés dans le creux d'un arbre ou l'anfractuosité d'un édifice ; ils ont la forme d'une cuvette et sont constitués de brindilles, de feuilles, d'herbes et parfois de déchets abandonnés par les hommes. La femelle y pond de deux à cinq œufs, incubés par les deux parents pendant deux semaines environ. Les petits ont leur plumage définitif à quatre ou cinq semaines, mais sont encore nourris par leurs parents pendant plusieurs semaines.

CHOUCADOR SPLENDIDE

NOM SCIENTIFIQUE	*Lamprotornis splendidus*
FAMILLE	Sturnidae.
LONGUEUR	30 cm.
HABITAT	Forêts. Lieux boisés, souvent près de l'eau.
RÉPARTITION	Afrique de l'Ouest et centrale.
DESCRIPTION	Gros sansonnet ; ailes et queue longues. Bleu dessus ; bleu violacé foncé dessous ; taches au cou couleur bronze.

Le choucador splendide est un oiseau bruyant qui émet une variété de sifflements, de cris nasillards et gutturaux. Il passe le plus clair de son temps au sommet des arbres, mais on peut également l'observer de temps à autre au sol, se nourrissant en groupes importants, souvent en association avec d'autres espèces plus ou moins apparentées. Il consomme des fruits et des invertébrés variés, avec, semble-t-il, une préférence pour les figues et les chenilles. Il recherche aussi les termites, et on l'aperçoit communément chassant en groupes mixtes les termites ailés qu'il attrape en vol, particulièrement après de fortes pluies. On identifie le choucador splendide en vol par sa posture voûtée, ses piqués et ses vigoureux battements d'ailes. Nomade par nature, il se déplace en groupes pour chercher de place en place de la nourriture, parcourant souvent pour cela de longues distances. En période de reproduction, il construit un nid dans le creux d'un arbre, le garnissant d'herbes.

SPRÉO ROYAL ▲

NOM SCIENTIFIQUE	*Cosmopsarus regius.*
FAMILLE	Sturnidae.
LONGUEUR	35 cm.
HABITAT	Prairies, lieux boisés ouverts, broussailles d'acacia.
RÉPARTITION	Est de l'Afrique, Somalie, Éthiopie, est du Kenya, nord-ouest de la Tanzanie.
DESCRIPTION	Grand oiseau au plumage brillant ; dessus bleu-vert intense ; poitrine violette ; dessous jaune d'or.

Bien que bruyant et produisant des sifflements gutturaux, le spréo royal est un oiseau très discret, qui passe le plus clair de son temps dans le haut des arbres. Il est remarquable par ses couleurs vives et inhabituelles, peu d'oiseaux d'Afrique présentant le jaune d'or pur du dessous de son plumage. Il est sociable et vit en petits groupes familiaux de trois à dix individus ; il niche en communautés au moment de la reproduction, partageant l'édification du nid et la recherche de nourriture. Il niche dans les creux naturels des arbres ou dans des nids abandonnés de pie, qu'il garnit d'herbes sèches, de racines et de feuilles. La femelle y pond généralement de trois à cinq œufs. Après l'éclosion, des membres du groupe fournissent de la nourriture, donnée directement aux oisillons ou d'abord à leur mère, qui la redistribue. Contrairement à nombre d'oiseaux au plumage brillant, qui se nourrissent surtout de fruits et d'invertébrés, le spréo royal consomme quasi exclusivement des insectes, attrapés en vol ou au sol. Il se nourrit parfois d'autres invertébrés, comme des escargots, des araignées et même des crabes, ainsi que de petits vertébrés comme des lézards.

PIQUE-BŒUF

NOM SCIENTIFIQUE	*Buphagus africanus.*
FAMILLE	Sturnidae.
LONGUEUR	23 cm.
HABITAT	Prairies ouvertes.
RÉPARTITION	Afrique subsaharienne.
DESCRIPTION	Dessus marron ; dessous chamois ; croupion clair ; bec jaune à extrémité rouge ; yeux rouges. Queue courte ; serres puissantes.

Les pique-bœufs sont en général classés dans la famille des Sturnidae et parfois placés dans la sous-famille des Buphagidae, bien que certains taxinomistes fassent de ces derniers une famille à part entière, s'appuyant sur des distinctions physiques et comportementales les différenciant de beaucoup d'étourneaux. Ces nuances peuvent être attribuées à une étroite association, si ce n'est une interdépendance, de ces oiseaux avec de grands mammifères, particulièrement des ongulés, plus communément le bétail. Les pique-bœufs passent la majeure partie du temps à se déplacer avec les troupeaux, perchés sur le dos de leurs hôtes, occupés à lisser leur plumage et même à s'accoupler ; ils se nourrissent presque exclusivement de tiques et autres parasites prélevés dans le pelage et sur la peau de leur support. Le pique-bœuf à bec rouge est très communément associé à des mammifères à pelage ras, comme le buffle ou le rhinocéros, mais si d'autres animaux tolèrent sa présence, les éléphants et quelques espèces d'antilopes ne la supportent pas. Lorsqu'il se nourrit, cet oiseau se cramponne à son hôte avec ses griffes et se propulse avec sa queue. Il est grégaire tout au long de l'année et se reproduit en petites colonies, au sein desquelles il se montre coopératif pour la nourriture et les soins prodigués aux petits. Il niche dans des troncs d'arbres, qu'il garnit de végétaux et de poils d'animaux, avec des couvées de deux ou trois œufs.

DRONGO À RAQUETTES ▼

NOM SCIENTIFIQUE	*Dicrurus paradiseus.*
FAMILLE	Dicruridae.
LONGUEUR	63 cm.
HABITAT	Forêts pluviales, marécages et jungle de bambous.
RÉPARTITION	De l'Inde vers certaines zones d'Asie du Sud-Est, Bornéo, Java et Bali.
DESCRIPTION	Plumage noir et bleu irisé ; longue queue fourchue, avec les axes des plumes extérieures, très développées, blancs et se terminant en raquettes. Huppe à longues mèches visibles au dos de la tête.

On distingue facilement le drongo à raquettes des autres drongos grâce aux plumes pendantes de sa queue. Cependant, on le confond fréquemment avec le drongo à rames *(Dicrurus remifer)*, bien que ce dernier soit un peu plus petit, avec une queue carrée et non fourchue. Il existe également un drongo à raquettes du Sri Lanka *(Dicrurus paradiseus ceylonicus)*, qui présente la particularité de n'avoir pas de plumes caudales développées.

Le drongo à raquettes vit dans des habitats forestiers divers, mais il est surtout commun dans les forêts pluviales à feuilles caduques, où il se nourrit essentiellement d'insectes trouvés dans le feuillage ou attrapés en vol. On le rencontre aussi bien en solitaire qu'en couples ou en petits groupes, et il s'associe souvent à d'autres espèces. Comme les autres drongos, il s'agit d'un oiseau agressif et hardi, particulièrement lorsqu'il niche ou que sa progéniture est menacée. Durant la période de reproduction, il édifie un nid en forme de cuvette, constitué de végétaux liés le plus souvent par des toiles d'araignée, qu'il installe à la fourche d'une branche, en haut d'un arbre. La couvée se compose habituellement de trois ou quatre œufs.

DRONGO MALGACHE

NOM SCIENTIFIQUE	*Dicrurus forficatus.*
FAMILLE	Dicruridae.
LONGUEUR	30 cm.
HABITAT	Forêts, terres cultivées, savane et broussailles.
RÉPARTITION	Madagascar et parties des îles Comores.
DESCRIPTION	Noir dans l'ensemble ; longue queue fourchue ; touffe de plumes recourbées sur la tête.

Sa huppe mise à part, le drongo malgache a une apparence commune. Cependant, son comportement est original. On le rencontre en solitaire ou en petits groupes d'espèces mêlées dont il est le noyau, car il joue un rôle essentiel dans leurs activités. On a en effet découvert qu'il émet des cris particuliers pour attirer des groupes d'autres oiseaux. Beaucoup de ces groupes sont accompagnés d'un ou deux drongos malgaches jouant le rôle de sentinelles, éloignant sans la moindre frayeur les rapaces ou autres prédateurs. Ces oiseaux s'assurent donc une bonne protection en s'associant à un groupe. Le drongo malgache se nourrit surtout d'insectes, mais se pose parfois sur le dos de grands mammifères pour attraper les insectes que ces derniers dérangent en se déplaçant. Cet oiseau vole rarement sur des distances importantes, mais il est capable d'acrobaties aériennes lorsqu'il chasse ou s'oppose à d'autres oiseaux, usant alors de sa longue queue pour effectuer des virages serrés et de brusques changements de direction. En période de reproduction, il édifie un nid en forme de cuvette dans un arbre, à la fourche d'une branche. Il arrive souvent que d'autres oiseaux viennent nicher sous sa protection.

LORIOT D'EUROPE

NOM SCIENTIFIQUE	*Oriolus oriolus.*
FAMILLE	Oriolidae.
LONGUEUR	23 cm.
HABITAT	Bois à feuilles caduques, broussailles, vergers et parcs.
RÉPARTITION	Majeure partie de l'Europe et de l'Asie, Afrique en hiver.
DESCRIPTION	Mâle à plumage jaune vif ; ailes noires ; plumes du dessus de la queue noires et à extrémité jaune ; bande noire sur les yeux. Femelle plus terne ; dessus vert olive ; ailes marron ; dessous tacheté de blanc ; extrémité de la queue jaune.

Malgré le plumage brillamment coloré de cette espèce, le loriot d'Europe est un oiseau discret et généralement solitaire, difficile à observer car il passe le plus clair de son temps dans le feuillage du haut des arbres. On décèle surtout sa présence à son chant flûté. Ses pattes sont courtes et faibles, ce qui le rend inapte à la marche ; il descend donc rarement au sol, sinon, à l'occasion, pour se nourrir de fruits tombés des arbres. Il recherche surtout des fruits dans la voûte de la forêt, son régime étant complété par des insectes. En période de reproduction, il tisse un nid en forme de hamac, qu'il suspend à une branche horizontale fourchue. La femelle prend une large part à sa construction, et elle y incube trois ou quatre œufs pendant deux semaines environ. Le loriot d'Europe se reproduit en petit nombre pendant les mois d'été.

CASSICAN À COLLIER

NOM SCIENTIFIQUE	*Cracticus torquatus.*
FAMILLE	Cracticidae.
LONGUEUR	27 cm.
HABITAT	Forêts, bois, broussailles, cultures et zones suburbaines.
RÉPARTITION	Majeure partie de l'Australie. Absent des zones désertiques.
DESCRIPTION	Tête et queue noires ; collier blanc ; dos et ailes gris ; dessous, croupion et extrémité des ailes blancs. Long bec à bout crochu.

Le cassican à collier fréquente divers habitats boisés, mais préfère les forêts denses, où la nourriture est plus abondante. C'est un prédateur agressif qui chasse de nombreux petits animaux, comme des insectes, des reptiles, des rongeurs et de petits oiseaux. Il complète son régime avec des fruits et des graines. Il a pour habitude d'empaler en divers endroits ses aliments sur des épines, de façon à pouvoir les déchirer et aussi à conserver ce qu'il ne consomme pas immédiatement. Il chasse à partir d'un perchoir à découvert, plongeant au sol sur sa proie ; il saisit aussi des insectes et des petits oiseaux en vol. En période de reproduction, il construit un nid en cuvette, avec des brindilles et des feuilles, qu'il garnit d'herbes et de matériaux légers et place à la fourche d'un arbre. La femelle y incube de trois à cinq œufs pendant environ vingt-cinq jours. Après l'éclosion, les deux parents nourrissent leurs petits, qui ont leurs plumes environ quatre semaines plus tard. Les jeunes demeurent souvent près de leurs parents pendant à peu près un an, et les aident à élever les couvées suivantes.

GRALLINE-PIE ▼

NOM SCIENTIFIQUE	*Grallina cyanoleuca.*
FAMILLE	Grallinidae.
LONGUEUR	27 cm.
HABITAT	Lieux ouverts, en général près de l'eau, terres cultivées, bords de lacs et marais.
RÉPARTITION	Australie, petite partie du sud de la Nouvelle-Guinée.
DESCRIPTION	Dessus noir ; extrémité de la queue, dessous, yeux et bec blancs. Mâle à gorge noire ; sourcils blancs. Femelle à face et gorge blanches.

La gralline-pie est une espèce commune et très répandue dans toute l'Australie, à l'exception de la Tasmanie et de certaines zones désertiques au nord-est. Comme beaucoup d'oiseaux d'Australie, elle a été nommée ainsi en raison de son apparente similitude avec des oiseaux d'Europe connus des colons européens, mais elle n'est pas en fait étroitement proche des pies ou des alouettes européennes. Si elle a été parfois classée dans la même famille que les drongos, celle des Dicruridae, elle est plus souvent placée dans la famille des Grallinidae. On la rencontre dans des habitats variés, mais c'est plutôt au sol qu'elle se nourrit et dans les arbres qu'elle niche. On la voit souvent près de l'eau, et elle apparaît plutôt comme un échassier, lorsqu'elle fouille dans les eaux peu profondes à la recherche d'insectes et d'invertébrés aquatiques. La gralline-pie forme un couple pour la vie et défend son territoire tout au long de l'année. En période de reproduction, elle construit un nid en forme de cuvette, composé de boue et de végétaux, placé sur une branche près de l'eau. Les deux parents incubent de trois à cinq œufs.

LANGRAYEN GRIS ▲

NOM SCIENTIFIQUE	*Artamus cinereus.*
FAMILLE	Artamidae.
LONGUEUR	18 cm.
HABITAT	Forêts clairsemées et broussailles.
RÉPARTITION	Australie, Timor, sud-est de la Nouvelle-Guinée.
DESCRIPTION	Dessus gris fumée, dessous plus clair, extrémité de la queue blanche, face et croupion noirs.

Bien que plus trapu, le langrayen gris est très semblable aux hirondelles par ses habitudes, car il passe beaucoup de temps en l'air, volant sans produire d'effort pour attraper des insectes dans son bec grand ouvert. Il se pose rarement au sol, car il est très maladroit sur ses courtes pattes, mais on peut le voir se percher en groupes sur de hautes branches ou en des lieux élevés. Cette espèce tend à vivre en petits groupes familiaux (le couple et sa progéniture), qui se perchent ensemble, blottis dans une cavité ou à la fourche d'un arbre. Le langrayen gris s'associe souvent à d'autres grandes colonies, au sein desquelles il se reproduit. Les couples construisent à deux un nid en légère cuvette, fait de brindilles, d'herbe et de racines, sur une souche ou une branche. La femelle y pond trois ou quatre œufs, qu'elle incube pendant deux semaines environ. Après l'éclosion, les jeunes de la couvée de l'année précédente coopèrent souvent avec leurs parents pour nourrir les nouveaux oisillons.

CASSICAN FLÛTEUR ▲

NOM SCIENTIFIQUE	*Gymnorhina tibicen.*
FAMILLE	Cracticidae.
LONGUEUR	40 cm.
HABITAT	Forêts ouvertes, bois, terres cultivées, zones suburbaines.
RÉPARTITION	Toute l'Australie, parties du sud-est de la Nouvelle-Guinée, introduit en Nouvelle-Zélande et aux îles Fidji.
DESCRIPTION	Plumage noir et blanc variable. Nuque, dessus de la queue et épaules blancs chez le mâle, gris chez la femelle. En Australie, le reste du corps est généralement noir. Au sud-est et sud-ouest de l'Australie et en Tasmanie, dos et croupion blancs.

Le cassican flûteur est un oiseau commun et remarquable, que l'on rencontre en de nombreux habitats présentant à la fois des arbres et des lieux découverts ; il n'est absent que des régions désertiques les plus arides et des forêts très denses. Il est sociable et vit en groupes de vingt individus ou plus, qui conservent le même territoire tout au long de l'année, le défendant vigoureusement lors de la reproduction. Un groupe est conduit par un mâle dominant, qui s'accouple avec toutes les femelles, lesquelles construisent ensuite des nids séparés, constitués d'une cuvette placée dans un arbre, sur une plate-forme de brindilles. Chaque femelle pond et incube de deux à cinq œufs pendant trois semaines environ. Bien que d'autres mâles du groupe puissent à l'occasion s'accoupler avec les femelles, ils ne prennent pas part aux soins prodigués aux couvées. Le groupe repousse les autres oiseaux qui pourraient pénétrer sur son territoire, et peut même attaquer les hommes qui s'approcheraient trop des nids. Toutefois, pendant la majeure partie de l'année, cette espèce est très familière et vient même quémander de la nourriture à l'homme. Son alimentation se compose d'une grande variété d'invertébrés, qu'elle extrait du sol à l'aide de son bec puissant ; elle complète son régime avec des graines et autres végétaux.

GRAND RÉVEILLEUR ▼

NOM SCIENTIFIQUE	*Strepera graculina.*
FAMILLE	Cracticidae.
LONGUEUR	50 cm.
HABITAT	Forêts ouvertes, bois, broussailles, cultures et faubourgs des villes.
RÉPARTITION	Majeure partie de l'est de l'Australie. Absent de la Tasmanie.
DESCRIPTION	Noir dans l'ensemble ; grand croissant blanc sur l'aile. Base et extrémité de la queue blanches ; yeux jaune vif. Grand bec crochu.

La famille des Cracticidae est composée de passereaux d'Australasie et de Nouvelle-Guinée proches du corbeau. Le grand réveilleur ressemble à ce dernier par son plumage noir et blanc. Son chant consiste en des croassements et des sifflements parfois très sonores. C'est un oiseau commun et familier, qui vit dans des habitats variés mais préfère les forêts et les lieux boisés, surtout en période de reproduction. Dans le nord de son aire de répartition, il est plutôt sédentaire, alors qu'au sud, il change souvent d'altitude de séjour, selon les variations de la température. Cette espèce se reproduit généralement de juillet à janvier. La femelle édifie un nid en cuvette à l'aide des branchettes, garni de matériaux légers ; elle le place en hauteur à la fourche d'un arbre, puis y incube jusqu'à trois œufs pendant trois semaines, le mâle fournissant la nourriture. Il le fait encore une semaine après l'éclosion, et la femelle prend soin des jeunes jusqu'à ce qu'ils aient leurs plumes, un mois plus tard. Après la reproduction, le grand réveilleur forme de grands groupes. Ils se nourrissent ensemble d'aliments variés, charognes, petits vertébrés, œufs d'oiseaux, insectes et baies. Comme chez les oiseaux de la même famille, la nourriture non consommée est conservée dans des buissons épineux, une crevasse ou à la fourche d'un arbre.

Jardinier de Newton

NOM SCIENTIFIQUE	*Prionodura newtoniana.*
FAMILLE	Ptilonorhynchidae.
LONGUEUR	23 cm.
HABITAT	Forêts pluvieuses, habituellement en montagne.
RÉPARTITION	Parties des côtes nord-est de l'Australie et de la Nouvelle-Guinée.
DESCRIPTION	Chez le mâle, dessous, milieu de la calotte, nuque et menton jaunes; dessous et plumes centrales de la queue brun or. Femelle brun verdâtre; dessous gris cendré.

Les mœurs nuptiales du jardinier de Newton sont parmi les plus complexes de toutes les espèces. Il construit des structures très élaborées, des abris, ou «allées», avec des branchettes et autres végétaux, souvent décorés de fleurs ou d'objets de couleur vive. Ces structures servent aux parades nuptiales du mâle et font office de sites d'accouplement. Bien que le jardinier de Newton soit le plus petit membre de sa famille, il édifie autour du tronc d'un arbrisseau de vastes structures en forme de tours mesurant plus de 2 m de hauteur. Souvent, une seconde tour est élevée à proximité et peut être reliée à la première par une fine branche. Ces sites peuvent être réutilisés d'une année sur l'autre, et ce par plusieurs générations successives. Le mâle s'exhibe par des appels et des danses sur les «allées» pour attirer les femelles, s'accouplant avec plusieurs d'entre elles au cours de la saison. Ensuite, celles-ci nichent seules et construisent un nid en coupe dans un arbre, où elles incubent un œuf ou deux. Le jardinier de Newton se nourrit principalement de fruits, mais aussi d'insectes, notamment des cafards et des cigales.

PARADISIERS

Les paradisiers appartiennent à la petite famille des Paradisaeidae, qui compte une quarantaine d'espèces. On les trouve au nord-est de l'Australie et en Nouvelle-Guinée, où ils vivent dans les lieux boisés, les forêts et le bush côtier. Ils se signalent par leur plumage éclatant, dont les mâles de plusieurs espèces se servent pour parader devant les femelles. De nombreuses espèces ont également des plumes très longues et très élaborées qui s'étirent à partir de la queue, des ailes ou de la tête. Les oiseaux les plus colorés et les plus spectaculaires tendent à être polygames ; ils attirent plusieurs femelles pour s'accoupler. Les espèces au plumage plus terne forment souvent des couples monogames, et les mâles partagent avec leur compagne la construction du nid, l'incubation des œufs et les soins prodigués aux petits. Les femelles sont souvent d'un gris-brun terne qui leur assure un bon camouflage dans le feuillage lorsqu'elles couvent. Les mâles n'atteignent la maturité sexuelle que vers cinq ans ; c'est alors qu'ils développent leur plumage de parade. Les femelles sont reproductrices vers deux ans. Chez les espèces polygames, beaucoup de mâles paradent seuls, mais certains se rendent sur une arène commune où plusieurs mâles se rassemblent, se balancent, exhibent leur plumage et chantent bruyamment. Les femelles rejoignent ensuite l'arène et choisissent un mâle. Après l'accouplement, elles nichent seules.

Il existe plusieurs types de nids, notamment ceux en coupe large et ceux en dôme, installés à la fourche d'une branche, dans le feuillage épais ou encore sur des cailloux. Certaines espèces suspendent leur nid à une branche. La plupart produisent un œuf ou deux, parfois trois, incubés pendant environ dix-huit jours. Les jeunes quittent le nid trois semaines après l'éclosion. Parmi les paradisiers polygames, il se produit de nombreuses hybridations entre espèces, et l'on a pu enregistrer plus de vingt hybrides à l'état sauvage.

Certains paradisiers complètent leur alimentation par du nectar, d'autres par des amphibiens et des reptiles. Mais la majorité se nourrit principalement d'invertébrés, de baies et autres petits fruits. Lorsque ces oiseaux cherchent de la nourriture, c'est en hauteur, sous le couvert. On rencontre fréquemment les paradisiers en bandes d'espèces mixtes, souvent en association avec les drongos.

Le **paradisier royal** *(Cicinnurus regius)* est le plus petit de son espèce : il mesure environ 17 ou 18 cm. Le mâle est plus grand en raison de l'extension des plumes de sa queue, mais c'est aussi le plus vivement coloré des paradisiers. Au cours de sa parade nuptiale, il gonfle les plumes de son dos et de sa poitrine, formant un éventail impressionnant. Il est d'un rouge vif luisant sur le dessus et blanc dessous ; sa gorge est jaune, gris et émeraude, ses pattes et ses pieds bleu

Paradisier royal

vif. Deux longues hampes prolongent sa queue, terminées par deux disques émeraude. La femelle, beaucoup plus terne, est brune, striée sur le dessous, ce qui lui permet d'être bien camouflée quand elle incube au nid. Malgré leur plumage éclatant, ces oiseaux sont difficiles à observer, car ils passent presque tout leur temps dissimulés dans le feuillage à rechercher leur nourriture. Le paradisier royal vit dans les forêts pluvieuses de Nouvelle-Guinée ; il est omnivore, son alimentation consistant en grande partie en fruits, insectes, escargots et autres invertébrés. Lorsque le mâle est parvenu à attirer une femelle et que l'accouplement a eu lieu, celle-ci s'en va nicher seule et édifier un nid en coupe, à l'aide de végétaux, en particulier des palmes. Fait inhabituel chez les paradisiers, le nid est installé dans une cavité profonde d'un arbre et non parmi les branches. Comme chez beaucoup de paradisiers, les plumes de cette espèce ont longtemps été recherchées par les modistes comme ornement de chapeaux, ce qui a entraîné le très sévère déclin de cette espèce. Heureusement, cette pratique a fini par être interdite.

Le **paradisier bleu** (*Paradisaea rudolphi)* est une autre espèce de Nouvelle-Guinée, qui peuple en particulier les régions de l'est. Il vit dans les forêts pluvieuses, sur les contreforts des zones montagneuses. Mâles et femelles ont le dos, les ailes et la queue d'un bleu brillant, le dessus et la tête noirs, avec des cercles blancs autour des yeux. Le mâle a le dessous noir, la femelle brun noisette. Le mâle a aussi les plumes de la queue allongées, et il peut ainsi atteindre au total 63 cm de long, la femelle ne mesurant que 29 cm. Le paradisier bleu habite les forêts tropicales et subtropicales, denses et humides, où il se tient sous le couvert du feuillage. Son alimentation se compose surtout de fruits, mais il consomme aussi des insectes et autres invertébrés, attrapés au milieu des feuilles. On rencontre les femelles et les jeunes mâles en petits groupes ; les mâles adultes sont typiquement solitaires. En période de reproduction, les mâles exécutent seuls leur parade, bien qu'on ait parfois observé chez cette espèce des parades sur des arènes collectives. Les parades nuptiales du paradisier bleu sont particulièrement spectaculaires : tout d'abord, le mâle se perche bien en évidence et capte l'attention des compagnes potentielles par des appels ; ensuite, il se balance, tête en bas, en exhibant les plumes irisées de ses ailes et de ses flancs en éventail, tout en émettant un bourdonnement. Après l'accouplement, la femelle construit un nid en coupe peu profond, installé dans un arbre. La perte de son habitat, due à l'abattage des arbres de la forêt pour la mise en cultures, constitue aujourd'hui une menace sérieuse pour le paradisier bleu, autrefois capturé pour la beauté de ses plumes.

Paradisier magnifique

GEAI DES CHÊNES ▲

NOM SCIENTIFIQUE	*Garrulus glandarius.*
FAMILLE	Corvidae.
LONGUEUR	35 cm.
HABITAT	Lieux boisés, haies, vergers, parcs et jardins.
RÉPARTITION	Europe, nord-ouest de l'Afrique, centre et est de l'Asie du Sud-Est.
DESCRIPTION	Plumage brun rosé; calotte rayée noir et blanc; ailes noires avec fines rayures bleues et blanches; croupion blanc; queue noire.

Cet oiseau, très reconnaissable à son beau plumage, est timide et discret. On peut l'apercevoir lorsqu'il traverse en piétant une clairière ou un terrain découvert; mais on le repère surtout à ses cris d'alarme. Il sait se défendre avec vigueur, allant jusqu'à attaquer les hiboux, les corbeaux et les oiseaux de proie; à l'occasion, il sait imiter leurs appels pour dissuader certaines espèces de pénétrer sur son territoire. Il est plus paisible pendant la période de reproduction : la couvée, qui peut atteindre cinq œufs, est alors incubée par les deux parents pendant un peu moins de trois semaines. Le nid a la forme d'une grande structure en coupe, faite de branchettes et tapissée d'herbes et de poils d'animaux; il est d'ordinaire placé au faîte d'un arbre. Le geai des chênes peut fréquenter les forêts mixtes et de conifères, mais il préfère les bois où dominent les chênes, car il est friand de glands. En automne, cette espèce met en réserve dans des caches des centaines, voire des milliers de glands, dont il se servira pendant les mois d'hiver. Il complète son régime alimentaire par des graines et des petits invertébrés. Quand il niche, il s'empare d'œufs d'oiseaux et même d'entières couvées.

GEAI LONGCUP

NOM SCIENTIFIQUE	*Platylophus galericulatus.*
FAMILLE	Corvidae.
LONGUEUR	33 cm.
HABITAT	Basses terres tropicales et forêts de montagne.
RÉPARTITION	Asie du Sud-Est, de la Thaïlande à Java et Bornéo.
DESCRIPTION	Ensemble sombre ou roux tirant sur le noir. Petite queue large; taches blanches au cou. Très longue huppe à plumes retombant sur la face.

Cet oiseau a longtemps été assimilé à une grive de la famille des Laniidae, mais est aujourd'hui reconnu comme un membre de la famille des Corvidae. Il se signale par sa longue huppe, qu'il agite lorsqu'il émet son appel bruyant. Peu commun, il tend à se tenir à l'écart et a, de ce fait, été peu étudié; c'est cependant un oiseau effronté, qui ne craint pas le contact avec les hommes. De fait, en couples ou en petits groupes, il peut s'en prendre à un humain, surtout en période de reproduction, s'il craint pour son nid. Celui-ci a la forme d'une coupe peu profonde; il est placé sur une solide plate-forme de branchettes, parmi les branches d'un arbre. La couvée se compose habituellement de un ou deux œufs. Le geai longcup cherche sa nourriture surtout dans le feuillage, à l'étage moyen de la forêt, se nourrissant de gros insectes et de divers invertébrés.

GEAI BLEU

NOM SCIENTIFIQUE	*Cyanocitta cristata.*
FAMILLE	Corvidae.
LONGUEUR	28 cm.
HABITAT	Lieux boisés, parcs et jardins de banlieue.
RÉPARTITION	Parties centre et est de l'Amérique du Nord.
DESCRIPTION	Petite huppe et dessus bleus ; collier noir ; stries noires et blanches aux ailes ; queue rayée de noir. Dessous gris clair ou blanchâtre.

Oiseau commun très familier des lieux boisés, le geai bleu s'est adapté aux habitats de la périphérie des villes (parcs et jardins), en particulier pendant les mois d'hiver, pendant lesquels il vient se nourrir dans les mangeoires mises à la disposition des oiseaux. Il est beaucoup plus nombreux dans l'est de l'Amérique du Nord, du sud du Canada au golfe du Mexique ; mais si sa population est en diminution dans cette aire de répartition, elle est en revanche en expansion progressive vers l'ouest. Généralement sédentaires, certains oiseaux entreprennent néanmoins de petites migrations en hiver, surtout les populations les plus septentrionales ; on peut alors voir des geais bleus en grandes bandes. Pendant la période de reproduction, cet oiseau construit dans un arbre un nid volumineux en coupe, où sont pondus de trois à six œufs, incubés par la femelle pendant environ dix-sept jours. Cette espèce se nourrit principalement de fruits, graines, noisettes et insectes, et entrepose des provisions pour l'hiver. Au printemps, il lui arrive de prendre les œufs et les petits d'une couvée, mais ce comportement demeure exceptionnel. Le geai bleu a un chant très musical et sait imiter celui d'autres espèces, en particulier les oiseaux de proie ; il agit de la sorte pour avertir ses congénères d'un danger ou pour éloigner d'autres oiseaux de son territoire.

GEAI DE STELLER

NOM SCIENTIFIQUE	*Cyanocitta stelleri.*
FAMILLE	Corvidae.
LONGUEUR	30 cm.
HABITAT	Forêts de conifères, chênaies, zones suburbaines.
RÉPARTITION	Côte ouest de l'Amérique du Nord, de l'Alaska à la Californie, jusqu'à certaines zones d'Amérique centrale.
DESCRIPTION	Geai à huppe, tête, gorge, poitrine et haut du dos noirs ; ventre, croupion, queue et ailes bleu nuit ; raies bleues et blanches sur le front. Certains ont des sourcils blancs.

Le geai de Steller est le plus grand oiseau de sa famille en Amérique du Nord ; il est très commun dans les collines et les montagnes boisées de l'Ouest, bien qu'il fréquente volontiers les basses terres durant l'hiver. En outre, il arrive parfois que son territoire chevauche celui du geai bleu *(Cyanocitta cristata),* ce qui donne lieu à des hybridations. En période de reproduction, le geai de Steller construit un nid en forme de bol, constitué de brindilles, de feuilles, de mousse et de boue, qu'il place sur une branche horizontale, d'ordinaire près du tronc d'un arbre. La couvée comporte de deux à six œufs, incubés surtout par la femelle pendant un peu plus de deux semaines ; les jeunes deviennent indépendants environ trois semaines après l'éclosion. Cette espèce se nourrit au sol et dans les arbres, appréciant divers invertébrés, mais aussi les noisettes, les graines, les fruits et les petits invertébrés. Le geai de Steller est friand de glands, qu'il enfouit dans des cachettes en prévision de l'hiver. Comme les autres membres de la famille des corbeaux, il saisit et manipule ses aliments avec ses pattes.

PIE BAVARDE ▼

NOM SCIENTIFIQUE	*Pica pica.*
FAMILLE	Corvidae.
LONGUEUR	48 cm.
HABITAT	Prairies, buissons, lisières de forêts, champs, parcs et jardins.
RÉPARTITION	Presque toute l'Eurasie, nord-ouest de l'Afrique, nord-ouest de l'Amérique du Nord.
DESCRIPTION	Tête, dos et poitrine noirs ; épaules et ventre blancs ; taches gris-bleu sur les ailes et la queue. Bec fort ; longue queue. En vol, découvre des zones blanches sous ses ailes.

La pie bavarde a souvent été décriée pour des raisons diverses, mais surtout parce qu'elle mange les œufs et les oisillons d'autres oiseaux. Elle a pourtant une alimentation variée, composée de petits mammifères, de reptiles, d'amphibiens, de divers invertébrés, y compris des insectes nuisibles et des végétaux. On la dit aussi voleuse, en raison de l'habitude qu'elle a de ramasser des objets brillants ou colorés ; la tradition populaire l'accuse aussi de porter malheur. On trouve la pie bavarde dans des habitats variés ; c'est un oiseau sociable presque toute l'année, qui se rassemble en grandes bandes bruyantes et se perche souvent en commun. Pendant la période de reproduction, la pie bavarde devient sédentaire et agressive, et les bagarres sont fréquentes. Le mâle et la femelle construisent à deux un grand nid en dôme, fait de branchettes que le mâle recueille en abondance et que la femelle met en place. La couvée se compose de six œufs environ, incubés pendant près de dix-huit jours. Après l'éclosion, les jeunes demeurent au nid à peu près quatre semaines, puis peuvent rester auprès de leurs parents et sont encore nourris quelques semaines. Les pies bavardes présentent la caractéristique de rester en groupes jusqu'au printemps suivant.

CASSE-NOIX D'AMÉRIQUE ▲

NOM SCIENTIFIQUE	*Nucifraga columbiana.*
FAMILLE	Corvidae.
LONGUEUR	30 cm.
HABITAT	Forêts de montagne à conifères.
RÉPARTITION	Certaines zones de l'ouest des États-Unis (plus rarement au centre), Canada jusqu'au nord du Mexique.
DESCRIPTION	Dessus gris pâle ; longues ailes noires ; petite queue noire dessus et blanche dessous ; face et ventre blancs.

Le casse-noix d'Amérique vit surtout en altitude, dans les forêts de conifères de l'ouest de l'Amérique du Nord. De ce fait, il se nourrit principalement de graines de pin, qu'il extrait des cônes de son bec fin et vigoureux. Il consomme aussi des charognes, des petits vertébrés et, surtout en été, une grande variété d'invertébrés. L'hiver, on peut observer cette espèce à plus basse altitude, se nourrissant des graines enfouies dans des cachettes. Il est doté d'une poche gulaire qui lui permet de transporter des graines sur de longues distances. Cette façon d'entreposer des aliments permet aussi au casse-noix d'Amérique de s'accoupler tôt dans l'année, dès la fin de l'hiver, et de nourrir sa nichée de graines. En période de reproduction, il construit, à l'aide de brindilles, un nid en coupe placé au faîte d'un conifère, où sont pondus deux ou trois œufs, incubés pendant environ dix-huit jours. À la différence des autres membres de la famille des corbeaux, chez lesquels l'incubation est le fait des seules femelles, les deux parents couvent à tour de rôle. Les jeunes s'émancipent trois semaines après l'éclosion.

CRAVE À BEC ROUGE

NOM SCIENTIFIQUE	*Pyrrhocorax pyrrhocorax.*
FAMILLE	Corvidae.
LONGUEUR	38 cm.
HABITAT	Falaises côtières, champs, montagnes et steppes.
RÉPARTITION	Parties de l'Europe, Afrique du Nord, Moyen-Orient, Russie, Asie.
DESCRIPTION	Plumage noir lustré ; jambes rouges ; long bec rouge, effilé et arqué.

Le crave à bec rouge, relativement dispersé dans son aire de répartition, connaît un déclin important depuis de nombreuses années. Les causes en sont la chasse dont il fait l'objet et les profondes mutations intervenues dans les pratiques agricoles. Aujourd'hui, cependant, cet oiseau est protégé. Il se nourrit principalement d'insectes et de leurs larves, fouillant sous les pierres avec son long bec ; il picore également des parasites sur le bétail.

Pendant la période de reproduction, cette espèce niche habituellement en petites colonies. Elle construit son nid avec des branchettes, de la bruyère et d'autres matériaux, et le place sur une corniche rocheuse, dans une grotte, une mine ou un bâtiment désaffecté. La femelle incube seule de deux à six œufs pendant près de dix-huit jours, tandis que le mâle lui apporte de la nourriture au nid. Ce dernier nourrit aussi les oisillons après l'éclosion, lesquels prennent leur envol six semaines plus tard, demeurant néanmoins dépendants de leurs parents près de cinq semaines supplémentaires.

CHOUCAS DES TOURS ▼

NOM SCIENTIFIQUE	*Corvus monedula.*
FAMILLE	Corvidae.
LONGUEUR	33 cm.
HABITAT	Lieux boisés, champs, falaises côtières et intérieures, zones urbaines et suburbaines.
RÉPARTITION	Presque toute l'Eurasie, extrémité nord-ouest de l'Afrique.
DESCRIPTION	Petit corbeau entièrement noir ou gris foncé ; nuque grise.

Très commun dans son aire de distribution, ce membre sociable de la famille des corbeaux se rencontre souvent en groupes, par douzaines ou centaines d'individus, surtout dans les champs cultivés, où on le trouve associé à d'autres oiseaux, comme les étourneaux et les freux. Comme ces espèces, il se nourrit principalement au sol, où il recherche des invertébrés en grattant la terre. Il complète son alimentation par des charognes, des fruits, des graines et des petits vertébrés, y compris les oisillons d'autres oiseaux. Pendant la période de reproduction, le choucas des tours niche en colonies ; il construit un grand nid avec des branchettes qu'il place dans le creux d'un arbre, d'une falaise ou d'un édifice. À l'occasion, il utilise le nid d'un oiseau plus grand, comme le freux. La femelle incube une couvée allant jusqu'à neuf œufs pendant dix-sept ou dix-huit jours, tandis que le mâle contribue à nourrir les oisillons après l'éclosion. Les jeunes prennent leur envol environ trente jours plus tard. Comme d'autres membres de la famille des corbeaux, le choucas des tours est très attiré par les objets en métal brillant.

CORNEILLE D'AMÉRIQUE ▲

NOM SCIENTIFIQUE	*Corvus brachyrhynchos.*
FAMILLE	Corvidae.
LONGUEUR	45 cm.
HABITAT	Prairies, lieux boisés découverts, champs, zones urbaines et suburbaines.
RÉPARTITION	Majeure partie de l'Amérique du Nord.
DESCRIPTION	Grand corbeau à queue courte et ronde; larges ailes; grand bec fort.

La corneille d'Amérique est un prédateur vorace qui se nourrit de grands invertébrés, de rongeurs et d'oisillons au nid. Il est cependant omnivore et consomme aussi des graines et des fruits, auxquels il ajoute, à l'occasion, des charognes. Mais, son bec n'étant pas particulièrement robuste, il doit attendre qu'un autre animal déchire la peau de l'animal mort pour fouiller la carcasse. Très sociable, il pénètre dans les villes en grandes bandes, et ses perchoirs peuvent recevoir des millions d'oiseaux. Comme d'autres membres de la famille des corbeaux, la corneille d'Amérique est intelligente et pleine de ressources, avec une structure sociale bien développée et un système de communication avancé qui lui permet d'indiquer l'emplacement de la nourriture ou d'avertir ses congénères d'un danger. Pendant la période de reproduction, la femelle pond de trois à six œufs, incubés pendant environ dix-sept jours, dans un grand nid en coupe, placé dans un arbre ou dans un grand buisson. Les jeunes quittent le nid environ cinq semaines après l'éclosion, mais demeurent souvent dans le groupe familial et aident leurs parents à nourrir les couvées suivantes.

CORNEILLE NOIRE

NOM SCIENTIFIQUE	*Corvus corone.*
FAMILLE	Corvidae.
LONGUEUR	47 cm.
HABITAT	Lieux boisés ouverts, prairies, champs, côtes, parcs et jardins.
RÉPARTITION	Europe, Asie, vallée du Nil et Moyen-Orient.
DESCRIPTION	Grand corbeau noir à reflets gris et pourpre irisés; bec puissant.

La corneille noire se nourrit beaucoup de charognes, mais son alimentation est très variée : invertébrés, petits vertébrés comme des amphibiens, des rongeurs et de jeunes oiseaux, y compris des membres de la famille des corbeaux, mais aussi des noisettes, des graines et des fruits. Elle recherche surtout sa nourriture au sol, dans des habitats très variés, et c'est un oiseau assez solitaire, bien qu'on le voie aussi en couples ou en petits groupes.

Pendant la période de reproduction, le mâle et la femelle construisent ensemble un grand nid avec des branchettes et autres matériaux, qu'ils installent à la fourche d'une branche d'arbre. La femelle y pond quatre ou cinq œufs, qu'elle incube seule pendant trois semaines environ. Les jeunes s'émancipent cinq ou six semaines après l'éclosion. Si la corneille noire est entièrement et uniformément noire, la corneille mantelée, autrefois considérée comme une sous-espèce *(Corvus corone cornix)*, est aujourd'hui reconnue comme une espèce à part entière *(Corvus cornix)* : son corps est gris, sa tête, sa gorge, sa queue et ses ailes noires.

CORBEAU FREUX ▼

NOM SCIENTIFIQUE	*Corvus frugilegus.*
FAMILLE	Corvidae.
LONGUEUR	46 cm.
HABITAT	Champs, lieux boisés ouverts, prairies, zones urbaines/suburbaines.
RÉPARTITION	Majeure partie de l'Europe, Moyen-Orient, centre et est de l'Asie. Introduit en Nouvelle-Zélande.
DESCRIPTION	Grand corbeau uniformément noir à reflets rougeâtres; long bec pointu à base blanche dénudée chez l'adulte; front haut.

Le corbeau freux est probablement le plus sociable des membres de la famille des corbeaux. On le voit en bandes de plusieurs centaines, voire de milliers d'individus, en particulier au cours de l'hiver, sur des perchages communs. Il est omnivore, et son alimentation est essentiellement composée d'invertébrés, de petits vertébrés, d'œufs d'oiseaux, de charognes, de graines, de fruits et de végétaux, qu'il attrape à l'occasion en vol. Comme la plupart des corbeaux, il dissimule souvent de la nourriture en terre pour la consommer plus tard.

Pendant la période de reproduction, les deux adultes construisent un grand nid avec des branchettes, de la terre, de l'écorce et de la mousse; la femelle y incube de trois à cinq œufs pendant environ seize jours. Après l'éclosion, le mâle et la femelle prennent soin de leurs oisillons, qui s'émancipent environ trente jours plus tard, mais demeurent dépendants de leurs parents pour la nourriture pendant un mois supplémentaire. Ils ne sont donc pas complètement autonomes avant plusieurs mois. Le corbeau freux est un oiseau commun dans les champs, où il est généralement considéré comme un danger pour les cultures et persécuté pour cette raison.

GRAND CORBEAU ▲

NOM SCIENTIFIQUE	*Corvus corax.*
FAMILLE	Corvidae.
LONGUEUR	60 cm.
HABITAT	Forêts, montagnes, toundras, côtes, zones urbaines et suburbaines.
RÉPARTITION	Tout l'hémisphère Nord, sauf l'Afrique centrale, l'Arabie Saoudite et le Sud-Est asiatique.
DESCRIPTION	Très grand corbeau à longues ailes. Queue pointue, bec robuste.

C'est le plus grand membre de la famille des corbeaux. On le distingue aisément à sa grande taille, à sa queue en pointe et à son bec robuste et particulièrement long. Il est relativement commun dans tout l'hémisphère Nord, dans des habitats très variés, mais il préfère les lieux ouverts, avec des falaises pour nicher. En ville, il s'installe souvent dans les bâtiments ou sur les poteaux télégraphiques. Les couples de grands corbeaux demeurent unis toute l'année et même, pense-t-on, toute la vie. Pendant la période de reproduction, on les voit souvent exécuter des acrobaties aériennes à une hauteur importante. Leur nid est une grande construction grossière faite de branchettes et tapissée de poils d'animaux, dans laquelle la femelle pond et incube de quatre à sept œufs pendant environ trois semaines. Les jeunes sont en mesure de subvenir à leurs besoins environ six semaines après l'éclosion. Le grand corbeau se nourrit d'invertébrés, de charognes, de petits oiseaux, de reptiles et d'amphibiens, de rongeurs et même de petits mammifères de la taille de jeunes lièvres. Il est cependant omnivore et consomme aussi des graines, des glands, des fruits et des bourgeons, allant jusqu'à fouiller dans les décharges. On le tient pour très intelligent, doué d'une forte capacité d'adaptation et capable d'apprendre de nouvelles règles de conduite si nécessaire.

Index des noms communs

Index des noms scientifiques

Crédits photographiques

L'éditeur tient à remercier Photolibrary.com pour lui avoir fourni les illustrations listées ci-dessous.
Merci également aux personnes suivantes pour leur aimable autorisation de reproduire leurs photographies.

Allen, Doug ; Manchot empereur / Océanite de Wilson Alonso, Sanchez Carlos ; Échasse blanche / Outarde barbue / Milan royal / Alouette hausse-col Atkinson, Kathie ; Puffin des Anglais / Fou masqué / Cassican flûteur / Cassican à collier Austermann, Mirian/AA ; Condor de Californie Bailey, Adrian ; Guêpier écarlate / Héron garde-bœufs Bartov, Eyal ; Ganga cata / Promerops du cap Bennett, Bob ; Canard carolin Beste, H & J ; Gérygone blanchâtre Benvie, Niall ; Geai Birkhead, Mike ; Canard mandarin Birquist, Paul ; Auripare verdin Blossom, Joe/SAL ; Coq bankiva / Étourneau de Rothschild Boag, D ; Grive litorne Bollman, Werner ; Choucador superbe Bomford, Tony ; Buse pattue Brooke, Michael ; Grand réveilleur Brown, Roger ; Bulbul orphée / Galah / Léipoa ocellé / Pardalote à point jaune / Dicée hirondelle / Méliphage à oreillons bleus / Pie-grièche écorcheur / Langrayen gris Bush, Robin ; Talégalle de Latham / Kiwi austral / Nestor kéa / Ménure superbe / Miro mésange / Polochion criard Chappell, Mark ; Perruche ondulée / Macareux huppé Christof, Alain ; Guêpiers d'Europe Colbeck, Martyn ; Grue / Messager sagittaire Cole, Ken ; Mésange à tête noire Cordano, Marty ; Pélican d'Amérique Cook, Peter ; Golonek rouge et noir Cox, Daniel ; Cacatoès à huppe jaune / Pione à tête bleue / Plongeon imbrin / Émeu / Grand duc d'Amérique / Grue du Japon / Calao rhinocéros / Tétras des armoises / Fulmar géant / Bruant à gorge blanche Cushing, Irvine ; Cormoran huppé Day, Kenneth ; Guillemot marmette Day, Richard ; Cardinal rouge / Gobe-moucherons gris-bleu / Quiscale bronzé / Dickcissel d'Amérique / Flamant rose / Merle bleu azuré / Paruline à croupion jaune / Paruline masquée Daybreak Imagery ; Merle d'Amérique / Moucherolle masqué / Bernache du Canada / Martinet ramoneur De Oliveira, Paulo ; Astrild ondulé De Roy, Tui ; Moucherolle vermillon / Harpie féroce / Cariama huppé / Talève takahé ; Degginger, E R ; Phainopépla luisant Dermid, Jack ; Butor d'Amérique / Pélican brun / Tourterelle triste Dick, Michael/AA ; Phodile calong / Léiothix à joues argent Dinodia Picture Agency ; Brève du Bengale Downer, John ; Cigogne blanche Fioratti, Paolo ; Faucon hobereau Fischer, Berndt ; Gorge-bleue à miroir / Busard cendré / Engoulevent / Faucon pèlerin / Milan royal / Phaéton à bec jaune Fogden, Michael ; Eurylaime vert / Manakin filifère / Jardinier de Newton / Ibijau jamaïcain / Brève géante / Râle wéka / Caurale soleil / Colibri à bec en faucille Foster Farnetti, Carol ; Perroquets Franklin, Paul ; Ortalide chacamel Furlong, Frances ; Linotte mélodieuse / Râle des genêts Gerlach, John ; Sizerin flammé / Paruline flamboyante / Goglu des prés / Gros-bec errant Green, Dennis/SAL ; Faucon émerillon / Hibou des marais Grizmek, Christopher/OPAKIA ; Autruche Habicht, Michael ; Bruant fauve Gerlach, John ; Goglu des prés Hallett, Jim ; Corbeau freux Hamblin, Mark ; Hirondelle rustique / Aigle royal / Accenteur mouchet / Rossignol / Balbuzard pêcheur / Cincle plongeur / Verdier d'Europe / Sittelle torchepot / Vanneau huppé / Tétras-lyre / Mouette tridactyle / Pluvier grand-gravelot / Mésange bleue / Pic épeiche / Buse variable / Pinson des arbres / Mésange noire / Macareux moine / Mésange huppée / Cormoran à aigrettes / Bécasseau variable / Accenteur mouchet / Chardonneret élégant / Fulmar boréal / Autour / Grèbe huppé / Oie cendrée / Cygne tuberculé / Canard pilet / Spatule blanche / Râle d'eau / Paruline jaune / Martinet / Huitrier pie / Phragmite des joncs Hill, Mike ; Cochevis huppé / Pie-grièche écorcheur / Rouge-queue / Souimanga bronzé Howell, N ; Mésange bicolore Jackman, Roger ; Sterne caspienne Jackson, Tim ; Faucon lanier Jackson, Tim ; Veuve royale Jones, Mark ; Condor des Andes Jones, Adam ; Colin de Virginie / Bec-en-sabot du Nil Kemp, R&J Serin cini Kenney, Brian ; Goura de Victoria / Tantale d'Amérique Kent, Breck P. ; Corneille d'Amérique / Pic flamboyant Knights, Chris ; Chevêche d'Athéna / Busard des roseaux / Trogon narina / Fuligule morillon Korenromp, Jos ; Bergeronnette grise / Rouge-queue à front blanc / Rouge-gorge / Roitelet huppé Laidler/K/Survival ; Toucan à bec rouge Lauber, Lon ; Buse de Harris / Tourterelle turque Leach, M ; Hibou moyen duc / Bec-croisé des sapins / Chouette hulotte Leach, Tom ; Labbe parasite / Grand chevalier / Bruant des neiges / Pique-bœuf Lubeck, Robert ; Paruline noir et blanc Maclean, Gordond ; Linotte mélodieuse Mayre, R ; Gobe-mouches gris / Pic vert Mills, Stephen ; Sterne pierregarin Milne, Brian ; Eider à tête grise Mitchell, John ; Lophophore resplendissant Netherton, John ; Anhinga noir Nelson, Alan G. ; Pic chevelu Newman, Owen ; Héron cendré / Mergule nain Osborne, Ben ; Albatros hurleur / Pie bavarde OSF ; Grand géocoucou Osolinski, Stan ; Cormoran à aigrettes / Bec-en-ciseaux noir / Aigrette / Gravelot kildir / Courlan brun / Tyran tritri / Moqueur polyglotte / Talève violacée / Perruche à collier / Ibis rouge / Ani à bec lisse / Bulbul orphée / Spréo royal / Ibis falcinelle / Pigeon biset Packwood, Richard ; Troglodyte mignon / Vacher à tête brune / Caracara huppé / Fou de Bassan / Grand corbeau / Marabout d'Afrique / Grand labbe Partridge Films ; Bec-en-ciseaux d'Afrique Perrins, Chris ; Fou à pieds bleus Pfefferle, Manfred ; Gros-bec casse-noyaux / Coq-de-roche péruvien Plage, Mary ; Jacana à longue queue Photolibrary.com ; Ganga de Lichtenstein / Martin-pêcheur d'Amérique / Géopelie diamant / Moineau domestique / Gobe-mouches noir / Méliphage de Nouvelle-Hollande Powles, Mike ; Foulque macroule / Panure à moustaches Price, Mike ; Geai bleu Reinhard, Hans ; Troglodyte mignon / Torcol fourmilier Renjifo Juan/AA ; Guacharo des cavernes Reszeter, Jorge ; Bouscarle de Cetti Richards, Michale ; Oie des neiges Ringland, Keith ; Bergeronnette des ruisseaux / Grand tétras / Choucas des tours Robinson, James, H. ; Chevêche des terriers Root, Alan/SAL ; Grèbe castagneux Rosing, Norbert ; Pigeon ramier Rozinski, Bob ; Bécassine des marais Rue, Len Jnr III ; Geai de Steller Saunders, D J ; Goéland cendré / Grimpereau / Martin-pêcheur d'Europe Schneidermeyer, Frank ; Tohi à flancs roux / Carouge à épaulettes / Passerin nonpareil / Conure soleil / Stournelle de l'Ouest Senani, Krupakar, Gonoleck rouge et noir / Cabézon toucan / Huppe fasciée / Irène vierge / Tchitrec de paradis Sewell, Michael ; Hoazin huppé / Calao bicorne / Martin-chasseur géant / Ara rouge Shahar, Ben, Rafi ; Engoulevent Sharp, Chris ; Bruant chanteur Shattil, Wendy ; Colibri à queue large Shattil & Rozinski ; Pygargue à tête blanche / Grand héron / Urubu à tête rouge

Sierra, Jorge ; Vautour fauve / Loriot d'Europe   Sinha, Vivek ; Petit iora
Steelman, C ; Colibri roux / Dindon sauvage   TC Nature ; Ara hyacinthe
Tibbles, Maurice/SAL ; Coucou gris   Tilford, Tony ; Grand éclectus / Grive
draine / Irène-fée / Fauvette à tête noire / Jaseur / Perroquet gris / Calopsitte
élégante / Junco ardoisé / Passerin indigo / Bécasse des bois / Brève azurine /
Calliste de Schrank / Sicale bouton-d'or / Drongo à raquettes / Paradisier royal /
Paradisier magnifique / Cordon-bleu violacé / Diamant de Gould / Zostérops
oriental / Bruant des roseaux / Merle noir   Tipling, David ; Courlis cendré /
Gallinule poule-d'eau / Caille des blés / Jacana du Mexique / Lagopède alpin /
Combattant varié / Sarcelle d'hiver / Tragopan de Temminck   Tiwari, Satyendra ;
Paon bleu   Turner, Steve ; Casoar à casque / Gralline-pie / Martin triste /
Manchot Adélie   Ulrich, Tom ; Engoulevent de Nuttall / Tyran des savanes /
Moqueur roux / Durbec des sapins / Tarin des pins / Viréo aux yeux rouges /
Merle bleu à poitrine rouge / Pic maculé / Hirondelle pourprée / Moucherolle
noir   Walker, Barry ; Bruant jaune   Wells, B.&B ; Mérion splendide   West, Ian ;
Cygne chanteur / Canard colvert   Willis, G W ; Aigrette naigeuse   Wisniewski,
W/OKAPIA ; Frégate du Pacifique   Woods, Eric ; Faucon crécerelle / Pipit
farlouse   Wothe, Konrad ; Grimpar à bec rouge / Toucan toco / Chevêchette
d'Europe / Eurylaime psittacin / Troglodyte à miroir / Labbe à longue queue /
Euplecte ignicolore / Sittelle à poitrine blanche / Casse-noix d'Amérique /
Harfang des neiges / Rollier / Coliou huppé.

Nous tenons aussi à remercier les photographes de chez Ardea pour
leur aimable autorisation de reproduire leurs photographies :

Chapman, G ; Tariette tricolore,   Dunning, J. S ; Batara fascié / Grand batara /
Viréo mélodieux / Jacamar à longue queue   Fink, Kenneth W ; Araponga à gorge
nue   Greensmith, Alan ; Philepitte souimanga ; Hadden, Don ; Xénique grimpeur
Steyn, Peter ; Tisserin gendarme   Taylor, W ; Gérygone à bec court   Trounson,
A D & Clampett C ; Pomatostome à calotte marron   Watson, M ; Rufipenne morio.

Pages de garde : Mark Hamblin

Ce livre n'aurait pas pu être réalisé sans l'aide de Rebecca Marsden
et de tous les employés de chez Photolibrary.com, Sophie Napier de chez Ardea,
T. E. B. Taylor, Richard Betts, Vicki Harris, Jill Dorman et Charlotte de Grey.